開 一夫・金山範明 編
河内山隆紀・松本 敦・宮腰 誠 著

脳波解析入門
Windows10対応版

EEGLABとSPMを使いこなす

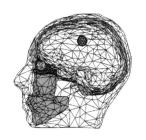

東京大学出版会

An Introduction to EEG Analysis:
Complete Guide to EEGLAB and SPM for Beginners,
Updated for Windows10
Kazuo HIRAKI and Noriaki KANAYAMA, Editors
University of Tokyo Press, 2020
ISBN 978-4-13-012118-7

Windows10 対応版 刊行にあたって

　本書は，できるだけ多くの方が，エラーに悩まされることなく様々な脳波解析を自分でできるようになることを目的としています。そのため，この版では，Windows7 のサポート終了に伴い，初版刊行当時は動作確認が不十分という理由で避けた Windows10 に対応し，EEGLAB などのバージョンも初版とほぼ同様の使用感で解析ができるものを紹介することにしました。もちろん Mac ユーザも，本書ウェブサイトを参考にしながら使用できます。その他，脳波計の情報をアップデートし，いくつか画像を差し替えましたが，内容に大きな変更はないため，すでに初版をお持ちの方はウェブサイトをご確認ください。

　脳波を用いた研究はますます盛んになっていくはずだと初版で主張してから，約 4 年の歳月が流れました。このわずかな間にも，世の中は目覚ましく移り変わり，中でも Neuralink のニュースは世間の耳目を集めました。PayPal，Tesla，SpaceX といった多岐にわたる巨大企業をいくつも成功させてきたイーロン・マスク氏は，脳科学の分野をハイテク産業が生み出す巨大市場の渦へと巻き込もうとしています。そして，シリコンバレーのリーダーたちは今や誰もが脳計測に熱い視線を投げかけています。著者の一人である宮腰は，サンディエゴに脳波のベンチャー企業を立ち上げました。この領域を専門とする者として，今後の脳波を扱う技術への需要の高まりを確信してのことです。脳科学とハイテク産業の融合が現実のものとなる時，私たちは新しいフロンティアを見るでしょう。次の 4 年には一体何が起きるでしょうか。

　本書は，頭皮上脳波を扱う際の基礎的な技法に習熟することを目標としたもので，計算機科学や情報工学，基礎認知研究や臨床研究にも通じています。これまでも多くの方に，本書を使って脳波解析を「始めた」と伺っています。Windows10 対応版も，多くの方に手に取っていただき，次世代の脳科学やその社会応用を担うための基礎的な知識を学ぶきっかけにしていただければ，大変光栄です。

(2020 年 10 月)

はじめに

　本書は，脳の活動を電気生理学的に計測し，収録した信号から脳機能を推定する際に必要となる信号処理の基本的な方法をまとめたチュートリアルとして企画されました．教科書としても用いることができるように，これに原理や適用法などを加え，脳波を扱おうとした際に，この本を一冊持っているだけでほとんどのことがわかり，扱うことができるようになるものを目指しました．

　解析法の説明（第 II 部）では，主に MATLAB 上で動作するフリーのオープンソースソフトウェアである EEGLAB と SPM（Statistical Parametric Mapping）の使い方を紹介します．本書での紹介をご快諾くださった，EEGLAB 開発責任者スコット・マケイグ博士，アーノード・デローム博士，SPM 開発責任者カール・フリストン博士に感謝します．

　本書は，傍らにおいて参照すれば，脳波研究において一般的に行われている解析が誰でも簡単にできるようになる，というコンセプトのもとに作成されました．また，そこで行われている処理がどのように波形に影響を与えるかなど，経験則に基づいた解説や，測定に関して気をつけるべきこと，どの解析にどのような測定方法が必要かということもあわせて記述したので，一部では職人技と言われる適切な脳波の計測および解析が，本書によって誰にでもできるようになるでしょう．

　本書の執筆者たちは，必ずしも難しい数学的な知識を背景に持っていたわけではありません．そして本書は，各解析方法の数学的な意味を説明するものではなく，どんな時に何が有用かを，主に心理学，認知科学的な観点で紹介するものです．どんな専攻の学生でも十分に理解できる内容であることを目指しました．数学が得意でないからとあきらめていた方も，ぜひ本書を足がかりに様々な解析に挑戦し，また原理を学んでみることをおすすめします．

　2016 年夏

　　　　　　　　　　　　　　　　　　　　　　　　　　　執筆者一同

刊行によせて

カリフォルニア大学サンディエゴ校スウォーツセンター所長
スコット・マケイグ

　1996 年，私は事象関連電位データベース構築を議論するためのワークショップに出席しました。会議も終わりに近づいたころ，私はその場にいた研究者たちに向かって，このうちの何人がデータをアップロードしてもよいと考えているかをたずねました。ほんの数人がおずおずと手を挙げました。次に，このうちの何人がデータ解析の新しいツールをほしいかとたずねました。すぐさま全員が手を挙げました。こうして私は，事象関連電位の研究者たちが，データからより多くの情報を引き出すための新しいツールを，その当時ですらほしがっていたということを知ったのです。その時，私はすでにプフルトシェラーらのアルファ帯域事象関連同期／脱同期の一般化である，事象関連スペクトラム摂動変換を開発，発表していました。

　その後すぐ，私は同僚とともに独立成分分析の有用性を発見しました。この解析法では，脳波データを時間的に，また機能的に分解することができるのです。一方で，ほとんどの脳波研究者は，私たちの解析の意味を直観的に理解できていないことに気づきました。もし私が，日々充実し続けていく自分たちの脳波解析と可視化のツールをインターネット上で提供すれば，私たちが提案するこの解析法に対する理解がよりすみやかに広まるかもしれないと，そう思いました。こうして，脳波と独立成分分析のためのツールボックスが生まれました。私がそれをリリースしたのは 1997 年のことで，ソーク研究所にいたテリー・セイノフスキーの研究室のウェブサイトで頒布されていました。

　脳波と独立成分分析の研究が進み，学生やポスドク研究員が私たちのグループに加わりました。その中の一人がアーノード・デロームで，コンピュータサイエンスの修士号と，神経生理学と脳波の博士号を持っていました。彼が私たちのツールを理解し使い始めました。やがて彼はユーザインターフェースを開発し，また様々な関数とデータとの互換性を確保するために，標準データ構造を策定しました。ここに EEGLAB のコンセプトが生まれたのです。

　やがてソーク研究所にあった私たちの研究室は，研究者とコンピュータであふれかえるようになりました。そのころ，ジェローム・スウォーツ博士が率いるスウォーツ財団からカリフォルニア大学サンディエゴ校への多大な寄付がなされることが決定し，私，アーノード，鍾子平，ジュリー・オントンほか一同は，カリフォルニア大学サンディエ

刊行によせて

ゴ校内のより広い敷地へと移ることとなり，計算神経科学研究所所属のスウォーツ計算神経科学研究所（以下，スウォーツセンター）が設立されました。2002年のことです。その後EEGLABをオンラインで公開し，米国立衛生研究所からの継続的なサポートを2004年から受けています。2011年に行われた数百人の認知科学研究者を対象としたオンライン調査の結果，EEGLABは現在最も広く使われている解析環境であると報告されました（Hanke, M., & Halchenko, Y. O. (2011). Neuroscience Runs on GNU/Linux. *Frontiers in Neuroinformatics*, 5, 8）。

　研究者たちはEEGLABを使って，脳波や電気生理信号の多様な解析を行っています。最近私が気づいたのは，長年の経験を必要とせずに独立成分分析をもっと簡単に適用できるようにするために，私の研究チームにもっと仕事をしてもらわねばならないということです。スウォーツセンターやほかの研究機関で，新しい解析法が絶え間なく開発され続けています。ヒトの脳の活動状態，行動，そして経験，これらの関連性の解明に役立つ情報を，脳波や電気生理信号からより多く取り出そうとする試みは，その有効性が示されてきました。アーノードによって導入されたEEGLABの「プラグイン」という仕組みによって，私たち自身を含む多くの研究グループが作成し続ける日進月歩の手法群を，ほかの研究グループの誰もが試したり適用したりすることができます。EEGLABと互換性のある「プラグイン」を開発しオンラインで配布することで，それをダウンロードしたほかのユーザのEEGLABのメニューにそのプラグインが登録され，ユーザインターフェースから利用可能になります。このようなコード共有の利便性の向上が，信号源推定された脳波による脳イメージングの発展につながることを願っています。

　これら多くのサポートと協力により，脳波解析の科学的解明力と適用可能性は伸び続けています。現在開発が進行しているドライ，ワイヤレス，低負荷装着可能な高密度脳波収録システムが，新しい脳波解析法とあいまって，脳波研究にとって刺激的な時代がもうすぐ到来するだろうと私は信じています。実験参加者の運動すら可能にする脳身体計測システム，低コスト臨床研究環境，そして——幅広い応用があり得る中でも，特に認知と感情をモニターするための——脳コンピュータインターフェースなど，いずれも脳波を用いたものになるでしょう。同じ解析技術が，脳波を用いたニューロフィードバックやニューロスティミュレーションなどに用いられるでしょう。この本が，脳波解析の基礎的なコンセプトとEEGイメージングの有用性を，日本の研究者と研究にたずさわる学生の皆さんに伝えてくれることを願っています。この本の執筆者たちが，日本の科学界に脳波解析のアイディアを伝えるべく，率先してその労をとったことに敬意を表します。（宮腰誠・訳）

刊行によせて

Preface for a book on EEG analysis by Makoto Miyakoshi and co-authors

About 1996 I attended a workshop on a proposed event-related potential (ERP) database. At the end of the meeting, I asked the ERP researchers sitting around the conference table how many were ready to contribute their data to the proposed database - only a few raised their hands, and rather tentatively. Then I asked them how many would be interested in having new tools to analyze their data - all hands shot up. From this I knew that most ERP researchers, even then, were looking for new tools to extract more information from their event-related EEG experiments. I had already expanded my palette of tools for event-related EEG analysis by defining and publishing the event-related spectral perturbation (ERSP) transform, a generalization of the alpha-band event-related desynchronization (ERD) and synchronization (ERS) measures of Pfurtscheller.

When, soon after, with colleagues I discovered the utility of independent component analysis (ICA) for separating EEG data into temporally and functional distinct component processes, I soon learned that most EEG researchers had little immediate understanding of what we were doing. I felt that if I offered our growing toolbox of EEG analysis and visualization functions online, then understanding of the methods we were proposing might spread more quickly. Thus was born the EEG/ICA Toolbox which I first released from the website of the laboratory of Terry Sejnowski at The Salk Institute in 1997.

As our ICA / EEG research effort grew, students and postdoctoral fellows joined our group. One of these was Arnaud Delorme who had a Masters degree in Computer Science in addition to a Ph.D. in Neurophysiology and EEG. As he worked to understand and use our new methods, he saw the opportunity to create a graphic user interface (gui) for the functions and to define a standard EEG data structure that new functions could make convenient use of. The concept of EEGLAB was born.

Soon our small lab room at Salk Institute was overflowing with researchers and computers. Thanks to a generous gift to the University of California San Diego (UCSD) by Dr. Jerome Swartz through his Swartz Foundation (Old Field NY), in 2002 I and Arnaud, Tzyy-Ping Jung, Julie Onton, and others in our group were able to move to larger quarters at UCSD to create The Swartz Center for Computational Neuroscience (SCCN) within the UCSD Institute for Neural Computation. We released EEGLAB online soon after, and won funding for continued EEGLAB development from the US National Institutes of Health beginning in 2004. A year ago, a survey of several hundred cognitive neuroscience researchers reported that EEGLAB is now the most widely used environment for EEG signal analysis.

Researchers are using EEGLAB to carry out several many types of analysis of EEG and other electrophysiological data. Recently I have realized that our team has more work to do to make our ICA functions in EEGLAB easier to apply by researchers without long experience in using them. At the same time, at SCCN and elsewhere new methods are continually being developed and being shown to be valuable for extracting from EEG or other electrophysiological data additional information about the linkage between human brain dynamics and human behavior and experience. Using the EEGLAB 'plug-in' mechanism introduced by Arnaud, we and many other groups are making available these evolving methods for testing and application by other researchers by constructing and putting online EEGLAB-compatible plug-in toolboxes that then appear in the EEGLAB menu of any user who downloads them, a process I hope will continue to contribute to the advancement of source-resolved EEG brain imaging.

With this (and much other) support and care, EEG analysis is continuing to grow in power and utility. Soon, I believe, the ongoing development of dry, wireless, wearable, high-density EEG systems, combined with the analytic power of new EEG imaging analysis methods, will propel a new and exciting era for EEG research, an era of EEG-based mobile brain and body imaging (MoBI), low-cost functional brain imaging in clinical research settings, and a wide range of brain-computer interface applications, particularly to monitoring of cognitive and affective state. The same analysis methods will be useful for imaging the effects on EEG dynamics of neurofeedback and neurostimulation paradigms. I hope the present volume contributes to the rapid spreading of basic concepts and promise of EEG imaging to Japanese researchers and research students. I salute the initiative of the authors in bringing these ideas to Japanese science.

Scott Makeig - March 4, 2016

刊行によせて

ポール・サバチエ大学教授
アーノード・デローム

　はじめに，私のこれまでの経緯を少しお話しましょう。私は博士課程の時，フランスのトゥールーズでサイモン・ソーペの指導のもと，事象関連電位の解析を始めました。その後，2000年からラホヤにあるソーク生理学研究所に移り，テリー・セイノフスキーの指導の下でポスドク研究員になりました。最初のプロジェクトは単一ニューロンのパッチクランプ計測でした。その時並行して，博士課程の時に計測した脳波データを，同じ研究室にいたスコット・マケイグ，鍾子平とその同僚らが開発したツールを使って解析していました。これらのツールは大変便利でしたが，解析の手順が定まっていなかったので，私は自分でグラフィカルインターフェースを作り，そこからそのツールを呼び出して使っていました。これがEEGLABの原型です。当初の目的は，自作のファンクションで半自動的にデータのアーティファクトを除去することでした。もう一つの目的は，マケイグが開発した脳波解析と独立成分分析のツールボックス（当時は別にダウンロードする仕組みでした）を使えるようにすることでした。そしてEEGLABバージョン1が誕生しました。この時点で，私はEEGLABを自分のデータ解析の効率を上げるために使っており，その完成度を高めようとは思っていませんでした。それでも私は，EEGLABを自分のウェブサイトで頒布していました。バージョン2は2002年4月にリリースされました。このバージョンから，EEGLAB historyがサポートされ，ユーザが自動的にEEGLABのスクリプトを生成することができるようになりました。ちなみに，このバージョンのEEGLABで生成されたスクリプトは，現バージョンのEEGLABでも問題なく動作します。

　2001年までに，脳波解析が専門だったマケイグと鍾のグループは人数が増え，研究室が手狭になりました。その時たまたま，ジェローム・スウォーツ博士がカリフォルニア大学サンディエゴ校に寄付を申し出，ヒトの高次認知機能を脳波で研究するための研究所が創設されることになりました。このスウォーツ博士は，手持ち式レーザーバーコードの発明者として成功を収めた人です。カリフォルニア大学サンディエゴ校の当時まだ小さかった神経計算研究所の所長，セイノフスキーは，マケイグを所長として推薦し，神経計算研究所所属という形で，スウォーツセンターが設立されました。鍾は副所長になり，私はその他のソーク生理学研究所のポスドク研究員たちとともに異動しました。

刊行によせて

　スウォーツセンターでは，コマンドライン関数だった脳波独立成分分析ツールボックスと初期バージョンの EEGLAB が融合されました．マケイグと私は，すべての関数の説明用の記述と動作の安定性を完成させようと決めました．統合後初めての完全動作版であるバージョン 4 は，2002 年末にリリースされました．2003 年から 2006 年にかけて何度かバージョンアップが行われ，多様なフォーマットでのデータのインポートがサポートされました．2004 年には初めて米国立衛生研究所から研究費を得ることができ，以後継続的なサポートを受けています．2006 年にはバージョン 5 がリリースされました．STUDY という形式をサポートすることにより，群単位で実験参加者データの前処理ができるようにし，また初の試みとなる独立成分のクラスタリングができるようにしました．この初期の STUDY の開発には，スウォーツセンターのプログラマーだったヒリット・サービーが重要な役割を果たしました．2007 年にはバージョン 6 がリリースされ，STUDY で推測統計が使えるようになりました．バージョン 6.03b は，その後 2 年近く安定動作版として使われ続けました．2009 年にはバージョン 7 が新しいリビジョンコントロールを使ってリリースされ，コードの一貫性と信頼性を向上させました．2010 年初頭にはバージョン 8 がリリースされ，STUDY でシングルトライアル解析ができるようになりました．2010 年の終わりにはバージョン 9 がリリースされ，従来のリビジョンコントロールからより柔軟性のある SVN へ移行したとともに，STUDY において複数の統計デザインが使えるよう STUDY.design がサポートされました．2011 年，バージョン 9 がサポート対象の安定動作版の EEGLAB としてリリースされると同時に，開発版の EEGLAB バージョン 10 がリリースされ，オプションとしてオブジェクト指向がサポートされました．2012 年 1 月にはバージョン 11 がリリースされ，独立成分クラスターを対象にシングルトライアル解析を行う ERPimage がサポートされました．

　2003 年に最初のコードのリビジョンコントロールを始めてから，約 1 万の関数が EEGLAB のために開発されました．プラグインを除くと，EEGLAB の全コードの行数は 12 万 5271 に達し，533 の独立な関数が用意されています．2016 年現在，EEGLAB のメーリングリストには 5500 人の登録者が，ニュースリストには 1 万 1500 人の登録者がいます．ISI Web of Knowledge によると，2004 年に出版された EEGLAB 論文は 3500 回引用されており，2016 年現在では 1 日 3 回の引用率になっています．そして 2300 のバグや改良の提案が EEGLAB Bugzilla に報告されており，そのほとんどにわれわれの手で対処してきました．しかもそれらの報告の多くは，コードの誤りの訂正や提案を含んでいました．EEGLAB の発展の背景には，このようなユーザーの協力があったのです．EEGLAB の成功は単にわれわれの成功にとどまるものではなく，多くのユーザーによるオープンソースプロジェクトの成功でもあります．皆様の継続的な協力に，ここに深謝いたします．（宮腰誠・訳）

刊行によせて

Let me first start with a little bit of history. During my PhD I began performing ERP analysis with my mentor Simon Thorpe in Toulouse, France. When I started my postdoctoral fellowship with Terry Sejnowski at the Salk Institute for Biological Studies in La Jolla in 2000, my first project was to work on patch clamp and single cell recordings. However, I also started to reprocess the EEG data I had acquired during my thesis project using some tools developed by Scott Makeig, Tzyy Ping Jung and colleagues who were then also members of the Sejnowski laboratory. Recognizing the power of these tools and the lack of a processing pipeline for them, I wrote my own graphic interface to call them. This was the first version of EEGLAB and it aimed primarily at rejecting, automatically or semi-automatically, artifacts in EEG data using functions I had developed, and also to interface with the EEG/ICA toolbox of Makeig et al. (which then required a separate download) for some of the data processing. EEGLAB versions 1 and 2 followed. At that point I used EEGLAB primarily to speed up the processing of my own data, and did not think much of perfecting it although I did make it available for download on my personal Web page. EEGLAB v2, released in April 2002, implemented the EEGLAB history feature allowing users to automatically generate EEGLAB scripts. Scripts generated by this version of EEGLAB are still compatible with the current EEGLAB version.

By 2001, the team of researchers working on EEG processing with Makeig and Jung at CNL was becoming too large for the space available. Coincidentally, Dr. Jerome Swartz, an early inventor of laser barcoding, agree to give funds to UCSD to create a research center dedicated to studies of higher-order human cognition using EEG. Based on the initiative of Terry Sejnowki and recognized the leadership capabilities of Scott Makeig, the Swartz Center for Computational Neuroscience (SCCN) was founded under the then-small Institute of Neural Computation at UCSD that Terry directed. Scott became the director of the new SCCN and Tzyy-Ping Jung the associate director, and I moved there as well along with other some other Salk postdoctoral fellows.

At SCCN, command-line functions of the ICA Electrophysiology toolbox and the early version of EEGLAB were fused. Scott and I decided that it was a worthwhile goal to perfect function documentation and overall stability of the programs and fuse the two toolboxes. EEGLAB v4, the first integrated and fully functional version of EEGLAB, was released at the end of 2002. Several revisions of EEGLAB v4 were released from 2003 to 2006, strengthening the code and adding capabilities for importing data in many different formats. In 2004 we first received funding from the U.S. National Institutes of Health to support EEGLAB, and this source of funding has been (nearly) uninterrupted ever since. In 2006, EEGLAB v5 was released, adding the STUDY structure and many functions giving EEGLAB users a pipeline for processing data from multiple subjects, including the first software for ICA component clustering. Hilit Serby, a SCCN programmer played an important role in the development of early STUDY functions. In 2007 EEGLAB v6 was released, allowing users to perform statistical analyses at the STUDY level. EEGLAB v6.03b remained the stable version of EEGLAB for almost two years. In 2009, EEGLAB v7 was released under a new revision control system (CVS) that added consistency and reliability to the code. At the beginning of 2010, EEGLAB v8 was released, allowing direct access to single-trial subsets from STUDY functions. At the end of 2010, EEGLAB v9 code migrated from CVS to the more flexible SVN revision control system, and now allowed computation of statistics for multiple statistical designs using the STUDY.DESIGN sub-structure. In 2011, EEGLAB v9 code was frozen and declared a stable and supported version of EEGLAB. At the same time, a developmental version of EEGLAB v10 was released including new features such as an optional object-oriented EEG structure. EEGLAB v11, released in January 2012, added new important capabilities to STUDY processing such as the possibility to compute single-trial ERP images across independent component clusters.

Since we first placed the code under revision control in 2003, there have been a total of about 10,000 unique function code contributions to EEGLAB. The total number of lines of code (excluding plug-ins) is currently 125,271 comprising 533 stand-alone functions. As of 2016, there are 5,500 opt-in researchers on EEGLAB discussion mailing list, and about 11,500 researchers on the EEGLAB news list. According to the ISI Web of Knowledge, the original 2004 EEGLAB paper has been cited 3,500 times, as of 2016 growing at a rate of about 3 per day. Finally, a total of 2,300 bug / enhancement reports have been submitted to the EEGLAB Bugzilla database and nearly all addressed by us in one way or another. Many of these reports contained coding fixes and suggestions from many users who have helped improve EEGLAB in numerous ways. The success of EEGLAB is not only our success but also an open source project success for the many users interested in using EEGLAB. We thank you for your continued support and interest.

A. Delorme - February 2016

目　次

Windows10 対応版刊行にあたって　i
はじめに　ii
刊行によせて　iii

I　脳波研究へようこそ　1

第1章　脳波研究と認知科学の未来　3

1　今なぜ脳波なのか　3
2　認知科学と脳波研究――社会的認知の事例　7
3　本書の構成　9

第2章　脳波の測定・収録　11

1　脳波の測定に必要なもの　11
2　脳波を測定するための注意点　20
3　なぜその脳波実験は失敗したのか　28

II　脳波解析の実際　33

チュートリアル遂行の際の注意事項　35

第3章　収録データから脳波を抽出する　39

1　脳波データのプリプロセスのパイプライン　39
2　STUDYファイルを用いた集団解析　73
3　技術的内容についての補足と説明　81

第4章　認知活動との関連を探る1：事象関連電位　97

1　事象関連電位（ERP）とは何か　97
2　新しいERP研究　105
3　EEGLABによるERP解析　106

目　次

第5章　認知活動との関連を探る2：時間周波数解析 ……………… 125

　1　脳波を検討する上での周波数という概念の考え方　125
　2　時間周波数解析を行う意義　132
　3　EEGLABによる時間周波数解析　137

第6章　認知活動との関連を探る3：独立成分分析クラスタリング … 157

　1　独立成分分析（ICA）クラスタリングとは何か　157
　2　ICAクラスタリングの有効性　160
　3　EEGLABにおけるICAクラスタリング　161

第7章　認知活動との関連を探る4：SPMを用いた脳波解析 ………… 187

　1　SPMとは　187
　2　SPMにおける脳波解析法の概要　188
　3　SPMにおける脳波データ解析法の原理と実際　189

終章　新しい解析をどう使うか ………………………………………… 209

　あとがき　219
　索　引　221

I
脳波研究へようこそ

第1章　脳波研究と認知科学の未来

開　一夫

1　今なぜ脳波なのか

　この本は，脳波（Electroencephalography: EEG）計を用いた脳活動計測とデータ分析の指南書である。国内外で活躍している気鋭の研究者たちによって，脳波計を導入するにあたっての注意点からフリーソフトを用いた分析の詳細に至るまで，初学者にも先端レベルの研究者にも役立つ内容となっている。雰囲気だけの入門書や，初学者には難解な部分の多い専門書とは一線を画す教科書と言える。人間の「こころ」に関心があり，科学的アプローチで脳と「こころ」のメカニズムを探求したい（探求している）学生や，先進的インタフェースの構築・開発など工学的な目的で脳活動の計測を行う必要のある研究者には，本書を足がかりに脳波計を活用した研究に挑戦してもらいたい。

　精神活動の基盤メカニズムを解明することは，心理学・認知科学・医学における最大の関心事であり，現在も難攻不落の問題が山積みの状態である。認知神経科学の分野に限っても，膨大な数の研究論文が日々産出されている。こうした背景にあって本当に新しい知見を見出すことは，至難の業のようにも思える。難しい問題にアプローチするには，なんらかの武器が必要である。科学史を参照するまでもなく，数々の重要な科学的発見は，新たな装置や計測方法の開発と呼応している。

　脳波計は，「こころ」の問題にチャレンジするための武器となり得るのか。脳波計を用いた人間の認知・行動の研究には100年近くの歴史がある。医学・心理学・工学など，脳波計が用いられてきた研究分野も幅広い。こうした歴史（と伝統）にあって，なぜ（今さら）脳波計なのか。fMRI（functional Resonance Imaging: 機能的磁気共鳴画像法）やMEG（Magnetoencephalography: 脳磁図），NIRS（Near Infrared Spectroscopy: 近赤外分光法）といった，比較的最近出現した

装置・手法のほうが優れているのではないか。

　いかなる高価で最新の計測機器をもってしても，その特性を十分に理解し，適用範囲・状況を正しく見極めない限り，研究目的を達成することはできない。これまでのところ，認知科学者・心理学者が抱くすべての興味・関心を満足させるような，万能脳活動計測機器・手法は存在しない。脳波計においてもその長所・短所を十分に理解して使用することが必須である。

　ほかの脳活動計測手法と比較して脳波計が持つメリットは，大きく分けて三つ挙げることができる。まず挙げられるのが，導入のしやすさである。脳波計の価格は，数万円程度から数千万円以上するものまで様々であるが，いったん購入すれば，基本的にはその後の維持費は，電極や電極装着用のためのジェルといった消耗品代のみで済む。MRIやMEGでは，装置を維持するためだけに年に一千万円以上必要なことを考慮すると，脳波計は小さなラボ単位で導入可能な装置である（図1-1）。

　次にメリットとして挙げられるのが，適用可能な実験参加者（年齢）の幅広さである。脳波計は成人だけでなく，乳幼児の認知機能を探求するためにも用いられており，これまで発達科学的視点から多数の研究が実施されている。fMRIによる脳機能イメージングが隆盛を極めているが，MRI装置内でじっとしていなければならないこの方法は，発達科学的見地からの研究を大きく制約してしまう。MRI装置内で，覚醒状態にある乳幼児や若年齢児を対象とした実験を実施することは，倫理的にも技術的にも困難なのである。一方で，脳波計はネットタイプ電極が開発され，乳幼児や学童を対象とした実験研究が数多く行われるようになった（図1-2）。たとえば，Csibra *et al.* (2000) は生後8ヶ月児を対象に，ネットタイプの高密度脳波計を用いて，視覚的認知発達における先駆的研究を行っている。彼らの研究では，時間周波数解析によってガンマ帯の活動が対象物認知におけるバインディングと深く関連していることが明らかにされた。また，Hirai & Hiraki (2005) の研究では，6ヶ月児を対象とした脳波／事象関連電位実験でバイオロジカルモーション知覚の発達的起源に重要な知見を与えている。

　さらに，脳波計は，侵襲的な実験研究を行うことができない動物（たとえばチンパンジー）に対しても適用することができる（Ueno *et al.*, 2010; Fukushima *et*

第 1 章　脳波研究と認知科学の未来

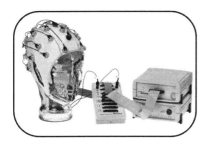

BrainAmpDC
ハイスペックな脳波計。
アクティブ電極使用可。パッシブ電極を使えば MRI 内でも測定可能なものもある。
上記構成に収録用パソコンをつけて計測する。

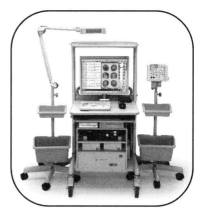

EEG-1200 シリーズ
老舗日本メーカーが作っている医療機器として認証されている脳波計。

eegosports
ハイスペックなモバイル脳波計。
パッシブ電極のみ対応。タブレットにデータを収録するため，写真のリュックサックにすべての機器が収まる。

ActiveTwo
アクティブ電極が使用可能な脳波計。
長い間同様の構成で販売されており，扱い方や操作性が安定している。

図 1-1　脳波計のいろいろ

al., 2010)。脳波計測は比較認知科学的視点からの研究にも威力を発することができるのである（図 1-3）。

　適用可能な実験参加者（被験体）が広範囲なこととオーバラップするが，脳波計の三つめのメリットとして挙げられるのが，実験自由度の高さである。近年では，可搬型の脳波計も出現しており，実験室以外での脳活動計測も可能となり始めている。つまり脳波計は，実験室実験に閉じていた研究を拡張し，人間

5

Ⅰ 脳波研究へようこそ

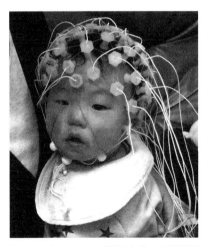

図1-2 ネットタイプ電極を用いた乳児研究の様子（松中，2016）

図1-3 チンパンジーを対象とした脳波研究の例（写真提供：平田聡）

の日常における認知活動を計測するためのデバイスとして活用できる。fMRIやMEGが巨大な装置で，実験状況が非日常的にならざるを得ないのとは対照的である。いわゆる実験室実験が日常的認知活動とどのように関係しているのかは，今後の認知科学の発展を考える上で，最も重要な課題である。また，脳活動を利用して情報機器のインタフェースを構築する上でも，適用状況の自由度が高いことは強みとなる。

脳波計が持つ可搬性というメリットを後押ししているのが，近年話題のIoT（Internet of Things）やウェアラブルセンサの開発である。世の中には，膨大な種類のセンサが流布しており，人間のパフォーマンスや行動（履歴）を計測・記録しようとする試みが多数存在している。さらに，情報提示のためのデバイスに関しても，オキュラス社やソニー・インタラクティブエンターテイメント社が続々と一般ユーザをターゲットとしたHMD（Head Mounted Display）装置を販売・開発している。このようなセンシング技術・情報提示技術と脳活動計測技術を融合することができれば，単なる日常行動のモニタリングだけでなく，「いつ」「誰が」「何を」「どうして」考えたのか・感じたのかに関する膨大なデータを蓄積することができるようになるかもしれない。脳波計は，日常認知行

動のビッグデータの集積・活用において鍵となる，ウェアラブル脳活動計測デバイスとしての有力候補の一つである。もちろん，現状では，ハードウェアの点でも分析手法の点でも課題は多く，改良・改善すべき点は少なくない。しかしながら，脳波計測は，近い将来の医療・教育・学習に革新をもたらすものと予言してもよいように思う。

2 認知科学と脳波研究――社会的認知の事例

　認知科学は，これまで厳密な実験やモデル構築など，様々なアプローチによって，人間の「こころ」のメカニズムを探求してきた。学際的なアプローチが本質的な認知科学では，解決すべき問題も多種多様である。特に，近年の発達認知科学や認知神経科学における最も大きな潮流は，他者の信念や意図を推察するために人間が持っている機能――社会的認知機能――を下支えしている基盤メカニズムの解明に向けた実証的研究群である。たとえば，「心の理論」「メンタライジング」「共感」「共同注意（joint attention）」「共同行為（joint action）」「ナチュラル・ペダゴジー」「社会脳仮説」「バイオロジカルモーション」「表情認知」「情動プライミング」など，列挙するキーワードに事欠かない。こうした社会的認知機能の基盤メカニズムを解明するには，様々なアプローチを融合的に用いる必要があることは言うまでもない（開・長谷川, 2009）。

　ここでは，社会的認知機能の解明に向けた研究群の中で，脳波計が使われた事例を紹介しよう。前節でも述べたように，脳波計は，適用可能な実験参加者（年齢）の範囲が広いため，社会的認知機能について発達的に探求する上においても重要な役割を果たしている。近年の乳幼児を対象とした研究で注目すべきは，従来の発達研究が想定していたよりも早い時期から，共感や向社会行動を含む機能が萌芽し始めている証拠が蓄積されつつある点であろう。こうした早期の行動レベルでの研究を深化させ，かつ，そのメカニズムを解明するには，脳神経基盤の発達的変化を明らかにする必要がある。早期に見られる共感・向社会行動を担う脳部位はどこなのか。成人の共感脳とはどのような点で異なるのか。養育環境は向社会行動を担う脳神経機構をどのように変化させるのか。こうした疑問に答えるには，乳幼児を対象とした共感・向社会行動研究と脳機能の発達とを紐づけることが必須で，脳波計測が武器として活用されつつある。

Ⅰ 脳波研究へようこそ

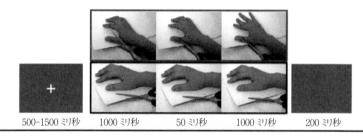

図1-4 Cheng et al.（2007）で用いられた刺激の例（上段：Pain 刺激，下段：No-Pain 刺激）

ここでは，Cheng et al.（2007）が幼児から学童（3～9歳）と成人（23～25歳）とを対象として行った脳波／事象関連電位研究を取り上げる。この研究では，多数の（成人を対象とした）先行研究で用いられた痛みを伴う場合の動画（Pain 刺激）と伴わない場合の動画（No-Pain 刺激）に対する脳活動が比較された（図1-4）。

分析の対象とされた脳波成分は，N200（Early Automatic Component: EAC）と LPP（late positive potential: 後期陽性成分）である。前者の N200 成分は，刺激呈示後 200～300 ミリ秒の時間に現れる脳波成分であり，刺激のリアリティに依存すると言われている。後者の LPP は，500～700 ミリ秒に現れ，刺激の認知的処理に関係すると言われている。先行研究（Cheng et al., 2008）では，他者の痛みに対する N200 成分が，青年期の実験参加者において，成人と比較して大きく惹起されることが示されている。また，LPP 成分は，定型発達児における認知的処理と関連していることが示されている。

実験の結果，N200 成分に関しては Pain 刺激に対する振幅が年齢とともに減少し，LPP に関しては増加する傾向が見られた。この結果は，（半）自動的に惹起される感情的共感が，（高次の）認知的処理の発達に伴って抑制されていることを示唆している。

脳波／事象関連電位は，乳幼児から成人まで幅広く用いることができる研究手法である。前述した研究は，発達的時間軸にそって注目する脳波成分（コンポーネント）の変化を捉えたものであり，幅広い年齢層に適用可能な脳波計のメリットを具現化したものと言えよう。

3 本書の構成

　本書は，脳波計を見たことも触ったこともない学部学生から，すでに脳波計を用いて研究を行っている研究者まで，幅広く活用してもらえるような構成になっている。現時点では，脳波計測に関してこれほど充実した類書は存在しないと思われる。

　第2章では，脳波計導入時における注意点から，計測において前提となる知識を学ぶことができる。どのようなことでも何か新しいことを始める際には，大きな期待と若干の不安がつきものである。第2章を読めば，脳波計測を始めるにあたっての不安は解消され，高価な機器を購入した後で期待が裏切られるという事態が減ることであろう。また，誰にも使われないで休眠状態になっている脳波計が近くにあれば，それを用いて新たな研究を開始できるチャンスをもたらしてくれるであろう。

　第3章では，EEGLABを使った脳波の解析方法の導入部分について習得することができる。「刊行によせて」にもある通り，EEGLABは脳波分析のスタンダードになりつつある，（MATLABの購入は必要となるものの）フリーで入手できるソフトウェアである。この章では，サンプルデータを用いて，EEGLABの基本的な使い方から脳波を抽出するまでについて，具体的に学習することができる。

　第4～6章は，事象関連電位や時間周波数解析といった脳波研究において主流となっている分析手法について，EEGLABを用いながら習得できるように記述されている。さらに，第7章では，EEGLAB以外の解析ソフトウェアとして，SPMについても概要を知ることができる。

　終章では，本書の総括と今後の展望についてまとめられている。

　脳の世紀と謳われてすでに長い年月が経過した。脳科学研究においてMRIが中心的役割を演じてきたことは間違いなく，人間の認知・行動に関する膨大な数の論文を産出してきた。しかしながら，MRIを用いた脳機能画像研究は，私たちが本当に知りたいことを明らかにしたであろうか。たとえば，脳・認知科学におけるダイナミックな側面（発達的側面や日常認知の側面）は，MRIが不得意とする部分であろう。

I 脳波研究へようこそ

古くて新しい脳波計測は,認知科学や脳科学,そして,それらをとりまく研究分野が大きく発展する上で,中心的役割を果たすと確信する。本書が,近未来の研究を発展させるのに貢献できれば幸いである。

引用文献

Cheng, Y., Lin, C., Liu, H. L., Hsu, Y., Lim, K., Hung, D., & Decety, J. (2007). Expertise modulates the perception of pain in others. *Current Biology*, **17**, 1708-1713.

Cheng, Y., Yang, C. Y., Ching-Po, L., Lee, P. L., & Decety, J. (2008). The perception of pain in others suppresses somato-sensory oscillations: A magnetoencephalography study. *NeuroImage*, **40**, 1833-1840.

Csibra, G., Davis, G., Sprating, M. W., & Johnson, M. H. (2000). Gamma oscillations and object processing in the infant brain. *Science*, **290**, 1582-1585.

Fukushima, H., Hirata, S., Ueno A., Matsuda, G., Fuwa, K. *et al.* (2010). Neural correlates of face and object perception in an awake chimpanzee (Pan troglodytes) examined by scalp-surface event-related potentials. *PLoS One*, **5** (10), e13366.

Hirai, M., & Hiraki, K. (2005). An event-related potential study of biological motion perception in human infants. *Cognitive Brain Research*, **22** (2), 301-304.

開一夫・長谷川寿一(編)(2009). ソーシャルブレインズ 東京大学出版会

松中(大西)玲子(2016). 視線手がかりおよび恐怖表情に関する発達認知神経科学的研究 東京大学大学院総合文化研究科博士学位論文.

Ueno, A., Hirata, S., Fuwa, K., Sugama, K., Kusunoki, K. *et al.*, (2010). Brain activity in an awake chimpanzee in response to the sound of her own name. *Biology Letters*, **6** (3), 311-313.

第2章 脳波の測定・収録

金山範明

　脳波の測定は比較的簡単である。購入した脳波計のマニュアルに従って計測を行えば，誰でもできるようになる。その一方で非常に危険な点もある。全く脳波のことを知らずに測定を始めてしまうと，まともにデータが取れていない状況でコストのかかる実験を進めてしまうリスクがある。また，安全性についても注意が必要である。近年の脳波計では安全性に関して十分な検討が行われており，通常の使用に際して問題になることはないが，間違った使い方をして実験協力者を危険な目にあわせる可能性がないとは言えない。よって脳波研究は，脳波研究者として経験を積んだ研究者との共同研究から始めることが望ましい。理想的には脳波計の購入の段階から，熟練した脳波研究者と協力して計画を立てるのがよい。本章では，初学者が脳波計測を始めるにあたって必要な経験的知識を，まとめて記述することとした。この章は，本書の執筆者たちが複数の脳波収録システムで，膨大な実験を行った経験則に基づいて，収録時の問題解決法を示している。また，基本的な脳波計測法に関しては，Society for Psychophysiological Research から出版されているガイドラインに基づいている点が多い（Picton *et al.*, 2000; Pivik *et al.*, 1993）。日本においては，日本脳波筋電図学会（1997）が誘発電位の測定方法に関する指針案を提示している。きれいなデータを収録するために，あわせてご参照いただきたい。

1　脳波の測定に必要なもの

　本節では，何もない裸一貫の状態から，心理学，認知科学，工学，および神経科学的な研究に用いることができる水準の脳波を測定するために，準備すべきものを紹介していく。

脳波計

　脳波計は今や多くの会社から多種多様なものが出ている。よって，すべての脳波計をもれなく紹介することは不可能に近く，また本書ではそれを目的としない。ここでは，どんな脳波計システムを用いても普遍的に確認すべき事項であると考えられる点を紹介したい。

　脳波計を選ぶための基準は単純に決まらない。どんな研究に用いるのかによって大きく左右されるからである。あえて一つ挙げるとすれば，脳波計の「設定自由度」と言えるかもしれない。様々な場面で使いたい場合には，自由度の高いものでなければその要求を満たさないことになる。しかし，自由度が高ければ高いほど，設定において間違いを犯す可能性も高くなる。各オプションの機能と，各場面において必要とされる点を熟知していない場合は，自由度が低いほうが使いやすいと言えるだろう。一方で，当然ながら自由度の低いものを購入してしまえば，適用可能な場面は限定されることになる。

　臨床検査に用いる場合は，「医療機器」として厚生労働省の認可を受ける必要があるが，これを受けた臨床用の脳波計と，そうではない研究用の脳波計があることにも留意していただきたい。厳密には研究用の脳波計は，脳波アンプ，または，生体信号計測装置とされるほうが適切な場合もあるが，医療用具としての認可は国によっても変わるため，ここでは混乱を避けるためすべて脳波計と記述する。

　以上の原則を踏まえて，以下に脳波計において検討すべき点をいくつか挙げる。第一に，近年注目されているのが「入力抵抗値（input impedance）」の大きさである。入力抵抗値は脳波計の性質の一つであるが，脳波測定に関して一般的に「抵抗」というと，電極とそれを設置した皮膚（多くは頭皮）との間に起こる抵抗のことを示す（ここでは区別のために「電極接触抵抗」とする）。電極接触抵抗は，設置面の角質，発汗，皮脂の状態によって増減するが，適切な脳波測定を行うには，これを一定まで下げる必要がある。電極接触抵抗値を落とすには，電極一つひとつに対して，髪の毛をしっかりかき分け，脳波用のジェルなどをしっかり塗布し，皮膚は軽くこすって抵抗値を下げるという作業をしなくてはならない。入力抵抗値とは，使用している機器において，この電極接触抵抗値をどのくらいまで下げる必要があるか，の基準となる数値である。これが高け

れば高いほど、電極接触抵抗値を落とさなくてもよいと考えればよい。実際、入力抵抗値が10MΩ程度の脳波計を用いていた際の伝統的な基準に従えば、電極接触抵抗値を5kΩ程度まで落としてから計測を始めるのが適切だとされてきた。現在販売されている非常に高い入力抵抗値（200MΩ以上）を持った脳波計では、原理的には電極接触抵抗値が100kΩ程度で同等の質で測定ができるとされている。

　第二に、同相信号除去比の確認をしておきたい。同相信号除去比はCMRR（Common-Mode Rejection Ratio）と表記されることが多く、デシベル（dB）表記で表される。脳波は基本的に差動増幅回路といい、基準電極と探査電極の2本の信号線を用いて計測される。この際、2本の信号線に共通に含まれる信号をノイズとして除去している。この時の除去率をデシベル値で表したものがCMRRで、高いほどそれだけノイズを除去できていると評価できる。主に商用電源ノイズ（ラインノイズとも呼ばれる）など、定常なノイズを除去する。検討している脳波計の間で比較して、ほかが同じであればこの値の高いものを選ぶと、収録脳波にノイズがのりにくくなると考えることができるが、80～100dBくらいあればその間に大きな差はないと考えられる。

　第三に注目すべき点は、フィルタの特性である。ここで言うフィルタとは、収録された脳波において検討の対象としない周波数を除外するための処理のことである。フィルタには、脳波計において収録時に適用されるもの（アナログフィルタ、オンラインフィルタ）と、収録後に解析段階で適用するフィルタ（デジタルフィルタ、オフラインフィルタ）の2種類がある。ここで述べるのは前者のフィルタであり、脳波計のアンプに組み込まれているものである。このフィルタは、購入した装置の特性と考えられ、新たに追加したり変更したりすることはできない。つまり、自分が望む脳波収録において、どんなフィルタを使いたいか、あるいは使いたくないかは、脳波計購入前に検討しておく必要があるのである。フィルタは、基本的にはその指定された周波数以下、あるいは以上のデータを捨ててしまう機能と考えるため、この設定幅が広いほうが測定の自由度は高い。一般的に、脳波として扱われているのは、低くても0.1Hzから高くても200Hz程度までであり、本書第4章で解説されている事象関連電位（Event-Related Potential: ERP）の検討に限定するのであれば、1Hzから30Hzくらいまで検討

できればよい。また，脳波に限らずにその他の生体信号も収録したい場合には，脳波計の低い周波数の下限がDC（直流成分，周波数0Hz）となっているものを選ぶのがよい。

　同様に，その脳波計で選択可能なサンプリング周波数に関しても確認しておきたい。サンプリング周波数とは，アナログデータ（連続的な脳波波形）をデジタル変換（各時間ポイントごとの離散値に変換）する際に，どの程度の時間間隔で記録するかを表す値である。たとえば，1000Hzであれば1秒間に1000のデータポイント（つまり1ミリ秒に1データ）で記録される。このサンプリング周波数が高ければ高いほどデータ量は大きくなり，計算にかかる負荷，データ保存容量も大きくなる。一般的には，検討したい成分の周波数の2倍以上の周波数が必須（ナイキスト定理）とされ，余裕を持って4倍以上のサンプリング周波数が望ましいとされる。

　次に検討すべき点は，電極の選択性である。近年ではほとんどの脳波計でキャップ（帽子）タイプの電極が使用可能である。水泳帽のような帽子をかぶり，頭の頂点の位置を合わせるだけで，その帽子に配置されたすべての電極がちょうど国際基準を満たす位置になるもので，電極位置をメジャーなどで測定する手間が省ける。少ない電極で収録したい場合は取り付ける電極数を減らすこともできるし，後頭を中心に電極を多く配置したい場合など，電極位置の貼り替えもできるものが多い。規格が同じ電極であれば，付属の脳波キャップ以外のものも使用でき，電極のタイプも自由に変更できるものもある。ただし，脳波計によっては専用の電極しか接続できないもの，キャップにすべての電極が貼り付けられており，取り外しのできないものもある。こういうタイプの脳波キャップは，突然の断線で実験の中断を余儀なくされるため，スペアさえ用意しておけば自由に電極を取り替えられるタイプのキャップのほうが使いやすいかもしれない。また電極の取り付け，使用後の洗浄などの手間も大きな要素であり，可能であれば実際にデモ品を手にとって確認するのがよい。また，近年増えてきたアクティブ電極は，fMRIとの同時計測など特殊な環境で使用できないことをのぞけば準備の簡便性，データ収録時のノイズ耐性の上でメリットが大きい。コスト面，バッテリ消費の増大以外のデメリットはほぼないので，可能な限りアクティブ電極が使用可能な機器が望ましい。

表 2-1 に脳波計を選ぶ際に重要なポイントに関して，各社の代表的な脳波計の情報をまとめた．この中にはホームページやパンフレットに記載されていないものもあるが，これは代理店や製造会社に直接問い合わせて記入しており，メーカー確認済みのスペックである．脳波計購入時の参考や，自分の使っている機器の理解に役立ててほしい．ただ，誤解のないように補足すると，ここに紹介したものが優れているというわけではない．少なくとも本書の執筆者たちが使用経験があり，研究用途の使用に耐えうると考えたもので，これ以外にもよりよいものがあるかもしれない．

パーソナルコンピュータ（パソコン）

当然のことではあるが，パソコンは数台必要になる．収録用のパソコンは脳波計にセットで付いてくることが多い．データ容量は大きくなりがちなので，少なくとも数百 GB 程度の保存容量は確保したい．刺激のコントロールを厳密に行う場合（通常の認知科学的な実験ではほとんどそうだが），刺激制御用のパソコンが必要になる．脳波計と，刺激呈示タイミングの信号をやり取りするケーブルで接続する．解析用パソコンでもハードディスク容量が重要になるのは言うまでもない．解析では一度に多くのデータを使って計算処理を行うことが多いが，この際に大きなメモリ容量を要する場合がある．具体的には最低でも 4GB 以上の物理メモリを実装したマシンを使用することをすすめる．Windows であれば 64 ビット OS の使用を推奨する．

シールドルーム

脳波を測定する際にシールドルームが必要になるのは，実験参加者，電極，電極線などを主に電源から隔離するためである．ただし，電源ノイズは 50Hz または 60Hz であり，一般的に市販のシールドの性能として公表される周波数帯（多くは MHz 単位）をはるかに下回っているため，実質的に電源ノイズ遮断性能は保証されていない．通常はシールドルームの壁面に設置されたコード穴を通して，シールドされた電源コードのみを実験室内に入れ，隔離することで低減を図るものである．逆に考えれば，シールドルームの外で実験を行いたい場合は，実験参加者，電極，電極線などをシールドしてできるだけ電源から離

I 脳波研究へようこそ

表 2-1　各社の代表的な脳波アンプの性能表

名称	ActiveTwo EEG system	BRAINAMP MR Plus	actiCHamp Plus
メーカー名	Biosemi, Inc.	Brain Products GmbH	Brain Products GmbH
論文上での表記	Biosemi Inc, Amsterdam, The Netherlands	Brainproducts GmbH, Munich, Germany	Brainproducts GmbH, Munich, Germany
収録ソフト	ActiView（標準添付，無料）	BrainVision Recorder（有料）	BrainVision Recorder actiCHamp edition（標準添付）
解析ソフト	Curry8（有料）	BrainVision Analyzer（有料）	BrainVision Analyzer（有料）
日本での代理店	フクダニューロテック	フィジオテック	フィジオテック
対応キャップ	専用電極	Brain Cap (MR), acti Cap, R-Net, Twist Dry	acti Cap, R-Net, Twist Dry
電極数／電極ボックス	16, 32, 64, 128, 256, 280	32（256まで増設可）	32, 64, 128, 160 + AUX8ch
アクティブ電極	アクティブ（パッシブも可）	対応可（MRI環境下ではパッシブ）	アクティブ（パッシブも可）
入力インピーダンス	300MΩ以上	10M/10GΩ（変更可）	1000MΩ
ハードウェアフィルタ LP	10～1020Hz/OFF	1,000/250Hz	～7500Hz
ハードウェアフィルタ HP	0.06Hz～9.96Hz/DC	0.016Hz～16Hz/DC	DC
CMRR	90dB以上	110 dB	100 dB
サンプリング周波数	2048Hz（280ch）～16348Hz（152ch）	最大5000Hz	最大100,000 Hz
雑感	アクティブ電極の老舗。昔から変わらない仕様で安定している。電極線が断線しやすかった問題は，ゴムによるカバーがついたことで解消された。	老舗の安定したロングセラー機種で，MRIとの同時計測が可能。電極はパッシブ，アクティブ，ウェット，ドライ電極など選択可。fMRI撮像時のMulti-band EPIシーケンスにも対応可能。	安価なアクティブ電極専用機actiCHampの後継機。パッシブ，アクティブ，ウェット，ドライ，スポンジ電極など選択可で運用幅が増えた。高サンプリングレートが特徴で，TMSとの同時計測で有用。不安のあった連続計測時間はバッテリ改善により解消された。

すことで一定の効果が見込める。もちろんシールドは，アースに接続する必要がある。

　脳波を用いた多くの研究で，脳活動として検討しているのは，低くて 0.1Hz 程度，高くて 20Hz 程度に限られていた。この場合，検討対象以外の周波数帯域をフィルタで除去すれば，電源ノイズの混入を気にする必要はあまりない。一方で，近年盛んに行われている時間周波数解析を用いた脳波の研究では，ガンマ帯域という 50～60Hz を含む高周波帯域の脳波成分を検討することがある。

名称	EGI net station	EEG-1200 シリーズ	パッチ式脳波センサ
メーカー名	Electrical Geodesics Inc.	Nihon Kohden	PGV Inc.
論文上での表記	Electrical Geodesics Inc., Eugene,Oregon	Nihon Kohden, Tokyo, Japan	PGV Inc., Tokyo, Japan
収録ソフト	EGI Net Station	なし	Haru Measure for Android/Windows（標準添付，無料）
解析ソフト	EGI Net Station, Waveform Tools	QP-220A 等	Haru Viewer（標準添付，無料）
日本での代理店	ミユキ技研	日本光電工業（本社）	PGV Inc.
対応キャップ	ハイドロセル GSN130（130G）電極	エレクトロキャップ（ECI），Quick Cap, Easy Cap	電極シート
電極数／電極ボックス	32, 64, 128, 256	25+7（バイポーラ），64, 128, 192, 256	1～6
アクティブ電極	対応なし	対応なし	対応なし
入力インピーダンス	1GΩ	200MΩ	1.5GΩ
ハードウェアフィルタ LP	OFF, 15～120Hz	300Hz, 600Hz, 1.2kHz, 3kHz0	アンチエイリアシングのみ
ハードウェアフィルタ HP	DC, 0.01～10Hz	0.016Hz or 0.08Hz	DC
CMRR	90dB	110dB	110dB
サンプリング周波数	8,000Hz	1kHz, 2kHz, 5kHz, 10kHz	125～500Hz
雑感	スポンジとゴムのネットで頭に装着するタイプ。装着負荷が低い。ただしデータの質を上げるには，普通の脳波計と同じかそれ以上に手間がかかる。	日本製の安定した機器。通常検査から研究まで幅広く使用でき，日本国内だけでなく海外でも評価が高い。High Frequency Oscillation（HFO）測定まで対応できる。医療機器認証取得済の機器。	伸縮性のある素材でできた電極を前額部に貼るもの。事前準備しておけば数分で測定開始可能。装着感もストレスが少ない。ただし，本書の解析においては，電極数が十分でないものもある。医療機器認証取得済の製品も選択可。

各社とも性能の異なる製品を別途販売している上，この情報は古くなるため，購入に際しては各自で確認する必要がある。

　こうした場合に，シールドされていない実験環境で収録したデータを用いると，少なくとも50～60Hzの脳波成分は信頼性が低くなると考えてよい。
　また，シールドルームには防音効果や照明を統制できるというシールド以外の機能的な側面もあり，実験状況のコントロールという観点から，可能な限りシールドルームを使うべきであろう。一方で，どんなノイズが混入するかを十分検討した上であれば，シールドが完全でない場所であっても脳波の計測は十分に可能である。

I 脳波研究へようこそ

電極および脳波キャップ

　近年では，穴の空いた水泳帽のようなものに電極をくっつけていくキャップタイプの脳波電極が用いられ，旧来のように電極を一つずつ，位置を確認しながら頭皮に直接貼り付けるという作業を行うことはほぼなくなった。もちろんキャップの装着位置がずれていることを直感的に把握するためには，位置確認の原理を知り，体験しておくことも重要である。ともあれ，キャップにより多電極測定が簡便になった現在では，解析の多様性を保証するために少なくとも20～30極程度の電極を，頭皮上にまんべんなく設置することが望ましい。

　一方，原理的な問題からすれば，電極が三つあれば脳波を測定することは可能である。一つ目は頭皮上の脳波を測定するために取り付ける探査電極，二つ目はその基準の電位を取る基準（reference）電極，三つ目は頭皮上の適当な位置に取り付けられるアース電極である。二つ目の基準電極とは，検討したい電極において測定された電位変動のベースライン（基準となる値）として用いられる電極という意味で，通常脳波やノイズが混入しにくい部位を選ぶ。主に，鼻尖（nose tip），耳朶（earlobe：耳垂），乳様突起（mastoid：耳の後ろにある突起。側頭骨の後下方部にあたる）などを基準とするものが一般的である。また，左右の耳朶の電極をつないで一つの電極とし，基準電極とする両耳朶連結（linked earlobe）も用いられることがある。ただし，耳朶，乳様突起は側頭皮質由来の脳波や，筋電位が混入しやすい。また，両耳朶連結は複数電極の物理的な結線であり，その接触抵抗値が均一でないと頭皮上分布を歪ませる可能性がある。極端に言えば，片方が外れかけていれば，実質両耳朶ではなく外れていないほうの電極のみを基準としたことになり，そちら側の電位が大きく減算されることになる。本書では，特に制約のない場面での基準電極選択には，使用する脳波計メーカーから推奨されたものか，それがなければ鼻尖を推奨する。先行研究で明らかにされている ERP 成分を対象として検討する場合は，基準電極によって頭皮上への ERP 成分の現れ方が異なるのを防ぐため，先行研究と同じ基準電極を選択することが求められる場合もある。三つ目の電極はアース電極として，頭皮上の適当な場所に設置する。一般に信号の授受には，データ用とグラウンド線の2本の信号線が必要である。ほとんどの脳波計は，データ増幅用の信号線を2本使う差動増幅なので，それに加えてもう1本，グラウンド線

としてアース電極が必要であるが，頭皮上の一つの電極をアースとして用いている場合が多い。

多くの脳波計では，前述の探査電極と基準電極をつないで，基準電極において収録された脳波以外の誤差成分を，探査電極で収録された電位変動から取り除いて脳波としている（当然この処理後も，実際はいくらか誤差成分が混入している）。

電極装着の位置は，国際的に標準化されている 10-20 法（ten-twenty electrode-system: Jasper, 1958.），その多電極拡張版である 10-10 法（Chatrian et al., 1985; American Electroencephalographic Society, 1994）に基づいて貼り付けるのがよい。より多電極の測定については，10-5 法（Oostenveld et al., 2001）があり，基本的には広く使われているこの基準に則るのが，その後の様々な処理の際に便利である。一つずつ手作業で電極を貼り付ける場合は，後述の手順で，計算された部位にマーキングしてから貼っていくことが必要であるが，帽子をかぶせるタイプの電極では，このうち中心点のみを計算してマークし，Cz という中心部に位置する電極位置を合わせ，左右のズレなどを軽く調整するだけでよい。

位置の計算の仕方は，以下の通りである（図 2-1 参照）。

① 鼻根（nasion：鼻先から上にたどって最もへこんだ部分）と後頭極（inion：後頭部の出っ張ったところ）の位置を確認し，その間の長さを測る。

② 左右の耳介前点（Pre Auricular point: PA，左（Left）は LPA，右（Right）は RPA）の間の長さを測る。

③ ①②の中点を頭頂とし，その点を国際基準法による Cz とする。

④ ①②の各線を全体で 100％とし，各端の点から 10％，20％，20％，20％，20％，10％ と 6 分割し，この点に基づいて Cz を中心とする同心円を四つ描く。

⑤ 各円周を 10 等分した点と中心点を結ぶ線との交点をもとに，図 2-1 のような座標を作成する。

電極の材質は，一般的に銀―塩化銀（Ag/AgCl）電極の特性がよいとされ，広く用いられているが，基本的には脳波計の提供元（あるいはその関連会社）から推奨されているものを使えば大きな問題はない。測定部位によって別の材質の電極を使うことなどは避ける必要がある。これと同様に，電極と頭皮を結線させるための電解質（電極糊，電極ジェルなど）も統一することが望ましい。電

I 脳波研究へようこそ

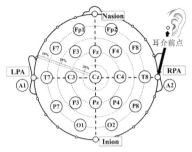

図 2-1 国際 10-20 法による電極配置

極と頭皮の接触抵抗値に関しても述べたが，電極間で収録時の特性が異なれば，分布や電極間の相違に関しては議論ができなくなるためである。

2 脳波を測定するための注意点

脳波を測定するためには，いくつか気をつけるべき点がある。どれも頭皮上から測定されたデータに，脳活動由来のデータ以外を混入させないようにするためのものである。特に，心理学，認知科学，神経科学領域での研究には重要な観点である。一方で，Brain Machine Interface（BMI）など，実験室外，シールドルーム外での脳波の工学的な利用においては，以下の注意点に対応できない場合もある。その場合にもノイズの様態を理解することは重要であろう。

教　示

第一に，実験に際して適切な教示を行うことが重要である。社会心理学実験で行うような，実験者の期待の効果を統制しようという努力はあまり必要がない。基本的に実験参加者が，トレーニングなしに意図的に脳活動を制御することはほとんど不可能だからである。むしろ，以下の教示は，主に頭皮上から電位変化を測定する場合に共通の，実験参加者に伝えておいたほうが収録波形にノイズが混入しにくい，という注意点である。

眼球運動ノイズに関して　まばたき，眼球運動はノイズとして混入してしまうことを実験参加者に説明し，できるだけ不必要な目の動きを避けるように教示する。また，強く長いまばたきは非常に問題の多いノイズとなり，データが使えなくなる可能性が高くなる点を知らせる。伝統的に，脳波研究ではまばたき抑制の教示が行われてきたが，それを必要としない場合もある。各実験で何に気をつけてほしいかを決め，きちんと実験参加者に説明するのがよい。たとえば，独立成分分析によって成分分離を行う場合，実験刺激が呈示される瞬間に目を閉じていて刺激を見なかったということのないように，教示するくらいでよい。

筋電ノイズに関して 頭や体の動き，こめかみや首の筋肉の緊張がノイズを生じることを説明する。これらを避けるため，できるだけ快適な状態で安静にし，体の動きは最小限にしてもらうよう教示する。また歯を食いしばるなどの強い口の動作もノイズとなることを知らせ，実験中は行わないように教示する。あご台などを用いることもノイズ軽減に役立つ場合がある。

汗腺ノイズに関して 汗をかくことで頭皮上に電位変化が起こり，ノイズが生じる可能性を説明する。適宜，実験参加者に暑くないか確認を取りながら，汗をかかないようにエアコンの調節を行う。

以上のような知識を伝えるだけでも，ノイズの混入はかなり抑えることができる。また可能であれば，実験参加者自身の脳波を視覚的にフィードバックし，まばたきをした時の波形，歯を食いしばった時の波形など，典型的なノイズを見せることは，実験中の振る舞いを統制する上で役に立つ。

電極の装着と実験準備

脳波を測定するためには，電極を頭皮上に設置していかなくてはならない。使用しているアンプによって，頭皮の処理や装着の仕方などが異なるが，ここでは一般的に注意すべき点に関して，ごく基本的なことから列挙していく。

洗髪の重要性 脳波は頭皮上に現れる電位を測定するので，汚れた頭皮では測定がうまくいかないこともある。必ずしも洗髪の有無と脳波測定の正確さは直結しないが，脳波電極は繰り返し使用するものであることからも，実験者は実験参加者に事前の洗髪をすすめるべきである。可能であれば直前に洗髪し，髪を乾燥させてから行うのが理想的だが，少なくとも前日の洗髪をすすめ，当日は整髪料の使用も控えてもらう必要がある。凝った髪型は実験中崩れることがあることを伝える。

抵抗を落とす作業 脳波を測定するには，電極の接触面と頭皮との間に生じる電気抵抗を様々な作業によって落とす必要がある。抵抗があまりに大きい場合，適切なデータ収録の妨げとなる。各アンプの性能によってこの作業は全く異なる。一般的に気をつけるべき点として，髪のより分け，十分な電解質の塗布，頭皮上の汚れの除去，などが挙げられる。以下にこれらを詳しく解説する。

抵抗値が高くなる原因の一つとして，髪の毛が物理的に邪魔になっているこ

とが考えられる。つまり、髪の毛が電極表面と皮膚の間にあって、電極がぴったりと頭皮に設置できていない状態である。この場合は、耳かきのようなもので髪の毛をより分け、電極の設置部に髪の毛が集中しないように整える。

　抵抗値の高くなる原因の二つ目は、頭皮と電極の間が電解質で十分に満たされていない場合である。通常、脳波計（脳波キャップ）購入時に電極糊や電極ジェルが付属しているので、その専用のものを用いるのがよいが、電気的に接続させるためには、でんぷんや塩化ナトリウムを水で溶いたもので十分である。でんぷんは粘性をつけるために溶くものであり、本質的には食塩水で事足りる。ジェルは実験中、頭皮と計測器をつなぐリード線のような役割を果たすため、ジェルの量が少なくギリギリ結線しているような状態では、実験中に電気的な接続が途切れてしまう可能性を高める。一方、あまり電極ジェルをつけすぎてしまうと隣の電極とつながってしまい、データが取れなくなるなど問題がある。そうならない範囲において、たっぷりと塗布することが重要である。

　頭皮上に不純物がある場合、髪の毛と同様に抵抗値を上昇させる原因になる。この影響を減少させるためには、アルコールを含ませた綿棒などで該当部位を拭くことや、研磨剤入りの脳波電極ジェルで軽くこするなどの対処法がある。皮膚が傷つくほどこする必要はなく、実験参加者が痛がっていないかよく確認する必要がある。軽く綿棒でこするくらいで抵抗値が落ちない場合は、ほかの対処法をもう一度確認し、それでも全く減退しないようであればそれ以上は行うべきではない。頭皮をこすることで微細なレベルの出血などを起こした場合、血液感染の可能性を考慮しなくてはならない。頭皮の研磨処理を前提としている脳波収録システムでは、万が一の事態を考慮し、HIVなどのウィルスに効果のある消毒液をメーカーが推奨していることがある。

ノイズ対策

　特に、高周波帯域やその位相情報など、高度な解析を行うために脳波を収録する際には、いかにノイズの混入を抑えるかという点が重要になってくる。基本的には、ノイズ源として、①生体現象が電位変化を起こすことで、それが脳波収録に影響を与える生体ノイズ、②実験環境に起因して発生する環境ノイズがある。以下にそれらを列挙する。

第2章 脳波の測定・収録

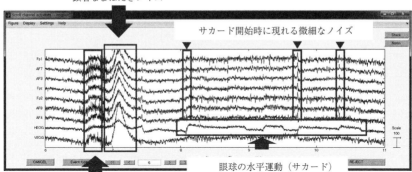

図2-2 眼球運動に起因するノイズの例

①生体ノイズには，眼球運動ノイズ，筋電・体動ノイズ，汗腺ノイズ，心拍ノイズがある。

眼球運動ノイズ　まばたき，サカード，マイクロサカード，目の運動などにより眼球周辺に起こる電位変化（眼電，Electro-Oculogram: EOG とも呼ばれる）がある。基準電極の位置にもよるが，基本的に目に近い前頭部に設置した電極に大きく現れる。まばたきとサカードは非常に大きな電位変化を起こすこともあり，同定は比較的簡単である（図2-2）。たとえば，画面上いっぱいにいろいろな刺激を出す場合，実験参加者はどこを見てよいかわからず，意識的・無意識的に眼球を動かしてしまう。この時，方形波のような箱型の電位（サカードノイズ）が脳波に混入する。注視点を設定することや，刺激の大きさを調整することで，抑えることができる。まばたきに関しても，できるだけ課題と無関係の時点でしてもらうように教示するなどの工夫をする。しかし，眼球運動ノイズは，その発生源も一つの場所に定まっており，除去を行う際に検出しやすい。無理な教示をして実験課題に影響が出るくらいであれば，できる限り自然にまばたきをさせて，まばたきの混入した試行を削除することや，適切なアルゴリズムで眼球運動由来の反応のみを抽出して除外することが望ましい。

筋電・体動ノイズ　「教示」の項でも述べたように，実験参加者が動いてしまうと，電極がずれたり，電極線がゆれたりしてノイズを発生させる可能性が

I 脳波研究へようこそ

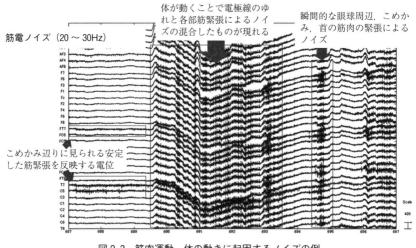

図 2-3　筋肉運動，体の動きに起因するノイズの例

ある。頭部の筋肉，こめかみ，あご，首などの筋緊張は大きな生体ノイズ発生源である。できるだけ安静にしてもらうことでこれらを回避する。また電極線に関しては（アクティブ電極の場合，電極線のゆれの影響はわずかだが），束ねた上でイスに固定するなどの対策をとるとよい。図 2-3 には，典型的な筋電位の発生を示した。中央部に全電極にわたって高周波帯域の活動が見られ，その間に低周波のノイズも混入している。これは実験参加者が体勢を変えるなどした際の，顔面周辺を含む筋肉の緊張と，動きに伴う電極線のゆれに起因するノイズと考えられる。それより以前に，主にこめかみに近い場所に位置する電極で観測されている持続的な高周波の活動は，持続的な筋緊張が側頭部で起こっていることの反映であると推定される。また，動きのノイズ後に側頭部を中心に分布している一過性の高周波活動が見られるが，これは歯をかみしめたこと，首の筋肉を一時的に緊張させたことを示している。

　汗腺ノイズ　これも「教示」の項で述べたように，汗をかくこともノイズの発生源になる。皮膚電気反応など，汗腺活動による抵抗値の変化を測定する手法もある通り，頭皮上に汗がにじみ出てくれば，それが局所的に電極接触抵抗値を変化させ，電位の変化を引き起こす。図 2-4 に見られるように，このノイズの特徴は，持続時間が長く，非常に電位が強いにもかかわらず，まばたきの

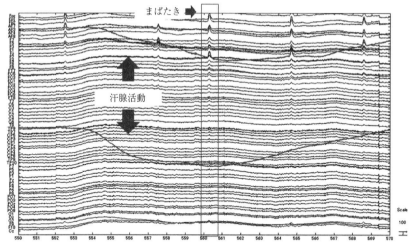

図 2-4 汗腺活動ノイズの例

ように周辺電極に広がりを持って出現するわけではなく，発生電極が限定的であるということである．もちろん意識できるほど汗をかけば，全電極に影響し始める．汗腺活動の影響を想定し，部屋の温度は実験前からきちんと調節することが重要である．

心拍ノイズ　心拍も，心電図などで用いられているように，電気生理学的に電圧変化として測定されるものである．通常は目視で確認できるほど混入しないが，人間の皮膚上に電位変化を起こしていることは間違いない．まれに身体の大きな実験参加者の中に，心電位が頭皮上で測定できる人もいるが，対処のしようがないので，別のノイズや脳活動と混同しないように気をつけることしかできない．1Hz 前後の周期的な波形なので，経験を積めば目視で検出できるようになるが，かなり気をつけてみる必要がある（図 2-5）．第 3 章で紹介する独立成分分析などのノイズ除去アルゴリズムで除去することが可能である．

②の環境ノイズには，商用電源ノイズ，モニタのリフレッシュレートがある．

商用電源ノイズ　こちらは前節の「シールドルーム」の項で詳しく述べた 50 または 60Hz の電源に由来する電波ノイズである（図 2-6）．周波数帯は日本においては地域ごとに変わるので確認されたい．静電誘導，電磁誘導，漏れ電

I 脳波研究へようこそ

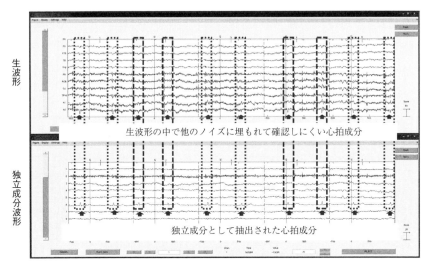

生波形

独立成分波形

図2-5　心拍ノイズの例

流が主な混入原因とされている。静電誘導は，空気を介して生体や電極線に混入するもので，シールドや電極接触抵抗を落とす（一定にする）ことで低減できる。電磁誘導は，電線に電流が流れることによって生じた磁力線が電極線に影響してノイズを発生するもので，低減するには各電線の位置を変えるくらいしか対処法がない。漏れ電流は，天井，壁や床に電流が漏れ出て生体まで伝わっているものであり，シールドシートなどで生体と床などを遮断すると低減できる可能性があるが，微細なノイズは必ずと言ってよいほど混入してしまう。一般に，一つの環境でこのノイズが混入する度合いは一定であると考えられるが，電極を頭皮に接着する際，その表面の抵抗値があまり落ちていない状況，また物理的に頭皮と電極がずれている状況であると，その電極にだけ，より大きな電源ノイズを混入させてしまうことになる。また，長時間実験を行う際は体の動きなどによって電極がずれることも想定される。可能な限り休憩中に抵抗を測定して，極端な抵抗値の上昇を示した電極がないか確認することが望ましい。特に第3章以降で説明される独立成分分析においては，休憩中に電極を動かすことによって結果が歪む可能性もあり，休憩前後の抵抗値の変化がないように気をつける必要がある。

第2章 脳波の測定・収録

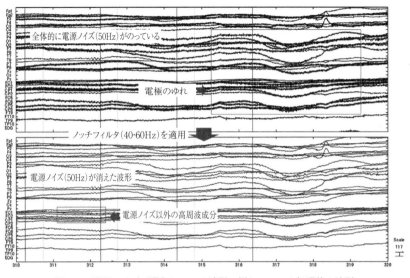

図2-6 電源ノイズが混入している波形の例とフィルタ処理後の波形

モニタのリフレッシュレート　コンピュータ用のディスプレイ上に呈示した視覚刺激を用いて実験を行う場合，このディスプレイもノイズ源になりうる。ディスプレイは，画面に映る画像を非常に高速で入れ替えており，この入れ替えの速さをリフレッシュレートという指標で表している。たとえば60Hzのリフレッシュレートであれば，1秒間に60回画面が切り替わっていることになる。つまり1回画面を切り替えるのに16.67ミリ秒（1000ミリ秒／60回）かかるということである。60HzのリフレッシュレートでCRTモニタ（テレビと同じ原理のブラウン管モニタ）を使用する場合，60Hzのノイズが収録脳波にのる可能性がある。たとえ収録中に目視で確認できなくても，位相の指標に大きな影響を与える可能性がある。一方で，液晶ディスプレイには前述のリフレッシュレートノイズの問題がないとされ，高周波および位相の検討をする場合にはこちらのほうが適している場合もある。ただ液晶ディスプレイを使用する場合は，一般に応答速度（ミリ秒：ms）という指標が，リフレッシュレートに加えて示されているため確認したい。これは，多くは液晶を黒から白に変化させるのにかかる時間で，動画再生や刺激呈示のタイミングなどに致命的な影響を与える上，

27

閾下呈示などミリ秒単位で制御が必要な場合には注意が必要である。

3　なぜその脳波実験は失敗したのか

　どんなに一生懸命に実験を行っても，ほしいデータの収録に失敗することもある。失敗したと考えられる実験から，何か意義のあることが得られる可能性に目を向けるということも重要だが，本当にどうしようもないデータにしがみついて，何かあるはずだと時間を無駄にしてしまうという愚行も避けるべきであろう。特に，本書の第II部で解説する様々な解析法は非常に時間のかかるものもあり，どんなデータにそれを行い，どんなデータにそれを行わないか，判断することが非常に重要なポイントになる。ここでは筆者らの知る限りでの実験の失敗例や，「どうしようもないデータかどうかの判断ポイント」を紹介していく。

ノイズにまみれたデータ

　収録したけれどノイズだらけでどうにもならないデータ，というものも当然ある。しかしながらノイズの種類によっては，そのノイズがのっていてもデータを利用できる場合もある。たとえば，fMRIとEEGを同時測定する場合，fMRIの撮像に関連したノイズが大量にのってしまう。それにもかかわらずfMRIとEEGの同時計測が可能だと言われているのはなぜだろうか。それはノイズの性質がよくわかっており，検討対象としたい脳活動の成分と，十分に分離が可能だからである（ただし，本書で紹介する多くの解析は，fMRIとの同時計測時データには適用が難しい）。電源ノイズに関しても同様で，周波数帯をはじめ基本的な性質が自明である。このような場合，そのノイズの周波数成分のみを除去することで，データ全体を捨てなくて済む可能性がある。

　一方，周波数帯域，頭皮上分布，出現時間（あるいは定常かどうか）がわかっていない，あるいは一定ではない場合，そのノイズはノイズなのか脳活動なのかを区別することが難しく，解析上厄介な存在となる。たとえば，運動に付随して電極や電線が動いてしまうことに起因するノイズは，実験参加者がいつ，どのように動くかがランダムなため，除去が難しい。あまりにも動きが激しい場合，突発的に通常では得られない強い振幅として現れてくる。この場合は，

電極の位置がずれてしまい、そのずれに伴って振幅値が大きく変動している可能性がある。その区間は脳波を収録できていない、と判断するのが正しく、どんなに解析処理を加えたからといって実験結果に含めるべきではないし、状況によってはほかの解析区間に影響を与えかねないため、早い段階で解析区間から除く必要がある。

このように周波数帯域、頭皮上分布、出現時間、出現強度といったものから、その時に何が起こったのかを検討し、解析によってノイズ成分を除去するか、保守的にその解析区間そのものを除外するかを決める必要がある。この時、実験参加者の行動をビデオ録画しておくと、対応づけて検討することができる。

対象とする成分が不明瞭である場合

脳波の大きな特徴は、その時間分解能の高さであり、原理的には数ミリ秒単位で活動の変化を検討することができる。膨大な量のデータを収録することができるため、そのうちどの反応をターゲットにするかは実験者が決めなくてはならない。たとえば、気分のようにそれがいつ始まりいつ終わったかはっきりしない心理過程を捉えたいと思っている時に、数ミリ秒単位で刺激をコントロールする実験を行った上、刺激呈示後数十ミリ秒の非常に狭い範囲に有意な反応が見られても、そこに直接気分を反映した脳活動が現れてくるとは考えにくい。どんな成分が対象とする心理過程を説明しうるかは、事前に十分な検討が必要である。

もう一つ重要な点は、確認すべき脳波反応（脳波成分と呼ぶことが多い）を何か一つ決めておくことである。これは特に探索的な検討をしていく際に重要な点である。探索的な検討によって新しい脳波成分を探すという目的においては、対象成分は必然的に明瞭ではなくなる。この場合、得られた脳波成分が何なのかを知る手がかりは、各実験条件の波形間に差があるかどうか以外にない。一方で様々な解析を加えていくことで、脳波成分は無数に増やすことができる。こういう事態では、いかにデータがノイズだらけで意味をなさないものでも、その中になんらかの条件差が得られてしまうこともある（適当な多重比較補正をかけたとしても）。対象成分が不明瞭な実験を行っている場合、こういう取りあえず出してしまった条件差でなんとか論文にしたいと考えてしまうが、それが追

試のできないただのノイズ由来のものであり，後々その知見が邪魔になってくるということもありうる。こうした事態を避けるためには，少なくともその実験における脳波の「収録」が成功したかどうかを確認したい。何度も追試をする以外にできることが，「確認すべき成分を見る」ということになる。具体的には，大変頑健な脳波成分を何か一つでも実験内に盛り込み，その出現と変化の様子が，多くの先行知見と合致していることを確認することである。つまり，先行研究で確認されている脳波成分が頑健に観測されていないデータに対して，何か新しいものが見つかるかもしれないからと言って，様々な解析を加えていくべきではない。その場合はいったん実験を止めて，本当にそのパラダイムが正しかったのか，収録状況は適切であったのかなどをよく検討し，環境の見直し，追試実験やほかの条件を含めた実験をするほうがよい。

強いアルファ波の出現と実験時間

いわゆるアルファ波があまりに強く見られたために，そのデータを失敗データとして除外してしまう場合があるが，それは正しくない。アルファ波とは，8〜13Hzの脳波成分であり，閉眼時，眠い時，安静時などに後頭部中心に現れてくる波形を指す。近年では，視覚処理の開始や注意補足により，アルファ波が一時的に減衰するアルファ減衰という現象なども報告されているが，ここでは詳述は避ける。

アルファ波が検討対象ではない場合，ノイズ混入のように扱う研究者もいるが，これはもっぱらアルファ波を眠気の指標として捉えているからである。実際に，眠くなってくるとアルファ波は測定中に目視で確認できるほどはっきりと現れてくる。実験中アルファ波が強く出ている場合は，後で実験参加者に確認してみて，「たしかに眠くてしばらく課題がまともにできなかった」という事実があれば，その実験参加者を解析から除外してもよい。ただし，その判断は実験者が恣意的にすべきではない。アルファ波は個人差が大きいために，特に眠いわけではなくてもアルファ波がはっきりと見られる人もいる。

現実的には，あまりに強いアルファ波が出現してしまうことで，対象としている脳波成分を検討できないということも十分にありうる。一般的対応として，課題の長さをできるだけ短くすること，適切な休憩をとって集中力を保たせる

こと，課題の種類を工夫し眠くならないような実験にすること，などの点を検討するとよい。経験的には，課題時間は全体で20〜30分前後とし，連続して5分を超えないようにブロックを設定するのが理想である。長時間の実験では，途中で休憩をはさむことが望ましい。

アルファ波の混入に対処するもう一つの方法は，独立成分分析を用いた事後的な除去である。収録時にはアルファ波の出現・混入を容認し，実際に収録されたデータにアルファ波が強く出ていた場合に，事後的に解析を行ってその部分だけ抽出し，検討対象でなければ除去するというものである。これは前述のように，眠くなってしまって出現しているアルファ波にも適用可能であるが，あまりにも眠くて課題に集中できてない場合は，この方法で見た目上除去しても意味はないことに注意が必要である。独立成分分析に関しては，第3章に詳述されている。

電極数が適切ではない

この問題は，探索的な検討を行う際に，少ない電極数で検討を始めてしまった場合や，確認的な検討を行うのに不必要な数の電極を用いた場合に起こる。すでに発見されている脳波成分を惹起させ，その振る舞いによって人の認知機能を探る研究を行う場合は，どんな現象をどの脳波成分で検討しようとするのかを明確にした上で，必要最小限な電極を用いて脳波を収録するほうがよい。一方で，どんな脳波成分が見られるのか未知であり，探索的に脳活動を検討しようとする場合は，できるだけ多くの電極を頭皮上に偏りなく配置するのがよい。この理由を下記に詳述していきたい。

対象の脳波成分が設定した実験条件においてどのように変化するのか，という限定的な問いを立てる場合は，少ない電極で検討を行うほうが検討しやすい。実際に論文の審査の過程で，「どんな場合でも収録したすべての電極のデータを検討すべき」という批判を行う研究者もあるが，それは的外れである。特に，電極数が多くなれば，統計検定の結果を変えることになる。多重比較補正のBonferroni法などでは，検定数（電極数）が多くなれば多くなるほど有意水準が厳しく，収録した全電極を解析対象として多重比較検定を行う場合には，保守的になりすぎてしまう。近年では簡易に多数の電極から脳波を測定すること

ができるが,数十,あるいは百数十の電極から得られたデータを無批判にすべて統計検定に持ち込んでしまっては,何をしても結果が出ないということもありうることに留意すべきである。この問題に関しては,Cohen (2014) に詳しく,その対処法なども示されている。

　上記の例以外にも,いかに少ない電極で適切な脳情報を抽出できるかという観点もあり,研究の目的によって検討する電極数は様々である。上記のことから,脳波研究を始める上で第一に,その研究が既存の脳波成分の振る舞いの確認的な研究であるのか,様々な可能性を含めた探索的な検討であるのか,実験者自身が自覚して進めることが重要になるだろう。

　このほかにも様々な問題とその解決法があるが,前述のように,原理としては,ノイズカットの問題,対象成分選定の問題,成分混合の問題,実験目的と指標の整合性の問題,といったことに集約できる。実験がうまくいかない場合は,こうした観点で,実験を見直してみるのがよいだろう。

引用文献

Chatrian, G., Lettich, E., & Nelson, P. (1985). Ten percent electrode system for topographic studies of spontaneous and evoked EEG activity. *American Journal of EEG Technology*, **25**, 83-92.

Cohen, M. X. (2014). *Analyzing neural time series data*. Cambridge, Massachusetts: MIT press.

Ferree, T. C., Luu, P., Russell, G. S., & Tucker, D. M. (2001). Scalp electrode impedance, infection risk, and EEG data quality. *Clinical Neurophysiology*, **112**, 536-544.

Hajcak, G., & Nieuwenhuis, S. (2006). Reappraisal modulates the electrocortical response to unpleasant pictures. *Cognitive, Affective, & Behavioral Neuroscience*, **6**, 291-297.

日本脳波筋電図学会(1997).誘発電位測定指針案.脳波と筋電図, 25, 1-16.

Oostenveld, R., & Praamstra, P. (2001). The five percent electrode system for high-resolution EEG and ERP measurements. *Clinical Neurophysiology*, **112**, 713-719.

Picton, T. W., Bentin, S., Berg, P., Donchin, E., Hillyard, S. A., Johnson, R., & Taylor, M. J. (2000). Guidelines for using human event-related potentials to study cognition: Recording standards and publication criteria. *Psychophysiology*, **37**, 127-152. (http://www.sprweb.org/articles/Picton00.pdf)

Pivik, R. T., Broughton, R. J., Coppola, R., Davidson, R. J., Fox, N., & Nuwer, M. R. (1993). Guidelines for the recording and quantitative analysis of electroencephalographic activity in research contexts. *Psychophysiology*, **30**, 547-558. (http://www.sprweb.org/articles/Pivik93.pdf)

II
脳波解析の実際

チュートリアル遂行の際の注意事項

凡　例

　第3章以降は，脳波解析に関するチュートリアル，およびその簡単な原理解説を行っていく。特にチュートリアルにおいて，以下の基準で書体と意味を対応付けた。本書を用いてチュートリアルを行う際の参考にしていただきたい。

　第一に，クリッカブルボタン，表示ラベルなど，画面上に表示される内容は，基本的に**太字**で表すこととした。MATLAB コマンドウインドウなど，入力が必要な物は，「 」で囲んだ。EEGLAB メニューなどで，マウスオーバー（その場所にマウスを移動させること）やマウスクリックで，次々に進めていく場合，「－」でメニューやボタン名をつなぎ合わせることでそれを示した。

　第二に，フォルダ区切り文字にはバックスラッシュ（\）を用いた。フォルダ区切り文字は，Windows OS 上でカレントパスや，ファイルを探す際に，あるフォルダと下位フォルダとの区切り位置に置かれる。たとえば，MATLAB パスは「C:\Users\ユーザ名\Documents\MATLAB\」と表示するが，これは C ドライブの中に Users というフォルダがあって，さらにその中には個々人が Windows アカウントにつけた名前であらわされる「ユーザ名」がついたフォルダがあり，さらにその中に Documents というフォルダがある，ということを示している。ただ，実際にこのバックスラッシュは日本語環境では円マーク（¥）で代用されている場合が多く，本書内の図ではバックスラッシュではなく円マークでフォルダ区切りがなされていることもある。ちなみに，表示されている文字がバックスラッシュでも円マークでも，PC 上では同じように理解されるので問題ない。また，Mac OS X を含む Linux 系 OS 上では，フォルダ区切り文字にはスラッシュ（/）が使われているので，個々人の環境で読み替えていただきたい。

　本書では，チュートリアルデータを使って実際に読者に，EEGLAB および SPM における脳波解析を体験してもらえるように構成した。これには当然ながらパソコン，そして適当なオペレーティングシステム（OS），汎用数値解析ソフトウェアとして MATLAB が必要である。ここまでは費用がかかるので，それぞれの環境で調達していただきたい。新たに調達する場合には，以下の注

意事項をよく読んだ上で選択すると，チュートリアルがうまく遂行できる可能性が高まる。

　第3章以降，本書では，実際に脳波解析用ソフトウェアEEGLABおよびSPMを，汎用数値解析ソフトウェアであるMATLAB上で操作し，解析を行う体験をガイドする。この際，オペレーティングシステム，MATLAB，EEGLAB，SPMのバージョンが非常に重要になる。またそれをインストールするハードウェアとしてのコンピュータのスペックも，ある程度の目安がある。

　以下に順に説明していく。

　第一に，もしなければ購入する必要があるのがコンピュータである。基本的に，RAM性能，ストレージ性能の二つを確認していただければ，それ以外は大きな問題はない。そのほかにCPU性能もあるが，これに関してはあまりにも古くなければ問題ないと考えてよい。RAM性能は，物理メモリ（実装メモリなどとも言う）の容量を確認していただければよいが，ここでは4GB以上を目安として提示したい。ストレージは購入時のスペックではなく，空き容量が10GB以上あることを確認していただきたい。以上が本書でのチュートリアルを行う上での推奨スペックである。余裕を持って提示しているので，これ以下でも動作しないことはない。実際，多くの大学院生の個人所有のノートパソコンで実施が可能であることを確認しており，また計算時間に関しても致命的に遅くなるというものは見られなかったため，現在使われているコンピュータであれば，スペックの問題でチュートリアルデータの解析確認ができないということはほぼないと考えている。

　一方で，このスペックは「チュートリアルデータの解析」に必要かどうかという観点でしか書かれておらず，本書で紹介した解析を実際に多人数，多電極，高サンプリングレートで収録した脳波データに適用する場合は，より高いスペックが求められることになる。

　マシンのスペックより重要になるのが，OS，MATLAB，EEGLAB，SPMのバージョンである。これは組み合わせが一つでも違うと，全く動作しないこともある。

以下にその推奨バージョンの組み合わせを示す。

Windows OS 環境

Windows 10 pro（64bit），MATLABR2019a，EEGLAB14.1.2b，SPM12

Mac, Linux に関しては動作確認が十分でないため提示しないが，動作するものも多い。

このようにバージョンの組み合わせが重要になるのも，非常に大きな変化があった MATLAB に起因する。R2014b より図（figure）の扱いが大きく変わったからである。詳述は後述のウェブサイトに譲るとして，とにかくこの問題のおかげで，本書の中で紹介するチュートリアルも，環境によって動作が不安定になることが多く確認されている。できる限り多くの環境で試しているものの，すべてに対応することは難しく，可能なエラーを十分に予測できていないのが現状である。よって，以降のチュートリアルは，基本的に本書推奨のMATLABR2019a, EEGLAB14.1.2b, SPM12 を使って試していただきたい。なお，Windows 7 はサポートが 2020 年 1 月 14 日に終了することもあり，本書では推奨しない。

読者の中には環境が限定的であり，本書を購入して試してみようと思ったにもかかわらず，ソフトウェアが動作しないまま途方に暮れている人もいるかもしれない。しかし，実際にはなんらかの工夫をすれば使用可能なことが多い。よって，そうした情報をウェブ上で募って，できるだけ多くの環境でユーザが本書のチュートリアルを試せるように，解決策を呈示していくことにした。何か問題がある場合は，下記のウェブサイトをチェックし，それでも解決しない場合には，その症状をウェブ上で報告してほしい。それ以外にも，下記のウェブサイトは必要なデータなどをダウンロードできる場になっている。ウェブサイトは状況に応じて改変するので，ここでは詳細は述べずトップページだけを示しておくが，ホームページ内の案内をよく読んでその際に適切なものを参照されたい。以降，本書内で，「本書ウェブサイト」という場合，下記の URL へのインターネットアクセスでたどり着くページのことをさす。

本書に関する情報サイト（本書ウェブサイト）

http://sccn.ucsd.edu/eeglab/japanese/

また，バグや問題点を見つけたら，EEGLABのバグ報告公式サイト，EEGLAB Bugzilla（https://sccn.ucsd.edu/bugzilla/enter_bug.cgi）まで報告することが推奨されている。

第3章 収録データから脳波を抽出する

宮腰　誠・金山範明

　この章では，スウォーツセンターによって開発・配布されているフリーの脳波解析ソフト EEGLAB（Delorme & Makeig, 2004：「刊行によせて」参照）を用いた脳波の解析の手順を紹介する。MATLAB（ここでは R2019a）が使える環境にある読者は，同研究所のウェブサイトから EEGLAB 本体と，本章のために準備されたチュートリアル用データをダウンロードし，本章の構成に沿って解析の手順を確認できる。ただし，R2014bMATLAB では図（figure）の扱いが変更され，それ以前に作られた MATLAB 上で動作するソフトウェアは軒並み影響を受けることになった。古い版では動作が不十分になる可能性もあるので，現状では本書のチュートリアルの推奨環境を使用している前提で進める。また，OS は Windows10 Pro 64bit を使用している。

　第1節では主に下準備（以下，プリプロセスと呼ぶ），第2節では最終出力をどのようにプロットするかを簡単に説明する。出力のパラメータ設定の意味やその見方に関する説明は，第4章に詳述する。

1　脳波データのプリプロセスのパイプライン

　プリプロセスは収録したそのままのデータを，整形し，ノイズを除去し，研究論文などに報告できるレベルのデータにする過程である。プリプロセスのパイプライン（手順表）を図3-1 に示す。この図に示されたパイプラインは，第6章の ICA クラスタリングを前提としており，特に集団レベル解析の手順4以降は，どのような解析を行うかによって異なる。本章では，主に集団レベル解析の手順3までを中心に説明する。プリプロセスの順序には信号処理上の必然性があり，それを守ることは重要である。なお，プリプロセスに限らず，収録や解析に関して一般的なルールを網羅的に述べた，通称「ガイドライン」と呼ばれる論文がある（Picton et al., 2000）。脳波を用いた実験を行う上で，知って

II 脳波解析の実際

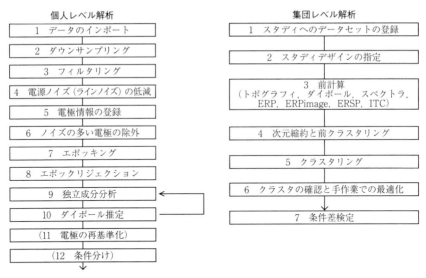

図3-1 脳波データのプリプロセスのパイプライン

おくべき事柄が整理され掲載されているので,初学者の必読文献として紹介しておく.

下準備：MATLAB, EEGLAB, チュートリアル用データを用意する

EEGLAB は MATLAB 上で動作するアプリケーションである。MATLAB は商用ソフトであり，ライセンスを購入してインストールする必要がある。また，MATLAB の Toolbox（MATLAB 上で使用可能な関数のセット）として，Signal Processing Toolbox と Statistics Toolbox（最新版では Statistics and Machine Learning Toolbox）が含まれていないと，一部の機能が制限される。EEGLAB は，スウォーツセンターのウェブサイト（http://sccn.ucsd.edu/eeglab/）で無償配布されている。ダウンロードサイト（EEGLAB - Download EEGLAB）では，名前，E メールアドレス，それから研究領域やコメントなどを記入し，**I accept the terms of the BSD license** のチェックボックスにチェックを入れる。**Submit** ボタンを押し，開いたページから EEGLAB をダウンロードする。本書では EEGLAB の version 14.1.2b を用いて解説を行うので，3行目の，**EEGLAB older versions** are available here（relatively recent）and here（older versions）.の，前のほうのhereから，様々なバージョンのEEGLABがリスト表示されるページに移動し，eeglab14_1_2b.zipをダウンロードする。

　ダウンロードしたEEGLABは解凍処理し，現れたフォルダをC:\Users**ユーザ名**\Documents\MATLAB（以下，MATLABフォルダ）に置く。この時，解凍ソフトなどの設定によっては，C:\Users**ユーザ名**\Documents\MATLAB\eeglab14_1_2b\eeglab14_1_2bとeeglab14_1_2bが二重になる場合があるが，これだとパスの設定に問題が生じる可能性があるので，中身を移動させC:\Users**ユーザ名**\Documents\MATLAB\eeglab14_1_2bとする。このフォルダに，eeglab.mというファイルが入っていれば正しく移動できている。

　次に，MATLABを起動する。MATLABのメインウインドウ左上のメニューから**ホーム-パスの設定**（環境のセクション）を選択する。**パスの設定**という名のウインドウが開かれるので，左上の**フォルダーを追加**ボタンを押して，先ほど移動させたEEGLABのフォルダを選択し，**フォルダーの選択**ボタンを押してMATLABサーチパスに追加する（今の場合，C:\Users**ユーザ名**\Documents\MATLAB\eeglab14_1_2b）（図3-2）。MATLABサーチパスとは，MATLABがファイルを参照する場合に検索する範囲である。左下の**保存**ボタンを押してこの設定を保存する。これで次回MATLAB起動時に自動的にEEGLABのフォルダが参照されるようになる。下の**閉じる**ボタンをクリックし，このウインドウを閉じる。MATLABの**コマンドウインドウ**に「eeglab」とタイプし，エンターキーを押す。EEGLABのメインウインドウが起動すれば，EEGLABのインストールは成功である。メインウインドウ上部にはFile, Edit, Tools……と続くメインメニューが見つかる。これを以下，EEGLABメニューと呼ぶ。EEGLABメニューの，**File-Memory and other options**をクリックすると現れるウインドウの一番上のIf set, keep at most one dataset in memory……のチェックボックスを確認し，もしチェックが入っているようだったら外しておく。

　次に，プラグインをインストールする。プラグインはEEGLAB上で一連の処理を行う際のパッケージであり，たとえば，今回は脳波データの読み込みやノイズ除去を行うものを追加する。これを行うとEEGLABメニューにプラグインが追加され，使うことができるようになる。インターネット接続がある状

II 脳波解析の実際

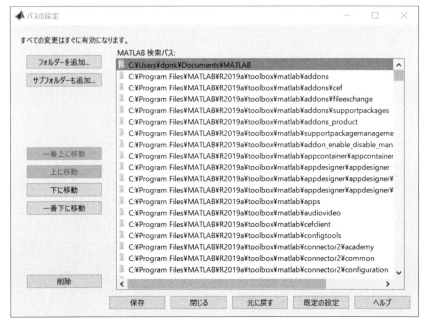

図3-2　MATLABのサーチパス設定ウインドウ

態でFile‐Manage EEGLAB extensionsからData import extensionsをクリック（図3-3）すると，プラグインのリストが表示される（図3-4）。ここから今回はbva-ioにチェックを入れ，Okを押す。ファイルが大きい場合，ダウンロードしてインストールしてよいか尋ねられるので，Okを押す。インターネットにつながっていれば，自動的に選択したプラグインがインストールされ，EEGLABが更新される。次に，File‐Manage EEGLAB extensionsからData processing extensionsをクリックすると，別のプラグインリスト（図3-5）が示されるので，必要なプラグインをインストールする。ここでは，Fieldtrip-liteとCleanLineをインストールする。このプラグインの並び順はScoreに応じて変化する（よく使われている一般的なものから並ぶ）ので，いつでもここに示した通りの順番に並んでいるわけではない。対象のプラグインが1ページ目になければNext page>ボタンを押して次のページを探す。ただ，次のページに

第3章 収録データから脳波を抽出する

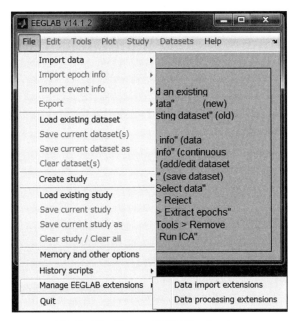

図3-3 File - Manage EEGLAB extensions

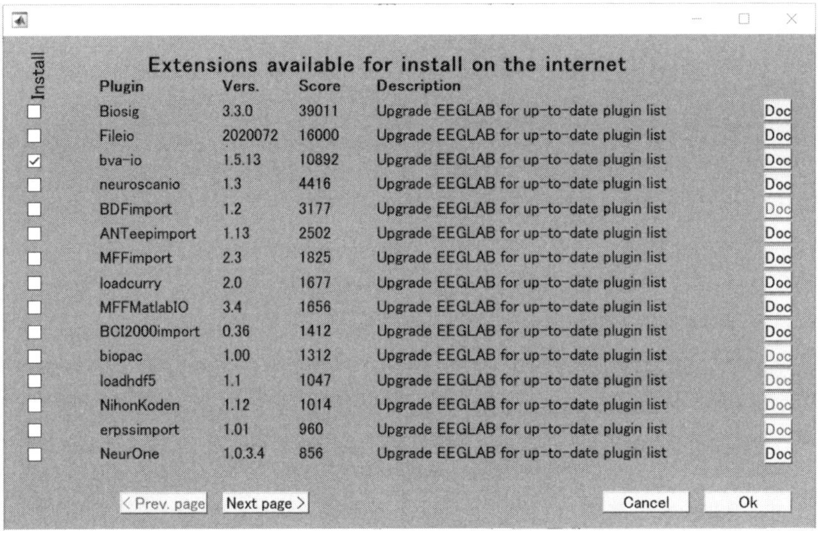

図3-4 Data import extensions のリスト

43

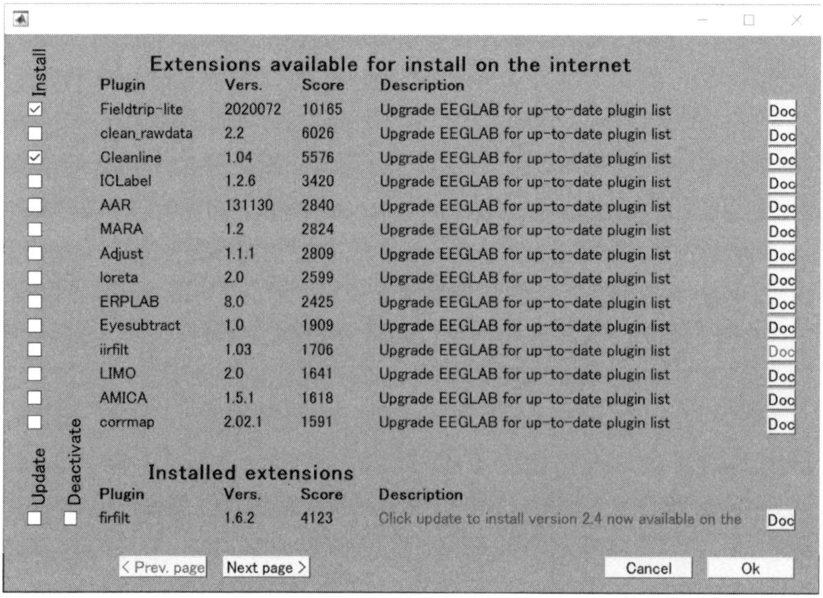

図3-5 Data processing extensions のリスト

進んだ時点で，前ページのチェックボックスは外れるため，ページごとに一度Okを押して確定し，インストールまで終えなくてはならない。ダウンロードファイルサイズと，ダウンロードしてよいかたずねるダイアログが示されるので，Yesを押してダウンロードを許可する。自動的にEEGLABが再起動されプラグインが有効になる。有効になったプラグインはData processing extensionsのリストの下端に移動される。下端に移動したプラグインに対しては，UpdateとDeactivateの二つのチェックボックスが現れる。最新版をインストールしたい場合はUpdateに，対象のプラグインを使えない状態に戻したい場合はDeactivateにチェックを入れて，Okを押す。そのプラグインのバージョンが最新ではなく，最新版が利用可能な場合，Descriptionの欄に赤文字で紹介される。ここまでプラグインの追加が終了すると，そのたびにEEGLABは自動で再起動するが，これはMATLABの**コマンドウインドウ**に「eeglab」とタイプし，エンターキーを押すことで手動で再起動することもできる。ちなみ

に，何か EEGLAB で作業をしている途中の場合，「eeglab」とタイプし再起動すると，ファイルに保存されていない変更は破棄されてしまうので注意する．

次に，チュートリアル用データをダウンロードする．これは，4人の実験参加者から収録された2刺激オドボール課題のデータである．オドボール課題とは，頻度の高い標準刺激と，頻度の低い標的刺激をランダムに呈示し，頻度の低い刺激に自動的に向けられる注意を調べるための課題である．この実験では，文字刺激 S を標準刺激として 120 回呈示し，一方，T を標的刺激として 30 回呈示した．実験参加者には，呈示された標準刺激に対しては中指，標的刺激に対しては人差し指で，速く正確にボタン押しをするよう教示が与えられた．標準刺激は S3，標的刺激は S2，ボタン押し反応は S4 というイベントマーカー（イベント情報）が，呈示された時刻（潜時と呼ぶ）に記録された．刺激呈示時間は 200 ミリ秒，その後 1800 ミリ秒間，固視点が表示された．収録電極数は 32 極で，そのうち最後の 32 極目は眼電のモニタ用に左目尻付近に取り付けられた．基準電極は Cz で，収録時のサンプリング周波数は 200Hz，収録時のフィルタは 0.016Hz のハイパスフィルタであった．

このチュートリアル用データを含む original.zip を，本書ウェブサイトからダウンロードする．これを解凍して original という名のフォルダが現れたら，中に 12 個のファイルが入っていることを確認する．これらすべてを解凍したフォルダを C:\Users*ユーザ名*\Documents\MATLAB フォルダに移動しておく．ここに，先ほど解凍した original という名のフォルダが入っていることを確認し，さらに MATLAB メインウインドウ上部のカレントフォルダ（現在 MATLAB が参照しているフォルダ）を MATLAB フォルダに変更しておく．なお，MATLAB フォルダは，環境によって異なるが，MATLAB の標準の作業フォルダなので，通常，MATLAB 起動時に自動的に設定されている．

手順1：データのインポート

EEGLAB メニューから，**File‐Import data‐Using EEGLAB functions and plugins‐From Brain Vis. Rec. .vhdr file** を選択し（図3-6），開かれたファイルエクスプローラからファイルを探して読み込むファイルを指定する．カレントフォルダの設定が正しければ **MATLAB** というフォルダが開かれているはず

なので，その中にある original フォルダに移動し，sub01.vhdr を選択して**開く**ボタンを押して読み込む。Load a Brain Vision Data Exchange format dataset というダイアログが開き，Interval と Channels を指定するように求めてくるが，ここでは何も指定せずに Ok ボタンを押しすべてのデータを読み込む。読み込みが完了すると Dataset info ウインドウが開き，Name it: としてデータセットの名前の入力を求めてくる。データセットとは，EEGLAB 内で扱う一つのデータ集合のことであり，電極やイベントデータなど様々な情報を統合的に集めたものである。ここでは，実験参加者１人分の全データが，一つのデータセットとなる。「sub01」と入力し，Ok を押す。データセットが作成され，EEGLAB のメインウインドウの左上部に #1: sub01 とデータセットの名前が表示される。EEGLAB メインウインドウに表示される以下の情報を確認する。

① まだ保存されていないため，Filename は none。
② データセットに含まれる電極数を表す Channels per frame は 32。
③ 区切られたエポックに含まれる時間ポイントの数である Frames per epoch は 63020──まだエポックに区切る作業をしていないので，読み込んだデータすべてで，一つのエポックとなっている。
④ エポックの数を表す Epochs は 1。
⑤ イベントとして脳波データと一緒に記録されているマーカーの数である Events が 302。
⑥ サンプリング周波数を表す Sampling rate（Hz）は収録時に設定した 200。
⑦ 区切られたエポックの開始時間を表す Epoch start（sec）は 0.000。
⑧ 区切られたエポックの終了時間を表す Epoch end（sec）は 315.095──ここから，この実験では 315 秒程度データ収録を続けていたことがわかる。
⑨ 基準電極を表す Reference は指定していないので unknown。
⑩ 電極位置情報の有無を示す Channel locations は No（labels only）。
⑪ 独立成分分析（independent component analysis: ICA）適用の有無を表す ICA weights は No。
⑫ そのデータセットのメモリ上の読み込みファイルサイズを表す Dataset size（Mb）は 9.1。

上の①にある通り，現段階ではこのデータセットはファイルとして保存され

第 3 章　収録データから脳波を抽出する

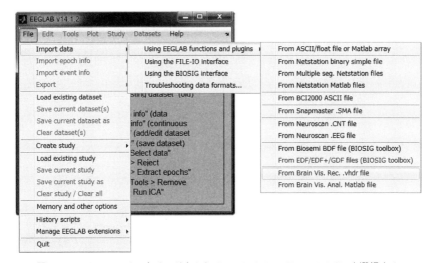

図 3-6　EEGLAB メインウインドウから From Brain Vis. Rec. .vhdr file を選択する

ていないため，ここで EEGLAB や MATLAB を閉じてしまうと，すべての作業内容が失われてしまうので注意する。ファイルへの保存方法は以下の通りである。EEGLAB メニューの File‒Save current dataset as をクリックすると，保存のためのファイルエクスプローラ（Save dataset with .set extension）ウインドウが開く。ここでファイル名を「sub01」（拡張子は何も入力しない）と入力し**保存**ボタンを押すことで，先ほどのデータセットが EEGLAB 用のファイルとして保存される。データセットは sub01.set（波形データの付属情報）と sub01.fdt（波形データそのもの）という二つのファイルに分けられる。保存が完了すると EEGLAB メインウインドウの Filename にその所在を表すパスつきでファイル名が表示されるようになる。ここではパスの前方の表示が省略されており，… s\MATLAB\original\sub01.set のようになっている。

手順 2：ダウンサンプリング

　ダウンサンプリングは，もっぱら計算量を節約するためのものである。本書のチュートリアル用データの場合，200Hz という比較的低いサンプリング周波

47

数で収録されており、サイズも 9.1Mb とそれほど大きくないので、ここではこの処理は行わない。なお、サンプリング周波数が 200Hz ということは、脳波が 5 ミリ秒毎に記録されたということと同じである。

EEGLAB でダウンサンプリングを行う場合、**Tools-Change sampling rate** をクリックし、現れたウインドウで新しく指定するサンプリング周波数を入力し、**Ok** ボタンを押す。なお、その際、アンチエイリアシングフィルタ（ダウンサンプリングする際に、指定周波数の半分以下の周波数でローパスフィルタをかけること）は自動で適用されるので、別途行う必要はない。

手順 3 : フィルタリング

脳波におけるフィルタの適用については、すでに優れた文献があるので、そちらを参照されたい（入戸野・小野田、2008；フィルタで事象関連電位成分がどう変化するかを図示したものとして、Rousselet, 2012, Appendix も参考になる）。ここでは、EEGLAB を用い、データの周波数帯域を 1～100Hz に限定する（上限は、サンプリング周波数の半分として定まる。これをナイキスト周波数という）。なお、フィルタには FIR と IIR の 2 種類がある（本章第 3 節参照）が、通常の用途には EEGLAB がサポートしている FIR を使うのがよい（Widmann *et al.*, 2015）

はじめに、全データに対して 1Hz 以下の低周波成分を除去するために、ハイパスフィルタ (lower edge の設定) を適用する。EEGLAB で指定する周波数は帯域通過限界であり、1Hz までの振幅特性は平坦で、-6dB 地点は 0.5Hz となる。これは前述の入戸野・小野田（2008）の推奨値からすると高い値であるが、その理由は発汗などによる 1Hz 以下の周波数での頭皮上電位分布の推移を除去し、独立成分分析をうまく機能させるためである。

EEGLAB メニューから、**Tools-Filter the data** 上にマウスを移動させ、**Basic FIR filter** (new, default) をクリックする。現れた **Filter the data** ウインドウの **Lower edge of the frequency pass band (Hz)** の欄に「1」を入力し、**Plot frequency response** のチェックを外し、**Ok** ボタンを押す（図 3-7）。このチェックが入っていると、MATLAB の Signal Processing Toolbox が必要な処理を行うため、外しておかないとエラーになる可能性がある。データセットが新たに作成され、名前の変更などを確認するウインドウ（**Dataset info** ウインド

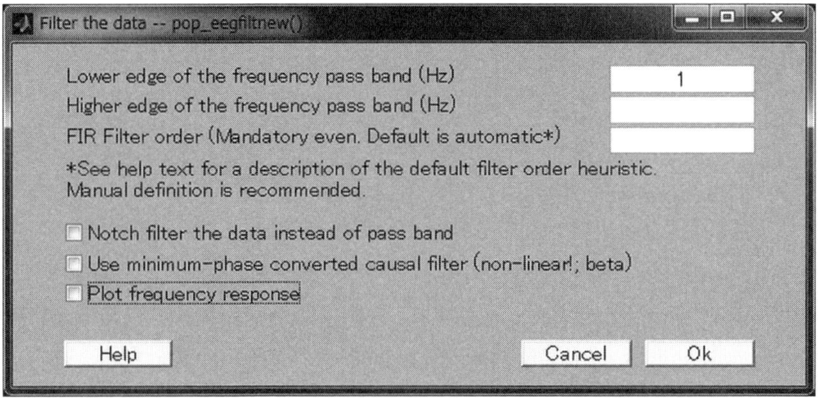

第3章　収録データから脳波を抽出する

図 3-7　Basic FIR filter（new, default）でハイパスフィルタをかける

ウ）が開かれる。以降，特に指定のない場合を除き，このダイアログでは何もせずに Ok ボタンを押す。データセットが新たに作成され，**#2: sub01** となる。

なお，1 〜 100Hz を対象とすると前述したが，次に述べる 50 あるいは 60Hz に現れる電源ノイズの低減が不十分な場合は，ローパスフィルタ（higher edge の設定）を適用するほうがよい。本書のチュートリアル用データも，シールドルーム外で測定したため，電源ノイズの混入が大きいことが明白であり，ローパスフィルタを適用する。**Tools‐Filter the data** 上にマウスを移動させ，**Basic FIR filter**（new, default）を選択し，**Higher edge of the frequency pass band (Hz)** の欄に「40」のように入力し，**Plot frequency response** のチェックを外し，Ok ボタンを押す。データセットが新たに作成され，**#3: sub01** となる。

手順 4：電源ノイズの低減（要 Signal Processing Toolbox，Statistics Toolbox）

電源ノイズ（ラインノイズ）とは，商用電源の交流周波数に由来するアーティファクトである。この低減を EEGLAB で行うには，**CleanLine** というプラグインを用いる。この手法は，データに含まれる商用電源ノイズ波形に対して，最も当てはまりのよいサイン波を推定して差分するものである。ノッチフィルタで除去する方法に比べ，背景スペクトラに対する影響を抑えられるという利点があるため推奨される（Widmann et al., 2015）。この処理で良好な結果を得る

ためには，ハイパスフィルタの後に適用する必要がある（Bigdely-Shamlo et al., 2015）。今回は40Hzのローパスフィルタをかけたので必要ない（実際にはローパスフィルタをかけない状態で適用する）が，参考のため以下に方法を示す。

EEGLABメニューのTools-CleanLineをクリックする。Clean Line Optionsウインドウが表示されるので，すでに入力されている値に代えて，以下の数値を入力する（図3-8）。一番上のLine noise frequencies to removeの欄に，商用電源周波数とその倍の「[50 100]」（データが60Hzの商用電源を提供する地域で収録された場合は「[60 120]」）と入力する。次に，指定周波数の検出閾値を，p-value for detection of significant sinusoidで「0.05」に設定する。sliding window step size (sec)はウインドウサイズと同じ「4」を入力し，最後にOkボタンを押して計算を実行する。処理中，MATLABコマンドウインドウ内に，どの程度指定周波数におけるスペクトラが低減されたかを示す結果が，チャンネルごとに表示される。たとえば，Average noise reduction: 50 Hz: 15.16 dB | 100 Hz: 0.2309 dBなどと表示されれば，50 Hzで15 dBほどの低減があったことがわかる。これを図示したい場合は，EEGLABメニューのPlot-Channel spectra and mapsで開くダイアログボックスのPlotting frequency range (lo_Hz hi_Hz)に「3 100」と入力し，Okボタンを押せば周波数スペクトラが表示される。これを一つ前のデータセットにも行って比較することで，どの程度低減したかを視覚的に確認することができる。計算が終わると，Dataset infoウインドウが開くので，ここはそのままOkボタンを押す。データセットが新たに作成され，その名前が#4: sub01となっているのを確認する。しかしながら今回のデータは，実験室内で行わなかったこともあり，電源ノイズの混入が著しく，ローパスフィルタをかけない状態でこの方法を行った場合，十分にノイズを低減させることができなかった。これは目視で波形を見た際に，波形が太い（高い周波数成分が強く出てしまっていて，低い周波数の変動が見えにくい）ことから直感的に判断できる。よって，ここでは手順2の最後に指定した40Hz以上の成分を除去するローパスフィルタを採用することとする。

なお，Biosemiのアクティブ電極を使用してデータを収録した場合，この作業の前に電極の再基準化を行っておく必要がある。この収録機は，コモンモードリジェクションを解析者の再基準化に委ねる設計だが，このコモンモードノ

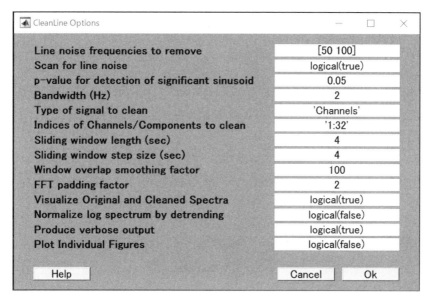

図 3-8 Clean Line Options でパラメータ入力

イズには非定常で高速に電圧変化をする電源ノイズが含まれており，CleanLine で用いられる数秒の長さの移動窓では長すぎて捉えきれないためである．しかし，これはコモンモードノイズなので，再基準化によって完全に相殺することができる．

手順 5：電極情報の登録

メインウインドウ上に表示される Channel locations は，はじめ No（labels only）となっている．もし，電極装着の際に，電極の実際の空間位置を計測していた場合，そのデータを使う．そうでない場合，電極名に従って 10-5 法に定義された空間位置を割り振る．この作業は，電極の命名法が 10-5 法に準じている限り（Fz, Cz, Pz など），EEGLAB により自動的に行われる．電極の名前だけが登録されている状態で，Edit - Channel locations をクリックすると，Look up channel locations? というウインドウが現れる．中央の use BESA……という記述のあるプルダウンメニュー（▼ボタン）をクリックし，3 種類の頭部

II 脳波解析の実際

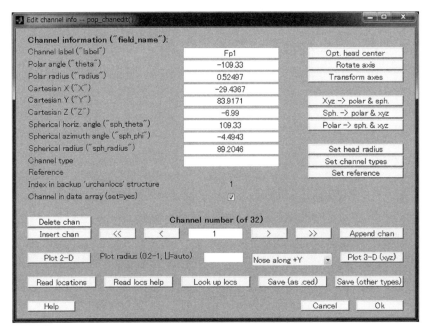

図 3-9 Edit channel info ウインドウ

モデル（本章第3節参照）に対応する，use BESA……，Use MNI……，Use spherical……という選択肢が表示される。頭部モデルとは，信号源を与えた時にその頭皮上での伝播の仕方を決定する計算モデルである。BESA は 4 層（頭皮，頭蓋骨，脳脊髄液，脳実質）の球体で構成されたモデルである。MNI はメッシュで構成された Montreal Neurological Institute モデルであり，spherical ……は眼電をモニタする電極を含めた球体モデルである。解剖学的妥当性が高い MNI モデル（Use MNI……）をクリックして指定する。Ok ボタンをクリックすると自動的に電極名に応じた電極位置が登録され，Edit channel info ウインドウが表示される（図3-9）。この作業が成功すれば，表示されたウインドウ左下の Plot 2-D や右下の Plot 3-D（xyz）ボタンを押すことで電極配置設定を確認できる（図3-10）。問題がなければ右下の Ok ボタンをクリックし，作業を完了する。EEGLAB メインウインドウで Channel locations の欄が Yes になっ

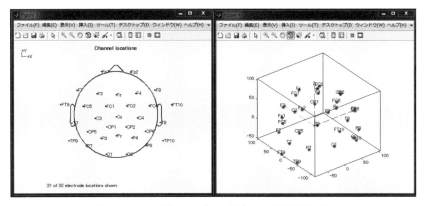

図 3-10　2D（左）および 3D（右）での電極配置表示

たことを確認する。

電極位置ファイルを作成して読み込む場合には，Edit-Channel locations をクリックした際に，直接 Edit channel info ウインドウが表示される。あるいは，Look up channel locations? ウインドウが現れた場合は，Cancel ボタンを押して Edit channel info ウインドウを表示させる。EEGLAB にはサンプルファイルが用意されている（C:\eeglab13_1_1b\sample_locs フォルダ内の各ファイル）ため，それを参考に自分の電極配置に合うように編集し，Edit channel info ダイアログの左下 Read locations ボタンをクリックし，用意したファイルを読み込むことで，電極情報をインポートすることができる。

手順 6：ノイズの多い電極の除外

ノイズの多い電極は，処理の早い段階で除外しておくのがよい。特に，再基準化，独立成分分析，信号源推定法などは，問題のある電極が含まれていると影響を受ける（平均電位法を用いた再基準化時の影響について，Bigdely-Shamlo et al., 2015 に説明がある）。これらの処理を行う際にだけ対象電極を除外指定することもできるが，あらかじめ除外しておくほうが処理を単純化できる。本書のチュートリアル用データでは電極の除外を行う必要はないが，除外方法を以下に紹介する。Edit-Select data をクリックすると現れるウインドウ Select data に

おいて，Channel range に残したい電極を（あるいは，となりのチェックボックス on->remove these にチェックを入れて除外したい電極を）入力して，Ok ボタンを押す。さらに，右側の［…］ボタンを押すことで表示されるリストから，残す（あるいは除去する）電極を選択することも可能である。

手順7：エポッキング

エポックとは，典型的には刺激呈示前1秒から刺激呈示後2秒までの区間といった，ある事象（以下，イベント）を中心に定義される時間窓（時間幅）のことである。条件ごとにエポックを揃え直すことによって，事象関連電位（Event-Related Potentials: ERP）の最終的な条件間比較が可能となる。

チュートリアル用データは，Brain Products 社の Vision Recorder で作成されたデータであるため，データをインポートする際に自動的にイベント情報もインポートされている。EEGLAB メニューから，Tools-Extract epochs をクリックすると，Extract data epochs ウインドウが現れる（図3-11）。Time-locking event type（s）において，右の［…］ボタンをクリックするとイベントタイプ（イベントの種類を表すマーカー）のリストが現れるので，S2（ここでは頻度の低い標的刺激）をクリックした後，キーボードの ctrl を押しながら S3（ここでは頻度の高い標準刺激）をクリックすると，これら二つを選ぶことができる。Ok ボタンを押して元のウインドウに戻ると，Time-locking event type（s）のテキストボックスに，「'S 2' 'S 3'」と入力される。続いて，Epoch limits [start, end] in seconds には「-0.6 1.4」を指定する。Name for the new dataset に，適当な新しい名前を指定する。ここではデフォルトで入力されている sub01 epochs のままでよい。最後のオプションは，この後行うエポックリジェクションの一種であり，ここでは行わないほうがよい。空白のままにし，Ok ボタンを押す。続いて Dataset info ダイアログが出るが，そのまま Ok ボタンを押す。続いて Baseline removal として，ベースライン補正を求めるウインドウが出てくる。これはベースラインとして指定した区間の平均電位を求め，それを全体から差分し，刺激呈示時の電位を0にそろえるための処理を指す。しかし，独立成分分析を行う前に短い（100ミリ秒などの）ベースライン補正を行うと独立成分分析のパフォーマンスが低下するため（Groppe et al., 2009），Cancel

第3章 収録データから脳波を抽出する

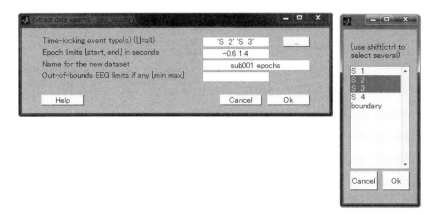

図3-11　イベントの種類，およびエポック長の指定

ボタンを押す。ベースライン補正は，エポッキング後のデータセットであれば，いつでも EEGLAB メニュー，**Tools - Remove baseline** から行うことができる。ここまででデータセットは **#5: sub01 epochs** となっているはずである。

　これらの処理が終わると，刺激開始の立ち上がり（オンセット）に対して-0.6 から1.4秒の区間が切り出され，該当区間外のデータはデータから除外される。EEGLAB メインウインドウの **Frame per epoch** は **400**，**Epochs** は **150**，**Epoch start**（sec），**Epoch end**（sec）はそれぞれ**-0.600** と **1.395** となり，データがエポックごとに切り出されたことを示す。

　なお，イベントデータを別にインポートする必要がある場合のために，テキストデータを使った汎用的な解決策を以下に示す。ただし，この手順はエポッキング前のデータに適用することを前提としている。

　ほとんどの刺激呈示ソフトのログファイル（Presentation, E-Prime など）は，EEGLAB に直接インポートすることができるが，それができない場合でも，イベント情報を ASCII フォーマット（.txtで編集可能）で作成してインポートすることが可能である。イベント情報は，表計算エディタ（Microsoft Excel など）で，EEGLAB のイベント情報の形式で編集する（図3-12）。1行目に，データの種類を項目として必ず設ける。その際，項目名は何でもよいが，予約変数（EEGLAB のイベント情報で必須である変数）である **latency** という項目は必ず含める。各項

55

	A	B	C	D
1	type	condition	latency	
2	stimulus	S3	5.135	
3	response	S4	5.83	
4	stimulus	S3	7.17	
5	response	S4	7.575	
6	stimulus	S3	9.21	
7	response	S4	9.545	
8	stimulus	S3	11.25	
9	response	S4	11.59	
10	stimulus	S3	13.295	
11	response	S4	13.55	
12	stimulus	S2	15.335	
13	response	S4	15.865	
14	stimulus	S3	17.38	
15	response	S4	17.675	
16	stimulus	S3	19.42	
17	response	S4	19.695	
18	stimulus	S3	21.48	
19	response	S4	21.765	
20	stimulus	S3	23.585	
21	response	S4	23.925	
22	stimulus	S3	25.63	
23	response	S4	26.03	
24	stimulus	S3	27.67	
25	response	S4	28.065	
26	stimulus	S3	29.695	
27	response	S4	30.045	
28	stimulus	S3	31.72	

図 3-12　イベントファイルを編集作成しテキストファイルとして保存する

目の下の列に，latency は秒単位で，その他，たとえば type であれば文字列で「stimulus」や「response」などと入力する。この例では，後に使用する条件（標準刺激か標的刺激か）を condition として設定し，それぞれ「S2」，「S3」，「S4」などと記述している。EEGLAB で自動で読み込んだ場合では「S」と「2」の間にスペースがあったが，この方法で読み込む際は間にスペースを入れてしまうと正しく読み込めない場合があるので，「S」と数字の間にはスペースは入れない。これらがすべて入力されたファイルをASCII フォーマット（.txt）で保存する（タブ区切りでもカンマ区切り（csv）でも可）。次に，そのファイルを EEGLAB で読み込む。EEGLAB メニューの File-Import event info-From Matlab array or ASCII file から，Import event info ウインドウを開き，このファイルをインポートする（図 3-13）。Event file or array の箇所に，作成したイベントファイルの名前を入力する。カレントフォルダにそのファイルがない場合，右上の Browse ボタンからファイルエクスプローラを使って指定する。Input field（column names）のところには，先に設定した項目名を記入する。ここでは「type condition latency」と順にスペースで区切って記入する。Number of header lines には，項目名の設定で使った行数（ここでは「1」）を設定する。Time unit のところには，秒で入力した場合には「1」

第3章 収録データから脳波を抽出する

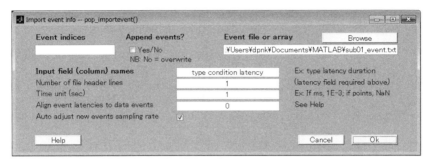

図3-13 作成したイベントファイルをインポートする

を,ミリ秒で入力した場合には「1E-3」を入力する。ここでは「1」を入力する。すべて入力できたらOkボタンをクリックする。この作業が終わると,イベント情報が登録される。

手順8:エポックリジェクション

データからノイズを除去するためには,ノイズを含むエポックをまるごと解析対象から外す方法が確実である。エポックを解析対象から除外することをリジェクトという。どの程度のデータをリジェクトしてよいかについて,Picton et al. (2000) には30％を超えないように,またDelorme et al. (2007) には10％程度を目安に,とある。以上から,なるべく10％程度に抑えつつ,やむをえない場合には30％を限界として考えるのがよい。

目視によるエポックリジェクション 目視 (visual inspection) による選択は,最も基本的な方法である。EEGLABメニューのTools-Reject data epochs-Reject by inspectionをクリックすると,Reject epochs by visual inspectionウインドウが現れるので,そのままOkボタンを押す。すると,Scroll channel activitiesウインドウが現れる (図3-14)。ここに表示されるデータはエポッキング後のものであり,−600から1400ミリ秒までの時間窓が繰り返し現れている。中央下やや左に,左右それぞれ矢印マーク (<<, <, >, >>) が配置されていて,このボタンを押すことでページをスクロールできる。一度にもっと多くのエポックを概観したい場合は,上部メニューの,**Settings-Time range to**

II 脳波解析の実際

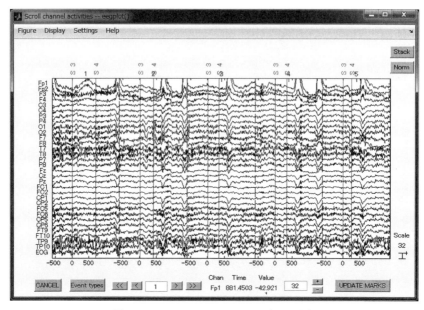

図 3-14　Scroll channel activities ウインドウ

display から変更する．0 ミリ秒時点の目盛り軸の上部にある S 3 は標準刺激呈示のタイミングを，その後の S 4 は実験参加者のボタン押しのタイミングをそれぞれ表しており，縦の実線が脳波波形に重ね書きされている．また縦の点線はエポックごとの区切り位置であり，2 本の点線の中央上部に，そのエポックが何番目かが数値で表されている．

どのようなエポックをリジェクトすべきかの指針として，全体の電位変化の傾向と比較して，①急峻かつ過大，②空間分布が異常（単一電極に限られる，あるいは逆に過度に全体的である）の両方に当てはまるものを考慮する．なぜなら，これらは明らかに生体電気活動以外に由来する電位変化だからである．逆に，筋電やまばたき，眼球運動などは，上記①に当てはまるためデータを非常に汚く見せるが，空間分布に異常性はない．これらは次に行う独立成分分析で分離できるため，リジェクトしてはならない．これらが実際どんなものかは，以降，目視による確認の方法で概観する．

画面の右上にある **Stack** ボタンと **Norm** ボタンは，波形の表示の仕方を変え

るボタンである。Stack ボタンは，すべての電極を中央に重ね書きして表示する。全体の傾向を見るのに便利である。Stack ボタンを押すと，表示されているすべての試行で上向きの牙のように大きな電位変化が，ごく少数の電極に現れているのがわかる。Stack ボタンは，一度押すと Spread ボタンに変化するので，押して波形を戻してみると，この電位変化は，Fp1，Fp2 のみに見られることがわかる。これらの電極が眉の直上に位置することから，この電位変化はまばたきに由来することが推定できる。Norm ボタンは，電位変化の値を，全試行データをもとにして標準化する。Norm ボタン，Stack ボタンを両方押して標準化された波形を重ね描きしたものを見ると，先ほどの Fp1，Fp2 に特に大きく現れたまばたき関連の電位は小さくなってしまった。これは全試行に万遍なく現れていることを示しており，特に異質ではないと考える。もしこのまばたき電位を除外対象とすれば，ほとんどの試行を捨てることになるだろう。この画面表示のままデータの時間軸上の表示区間を進めてみると，10 および 30 番目のエポックに，数本だけ波形が全電極の平均的な範囲（ほかの電極の値が収まって黒く塗りつぶされたように見える範囲）を超えているように見える部分がある。Spread ボタン，Denorm ボタンで，より典型的なエポック 30 の元の波形を確認してみると，ほかのエポックではほとんど反応を見せていない FC5 の電極などに大きな反応が見られている。これはアーティファクト（脳波データに混入してしまった脳波以外の電位変化）なので，リジェクト対象のエポックとして選択したい。この場合，対象のエポックにおける波形が表示されているエリアならどこでもよいのでクリックすると，クリックしたエポックの背景色が黄色に変化する。これでリジェクト対象として選択されたことになる。Norm ボタン，Stack ボタンを押し，表示区間の時間をさらに進め，エポック 37 に注目する。Spread ボタンで元に戻して見てみると，CP6 という電極において 500 ミリ秒を超えたあたりから突然電位が急落する。このような大きく急な電位変化が，ほかの近傍の電極に影響を与えずに見られる場合，アーティファクトであるからクリックしてリジェクト対象にする。さらに見ていくと 52，53，61，71，88，148，149 に同様のアーティファクトと疑われるものが見られる。エポック 71 は，確認したところ EOG（Electro-Oculogram）電極に強く見られるノイズを含んでいる。EOG は以降の脳波解析の対象にならないので，ここでは

ひとまず無視する。最終的に 30, 37, 52, 53, 61, 88, 148, 149 の八つをリジェクト対象にする。右下の UPDATE MARKS ボタンを押し，このウインドウを閉じる。この時，ここでは除外対象のエポックのマーキングを行うだけで，実際にエポックを除外するのは後で Tools‒Reject data epochs‒Reject marked epochs（あるいは同名のボタン）を押した時になる，という確認メッセージが現れるが，内容を確認して Ok ボタンを押し，これを閉じる。このメッセージはエポックリジェクション中よく出るが，基本的に Ok ボタンを押して進めることとする。

統計を用いたエポックリジェクション　次に，統計を用いた自動計算法について説明する。なお，本書のチュートリアル用データは，試行数を最低ぎりぎりにデザインしてあるため，ここではなるべくエポックを捨てない方針をとる。目視によるリジェクションは解析者の主観と経験に依存するため，しばしば恣意的と批判される。そこで，信号解析と統計を用いることで，数値基準を設けて客観的にリジェクションを行うことができる。ここでは，目視による選択と統計を用いた選択との比較を行う。EEGLAB メニューの Tools‒Reject data epochs‒Reject data（all methods）から，Reject trials using data statistics ウインドウを開く（図 3-15）。

最上段の Mark trials by appearance は，前述した目視によるエポックリジェクションと同一である。すでに八つのエポックを選択してあるため，Marked trials は 8 になっている。このすぐ横にある色のついたボタンは，あるエポックがその基準（この場合，目視）で除外されるべきとマークされた場合，そのエポックはこの色でハイライトされることを表している。ボタンを押すことで別の好きな色に変えるためのウインドウが開く。以降のどの項目も同様である。

Find abnormal values は，そのエポックに，ある基準以上の電位の波形が現れたことを検出して除外する方法（閾値法）である。ここでは Upper limit (s) (μV) に「100」，Lower limit (s) (μV) に「-100」を入力し，Electrode (s) の数字を「3:31」に変更して，Calc/Plot ボタンを押す。これは，Fp1, Fp2, それから眼電である 32 番目の電極を除くすべての電極に対し，一律 ± 100 μV を超えていたらそのエポックは捨てる，という処理を意味する。MATLAB コマンドウインドウに 3/150 trials marked for rejection と表示され，この方法

第 3 章　収録データから脳波を抽出する

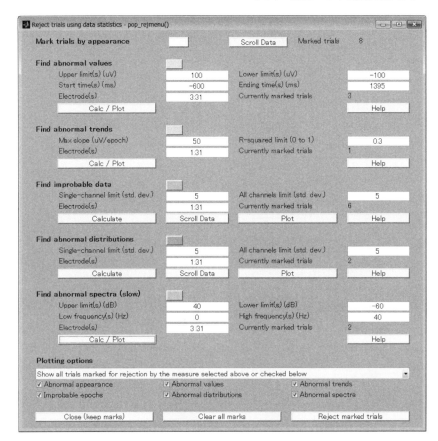

図 3-15　Reject trials using data statistics ウインドウ

では三つのエポックが除外対象になった。現れた Scroll activity ウインドウを，右下の UPDATE MARKS ボタンで閉じる。

　Find abnormal trends は，エポック全体にまたがるデータの大きな傾斜を検出する方法である。Electrode（s）の数字のみ「1:31」に変更して，デフォルト設定で Calc/Plot ボタンを押す。ここでの除外対象が一つのみであることを MATLAB コマンドウインドウで確認し，そのまま UPDATE MARKS を押して元に戻る。以下，二つの除外法では，Electrode（s）の数字のみ「1:31」に変更して，あとはデフォルト設定を用いることにする。なお，この項目のみ，

61

Currently marked trials の値が更新されず0のままになるというバグがある。

Find improbable data は，電極ごとに確率分布関数を計算し，中心から標準偏差の指定倍数より外の値を含むエポックをリジェクトする方法である。Delorme et al. (2007) は，これが速さと有効性のバランスが最もよいとしている。Calculate ボタンで実行する。Currently marked trials が6となる。

Find abnormal distributions は，エポックごとの尖度（確率密度関数の鋭さの指標で，外れ値が多いほど大きな値をとり，正規分布からの逸脱を示す）を使ったリジェクションである。尖度は外れ値に敏感であり，前述の Find improbable data に比べるとやや過敏である。Calculate ボタンで実行する。Currently marked trials が2となる。

Find abnormal spectra (slow) は，エポックごとの周波数スペクトラ（周波数別の振幅値の2乗）を算出して閾値にかけるリジェクションである。Signal Processing Toolbox が必要である。Upper limit (s) (dB) に「40」，Lower limit (s) (dB) に「-60」，High frequency (s) (Hz) に「40」，Electrode (s) に「3:31」を入力し，Calc/Plot ボタンを押す。Lower limit (s) (dB) を「-60」としたのは，電極が動くなど外部要因による大きな電位変化の検出に特化するためで，スペクトラが小さい（振幅が小さい）という方向の異常性を問題にしないためである。注意すべき点として，異常であるかどうかは全試行のデータの相対値で決まるため，極端な外れ値の影響で，問題のないエポックの値が異常に小さいと判断されるケースがある。結果が表示されたら，内容を確認してXボタンでウインドウを閉じ，元のウインドウに戻る。Currently marked trials の数字はこの動作では表記上更新されないが，2となっている。

以上すべての方法でマークをつけた上で，最上段の Scroll Data ボタンを押し，Scroll channel activities ウインドウを表示して，除外選択の結果を目視で最終確認する。ウインドウ右下，UPDATE MARKS ボタンの左隣にテキストボックスと＋，－ボタンが配置されていて，表示する電位のスケールを調節できる。テキストボックスに「25」と入力し，Enter キーを押す。次ページでは，FC6 などが問題視され，エポック10の背景がオレンジと紫の2色で塗られている。これは，Find improbable data と Find abnormal distributions を示す色であり，確率分布関数と尖度を基準に除外対象とされたことを示す。い

くつかの電極の波形の色が赤く変わっているのは，除外対象と判断された値を示した電極を示す．

さらにエポックを進めると，エポック 30 の背景には目視による除外を表す黄色，確率分布関数による除外を表すオレンジの 2 色が塗られている．複数の基準で検出していることから優先的に除外すべきであるので，除外対象のままとしておく．エポック 37 は三つの指標（黄：目視，ピンク：スペクトラ，オレンジ：確率分布関数）で検出された．エポック 52，53 などは，問題となる電位変動が 1200 ミリ秒以降，あるいは −500 ミリ秒付近というエポックの端（後に解析対象外になる）で起こっているため除外対象から外してもよいが，ここではこのままにしておく．それ以外にもエポックが選択されているが，選択される（ノイズの含まれた）エポックはプラグインのバージョンによっても変化があるため，典型的なものにとどめた．Fieldtrip-lite2020072，CleanLine1.04 では，この他に 61，88，148，149 が除外対象となった

これらを総合すると，目視で除外対象となったエポックは，すべてなんらかの基準で除外対象となっており，ここで用いた基準は除外対象を的確に示していたと言えるだろう．しかしながら，除外の必要のなさそうなエポックまでも対象としている部分もあり，最終的な目視確認の有効性が示唆された．

さて，以上から，本書の推奨の環境では 10，30，37，52，53，61，88，148，149 の 9 のエポックを対象とすることを確認したので，Scroll channel activities ウインドウを右下の UPDATE MARKS ボタンを押して閉じ，Reject trials using data statistics ウインドウ中，右下の Reject marked trials ボタンを押してリジェクトを実行する．本当によいか（行うとそのデータセットから試行が削除されてしまう）確認するウインドウが現れ，Yes を押すと削除が実行される．Dataset info ウインドウが現れるので，そのまま Ok ボタンを押す．EEGLAB メインウインドウの Epochs が 141 になっているのを確認する．データセットは #6: sub01 epochs となる．

手順 9：独立成分分析

独立成分分析の性質や生理学的解釈については，本章第 3 節および第 6 章に別途詳述してあるので参照されたい．ここでは適用方法を確認する．EEGLAB

メニューから，Tools-Run ICA をクリックすると，ウインドウ Run ICA decomposition が現れる。1段目では独立成分分析のアルゴリズムを選択でき，2段目ではそのオプションを指定できる。デフォルトから変更はしない。3段目には独立成分分析に用いる電極を選択することができる。第32極目は眼電をモニタするために設置された電極であり，ここでは解析から外すものとする。テキストボックスに「1:31」と入力することで，32番目の電極を除いたすべての電極を指定する。注記しておくと，独立成分分析に眼電は含めても問題なく，その場合は左の目尻に位置が近いため，電極に AFp9 の名前を割り当てるのがよい。電極の指定ができたら Ok ボタンをクリックする。独立成分分析の適用はこれだけである。計算にはデータの大きさ（電極数，サンプリング周波数，収録時間）に応じた時間がかかり，本データの場合は数分から十数分程度必要であろう。筆者の環境（OS: Windows10 pro 64bit，CPU: Intel Core i7-4770@3.40GHz，RAM: 32GB）では，2分ほどで計算が終了した。計算を途中で止めたい場合，独立成分分析の適用中に表示されるウインドウの Interupt ボタン（EEGLAB 表記ママ）を押す。

独立成分分析の計算が終わったら，EEGLAB メニューの Plot-Component activations（scroll）または Tools-Reject data using ICA-Reject by inspection から，独立成分のアクティベーション（電極の「生波形」に相当する時系列データ）を見ることができる。これは電源部位の活動に変換された脳波と解釈する。独立成分分析を用いたデータのクリーニングとは，このプロットを見て再度エポックリジェクションを行うことを指し，独立成分をリジェクトすることではない点に注意する。独立成分のアクティベーションに対して統計的手法を用いてエポックリジェクションをすると，電極データの場合に比較してパフォーマンスが向上することが知られている（Delorme et al., 2007）。

独立成分のアクティベーションを検討するのに便利なツールは，Tools-Reject data using ICA-Reject components by map である。選択した独立成分について，左上にこの独立成分の時間的に不変な頭皮上電位分布，右上に ERP image（Jung et al., 2001）およびその試行間平均である加算平均波形，下に周波数スペクトラが表示される。ERP image の詳細は第4章に詳述する。

独立成分分析後のエポックリジェクションで除外すべき対象は，複数の独立

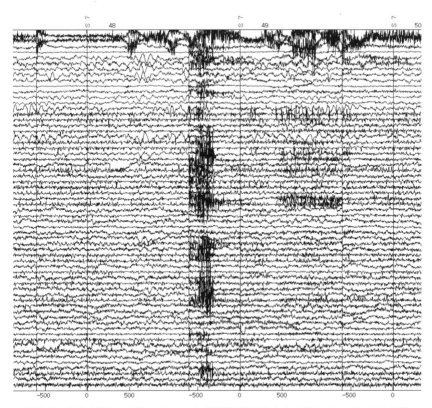

図3-16 独立成分のアクティベーション目視検査時に除去すべきアーティファクトの例

成分にわたって影響を及ぼしている単発のアーティファクト（図3-16），あるいは ERP image で全試行を概観した時に，低頻度の活動だけを拾っていると考えられる場合などである。こうしたエポックを前述のエポックリジェクションの方法などを用いて除外した後，もう一度独立成分分析をすることで，理論的には独立成分分析のパフォーマンスは向上する。ただし，かなりの外れ値を捨てるか，かなりの量のエポックを捨てるかしない限り，結果はそれほど変わらないため，神経質になる必要はない。ここでは2回目の独立成分分析は行わない。

手順 10：ダイポール推定

ダイポールとは，正式には equivalent current dipole（等価電流源双極子）と呼ばれるもので，大脳皮質に電気活動が生じた時の空間的広がりのモデルであり（Nunez, 1981），信号源推定法の一つである。第3節に別途詳述する。この推定には独立成分が求めた，時間的に不変な頭皮上電位分布データのみが用いられ，時系列情報はこの推定に関係しない。以下の手順は独立成分分析の結果が存在することが前提なので，それがない場合，エラーが出る。

はじめに頭部モデル（手順5参照）を指定する。EEGLAB メニューから，**Tools‑Locate Dipoles using DIPFIT 2.x‑Head model and settings** をクリックすると，Dipole fit settings ウインドウが現れる（図3-17）。まず，Head model（click to select）で Boundary Element Model（MNI）を選択する。MNI とは Montreal Neurological Institute の略で，そこで作成された頭部の MRI データを指す。このデータをモデルとして用いる。次に，頭部モデルの空間座標と実験で使った電極位置の空間座標とを互換化する。**Co-register chan. locs. with head model** で，**Manual Co-Reg** ボタンをクリックすると，coregister（ ）ウインドウが開かれる（図3-18）。ここで右下にある **Warp montage** ボタンを選択すると，**Select corresponding channels**……ウインドウが開かれる。ここで右下にある **Auto select** ボタンをクリックし，開かれた **Auto select channel pairs** ウインドウで **All channels**（same labels）をクリックして選択し，**Ok** を押すと，データとモデルとで同じ名前のチャンネル同士が自動的にペアリングされる。このため，チャンネル名は EEGLAB に登録されているもの（10-5法準拠など）を設定していなければならない。そうでない場合は，実際にどこに電極が配置されていたかという情報に基づいて，手動で電極位置を頭部モデルに合わせる作業が必要である。さらに，**Ok** ボタンを押して前の図に戻り，今回のデータで設定した緑のチャンネルが，一般的なモデルを現す茶色のチャンネルに重なっているのを確認する。なお，この際，頭皮メッシュに隠されて緑色の電極位置が見えにくくなることがあるので，左側中央あたりにある **Mesh off** ボタンを押すと視認しやすくなる。デフォルトで MATLAB メニューの 3D 回転のアイコンが選択されているので，マウスを左クリックしたまま動かすと図を回転してその位置を確認できる。データとモデルが一致するのは，**Auto**

第 3 章　収録データから脳波を抽出する

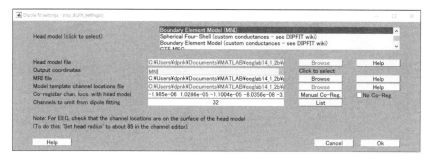

図 3-17　Dipole fit settings ウインドウ

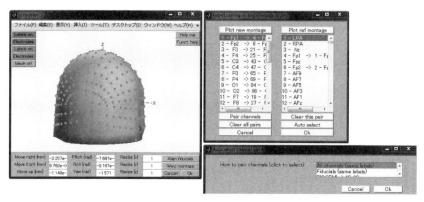

図 3-18　coregister（ ）ウインドウ

select で自動的に両者を重ね合わせたため至極当然のことであるが，実際に三次元計測などで電極位置を測定した場合は，ここがぴったりと一致することは通常ないので，あまりにかけ離れていないかだけ確認する。ここで Ok ボタンを押して，Dipole fit settings ウインドウに戻る。Co-register chan. locs. with head model のボックスに数値が生成されたのを確認する。最下段のテキストボックス Channel to omit from dipole fitting には「32」と記入し，眼電モニタ用であった 32 番目の電極をこの解析から除外する設定を行う（あるいは「List」ボタンを押すと現われる電極リストから EOG を選択して Ok ボタンを押す）。以上の設定を終えたら，Ok ボタンを押す。

　次にダイポール推定を行う。これは，coarse fit, fine fit の順で行う必要があ

67

る。前者は推定のための初期位置を与えるものであり，後者はより高精度な推定のための計算である。EEGLAB メニューの Tools-Locate Dipoles using DIPFIT 2.x-Autofit (coarse fit, fine fit & plot) は，これら二つの手順を自動で連続して行う。Fit multiple ICA components ウインドウが表示される。ここでは特に変更は行わない。最上段の Component indices には「1:31」が入っているが，これは独立成分の 1 から 31 までという意味である。推定残差の多いダイポールを解析から除外するために，Rejection threshold RV（%）が設定できる。RV は，Residual Variance の略語で推定残差を表す。推定されたダイポールが作る頭皮上電位分布と，推定に用いられた実際の頭皮上電位分布との不一致の指標で，小さいほど独立成分分析の結果が良好であることを示す。ただここでは，後で STUDY の作成の際の障害になるので「100」とし，除外は行わない（100%以上の残差を示した成分を除外，なので実質除外しないことになる）。解析直後に結果を表示したければ，最後に中段に位置するチェックボックスのうち Plot resulting dipoles (check) にチェックを入れ，Ok ボタンを押す。すべての独立成分の頭皮上電位分布図に対してダイポール推定が行われ，ダイポールの空間位置，角度，大きさ，および推定残差が計算される。

　推定が終わったら，EEGLAB メニューの Tools-Locate Dipoles using DIPFIT 2.x-Plot component dipoles をクリックする。Plot dipoles ウインドウが現れ，推定された信号源をどのように表示するかを設定できる。オプションはすべてデフォルトとし，Normalized dipole length にのみチェックが入っている状態で，Ok ボタンを押す。すると標準の MRI 画像に信号源の位置と方向がプロットされた図が表示される（図 3-19）。デフォルトの Top view は水平断（頭頂方向から見た断層図）であるが，左メニュー下のボタン Coronal view，Sagittal view を押すと，それぞれ冠状断（後頭方向から見た断層図）および矢状断（側頭方向から見た断層図）を表示できる。MATLAB メニューの 3D 回転のアイコンが選択されているので，マウスの左クリックをしたまま動かすと，図を回転させることができる。左メニュー中段の Comp: 1 は現在選択されている独立成分の番号を示す。このスペースの一番上の Plot one ボタンをクリックすると，選択されているダイポールを一つだけ表示することができる。RV は前述の推定残差である。X tal，Y tal，Z tal それぞれの数値は MRI 空間の三次元

位置を示す。一通り確認ができたら×ボタンを押してウインドウを閉じる。File-Save current dataset as をクリックし，ファイルエクスプローラ画面で，ファイル名を「sub01_cl_hpf1_lpf40_ep_rej_ICA_dip.set」と入力してこの状態のデータセットを保存しておく。

後頭視覚野由来のアルファ帯域活動や，頭頂に分布する運動野由来のミュー律動などは，主に脳梁を介して両半球で発振が同期する結果，独立成分分析が両側性の頭皮上電位分布を見つけることがある。このような両側性の頭皮上電位分布に単一のダイポールを推定するのは不適当で，大きな残差が得られる。目視により頭皮上電位分布が両側性の場合，左右対称な二つのダイポールを推定することも検討できる。ここでは手順のみを，チュートリアル用データにはない典型的なデータを使って紹介する。EEGLAB メニューから，Tools-Locate dipoles using Dipfit 2.x-Fine fit（iterative）を選択，ウインドウ中段左端にある dipole の列の #2 の行に関して，fit の列にあるチェックボックスにチェックを入れ，Fit dipole (s)' position & moment ボタンを押す（図3-20）。ダイポールが一つだと RV は 13％だったものが，

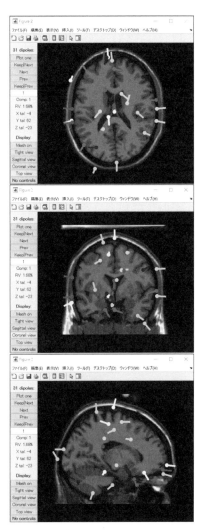

図 3-19 推定されたダイポールを MRI 画像（MNI single subject T1）上にプロットした様子（上から水平断，冠状断，矢状断）

II 脳波解析の実際

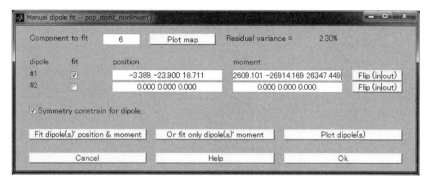

図 3-20　二つのダイポールを推定する

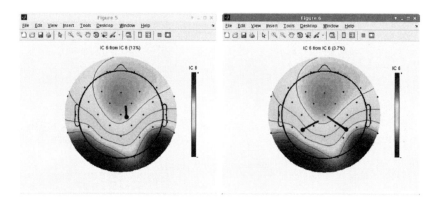

図 3-21　ダイポールが一つ（左）と二つ（右）の比較

二つの場合では 3.7％と大きく減少した（図3-21）。もっとも，ダイポールを二つ推定すると残差は必ず小さくなるので，二つのダイポールを用いるべきかどうかの判断はあくまでも頭皮上電位分布から決定する。また，頭皮上電位分布の左右対称の焦点が近すぎる場合，二つのダイポールの位置が同じになることがある。この場合は一つのダイポールとして計算しなおしておく。

手順 11：電極の再基準化

脳波計測は探査電極が基準電極（Reference Electrode）から遠いほど，電位が大きくなる。電極の再基準化とは，ある電極のデータ（たとえば Cz）をすべて

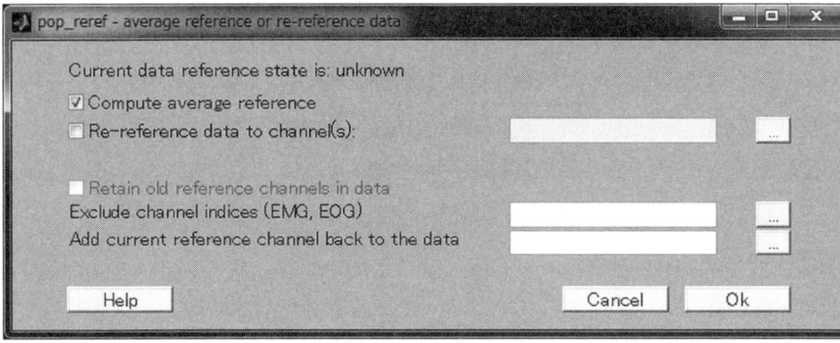

図 3-22 平均電位法を適用する

の電極（Cz を含む場合もある）のデータから差分することを指す．この時，全電極の平均値を差分する方法を平均電位法と呼ぶ．平均電位法は頭皮上電位分布の偏りを最小にすることができるので，電極数が全頭をカバーできる程度あり，頭皮上に均一に配置されている場合には最良の選択となる（Dien, 1998）．ここでは再基準化は行わないが，その方法を示しておく．

EEGLAB メニューから，**Tools-Re-reference** をクリックすると，**pop_reref** ウインドウが開くので，最上段の **Compute average reference** のチェックボックスにチェックが入っていることを確認し，**Ok** ボタンを押す（図 3-22）．この後，再基準化処理後のデータセットの扱いを尋ねられるので，特に変更せずに **Ok** ボタンを押す．

手順 12：条件分け

EEGLAB で STUDY（後述）を作成する場合，この手順は必要ないので飛ばしてよい．個人レベルで条件差を検討したり，それらをエクスポートしたりする必要がある場合のために，ここで試行を条件ごとに分ける手続きについて説明する．第 4 章，第 5 章の検討を行うためには必要なので，その場合は条件分けをしたデータを作っておく．

EEGLAB メニューから，**Edit-Select epochs or events** を選択すると，ウインドウ **Select events** が現れる（図 3-23）．左端の列の Field には，イベントをインポートする際に定義した見出しが並んでいる．3 段目の type の右側に [⋯]

II　脳波解析の実際

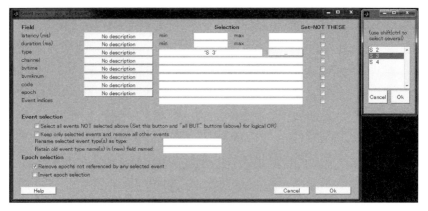

図 3-23　Select epochs or events で取り出す試行を指定する

ボタンがあるのでこれを押すと，このデータセットに含まれるイベントの種類がリストされる。このうちの一つ，ここではまず S3 を選択し，Ok ボタンを押すと，元のウインドウの type のところに「'S　3'」と入力されていることが確認できる。'S 3' は標準刺激を表すイベントマーカーであったため，これは標準刺激が出たエポックのみを集める。この状態で Ok ボタンを押すと，Confirmation というウインドウが出て，現在選択されているデータセットから 29 のエポックを除外することを通知する。これで問題ないので，Ok ボタンを押す。すると，全試行の中から標準刺激に対応する試行だけから成り立つ新しいデータセットが作られる。Dataset info ウインドウでは，今後の便宜のため，Name it: の名前を「sub01 epochs」から「sub01 standard」に変更して，Ok ボタンを押す。できあがったデータセットの Epochs が 112 となっていることを確認したら，これを「sub01_standard.set」というファイル名で保存する。次に，EEGLAB メニューの Datasets をクリックし，現在扱っているデータセットの一覧を表示する。ここから一つ前のデータセット（ここでは Dataset 6: sub01 epochs）をクリックすることでそこへ戻り，同じような手順で今度は「S2」（標的刺激）に関して，再構成されたデータセットを作成する。データセット名を「sub01 target」，ファイル名を「sub01_target.set」として保存する。今回は 2 条件のみなのでこれで終了であるが，通常はこれを条件の数だけ行う。

　注意点として，このように条件分けされたデータは，元のデータの独立成分

の頭皮上電位分布と対応するダイポールを共有している。つまり，同じ独立成分の活動が条件ごとに異なるという仮定に立った検討を行うことになる。

2　STUDYファイルを用いた集団解析

通常，実験では数人から数十人のデータを集め，その集団の傾向を検討していく。したがって，集団のデータを解析していくことが必要になってくる。EEGLABでは，集団解析は全実験参加者のデータを集約したSTUDYファイル上で行われる。このSTUDYファイル上でのデータの解析は，各電極における波形の解析と独立成分における解析とが別々に行われる。独立成分クラスタリングに関しての詳細は，第6章を参考にされたい。本節では，STUDYファイルの作成の方法と，各電極における波形の解析を紹介する。

本節のチュートリアルを開始するには，本書ウェブサイトから，前処理後のファイルdatasets_for_study.zipをダウンロードし，前節と同じMATLABフォルダ（C:\Users\ユーザ名\Documents\MATLAB\）に解凍する。datasets_for_studyという名のフォルダが作成され，中に計8個のファイル（.setが四つ，.fdtが四つ）が入っていることを確認する。ファイル名は，sub01_cl_hpf1_lpf40_ep_rej_ICA_dip.setに準ずる形である。MATLABのカレントフォルダの欄を，MATLABフォルダに変更する。

手順1：STUDYへのデータセットの登録

EEGLABを再起動（MATLABコマンドウインドウに「eeglab」と入力しENTER）し，EEGLABメニューから，**File-Memory and other options**をクリックし，**Memory options**ウインドウを開く。**If set, keep at most one dataset in memory**にチェックを入れ（図3-24），データのヘッダ情報だけ読み込むことにすると，使用メモリを節約できる。ここでは，使用しているコンピュータの物理メモリが推奨以上であれば行わなくて問題ない。

このメモリオプションを確認したら，EEGLABメニューの**File-Load existing dataset**をクリックしてファイルエクスプローラを開く。読み上げたいファイルを，CtrlあるいはShiftキーなどを使ってすべて選択する。次に，EEGLABメニューから**File-Create Study-Using all loaded datasets**を選択し，**Create**

II 脳波解析の実際

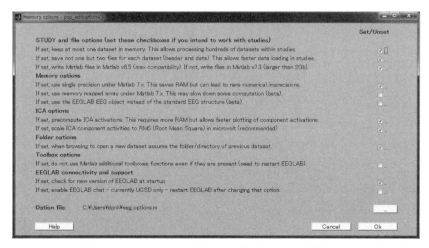

図 3-24 データのヘッダ情報だけを読み込むように設定する

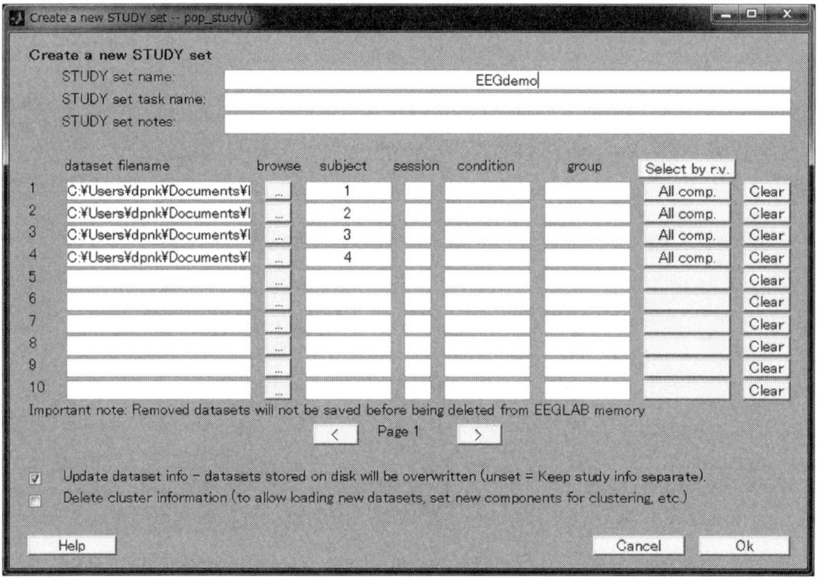

図 3-25 読み上げられた複数のデータセットから STUDY を作成する

a new STUDY set ウインドウを開く（図3-25）。一番上の STUDY set name: という欄に，ここでは「EEGdemo」という名前をつけておく。その下に，番号が1から10まで振られた行が並んでおり，この1行に一つのデータセットを割り当てる。最初のデータセットは1人目の実験参加者のものなので，subject 列に「1」を入力する。subject 列は必須であるが，その他（session, condition, group）は任意である。次に，2行目は subject 列に「2」を入力する。この要領で，順に sub01 から sub04 まで，合計四つのデータセットを指定する。もし10以上のデータセットがある場合は，ウインドウ中央やや下あたりに Page1 とかかれている両サイドの＜，＞ボタンから前後のページに移動する。それ以外の入力欄はすべて空欄とする。Ok ボタンを押すと，STUDY が作成される。EEGLAB メインウインドウが STUDY モードとなり，これまで Dataset が #1: sub01 と表示されていた場所に，STUDY set: EEGdemo と表示される。Study filename: が空欄になっているのは，MATLAB のメモリ上に作成しただけでまだファイルとして保存されていないためである。EEGLAB メニューから File - Save current study as をクリックし，「EEGdemo.study」というファイル名で保存する。

手順2：STUDY デザインの指定

STUDY デザインとは，全実験参加者・全条件を含むデータに対し，要因計画を設定するための機能である。

EEGLAB メニューから，Study - Select/Edit study design (s) をクリックし，Edit STUDY design ウインドウを表示する（図3-26）。中央あたりに位置する Independent variable 1 のリストで，type をクリックして指定する。すると，その下のリストに「S 2」と「S 3」が選択された状態で表れ，統計的に比較する条件として指定することができるようになる。下のプルダウンメニューでは，この要因は対応がある（Paired）ものか，対応がない（Unpaired）ものかを指定する。これは，分散分析の場合には繰り返しのある検定（repeated measures）かどうかの指定に該当する。左側の Subjects と書かれたリストには，先ほど STUDY 作成時に入力した実験参加者番号が並んでおり，デフォルトではすべてが選択されている。もし3人目の実験参加者を除外したい場合，Ctrl

II 脳波解析の実際

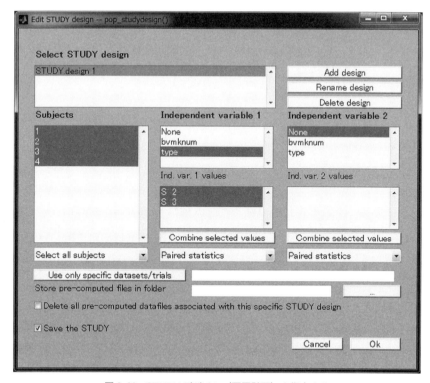

図3-26 STUDYデザイン（要因計画）を指定する

キーを押しながらリスト上の3をクリックすることで，解析対象から外すことができる。EEGLABのSTUDYは，現状では2要因までの実験にしか対応していないので，それ以外は自分で出力を抽出するなどして統計検定を行わなくてはならない。ここでは，先ほどIndependent variable 1にtypeを指定した状態で，その他の変更は加えず，Okボタンを押す。

手順3：前計算（precompute）

集団解析をするには，事前に解析に用いる指標が計算されている必要がある。ここで指標とは，事象関連電位や時間周波数解析によるパワー値などを表す。よって，まずはこれらを計算するため，EEGLABメニューから，**Study-Pre-**

第3章 収録データから脳波を抽出する

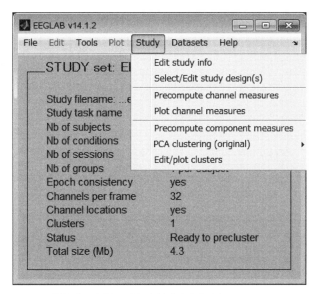

図3-27 EEGLABにおけるSTUDYのメニュー

compute channel measures をクリックする（図3-27）。すると Select and compute component measures for later clustering というウインドウが現れる（図3-28）。中段 List of measures to precompute 以下，一番左の列にチェックボックスが並んでおり，各指標についてここにチェックを入れたものだけが計算される。ERSPsとITCsに関してはチェック時に警告が出るが，これは「ERSPとITCは同様の計算から得られる指標なので，ERSPだけを算出しても両方算出しても計算時間はほとんど変わらないが，保存する計算結果が2倍になるので保存容量には注意せよ」という内容なので，そのまま Ok を押す。項目は，上から順に，

　　ERPs：事象関連電位（第4章参照）
　　Power spectrum：周波数解析によるパワー値
　　ERP-image：波形の振幅を色で表し，全試行を並べたもの（第4章参照）
　　ERSPs：時間周波数解析によるパワー値（第5章参照）
　　ITCs：時間周波数解析による試行間位相同期値（第5章参照）

である。特に理由がない限り，すべてチェックして計算しておくのがよい。

II 脳波解析の実際

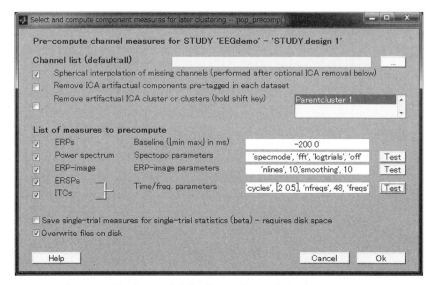

図 3-28　電極データの前計算の際のオプション指定を行うウインドウ

　ERPs の行では，ベースライン区間を指定することが可能である。チュートリアルデータでは，「-200 0」を指定しておく。その下の Power spectrum および ERP-image の行でもいくつかのオプションの指定が可能であるが，チュートリアル用データではデフォルトのままにしておく。次に，時間周波数解析によって得られる，ERSPs（Event-related spectrum perturbations）と ITCs（Inter trial (Phase) Coherences）の計算オプションを指定する。この計算は，データ量とパラメータにもよるが，大変時間がかかることもあるので注意する（数時間から数日かかることもある）。ちなみに今回のデータでは，解析用としてある程度のスペック（OS: Windows10 pro 64bit, CPU: Intel Core i7-4770@3.40GHz, RAM: 32 GB）を持ったパソコンでも，下記に指定する設定で計算して 2, 3 分ほどかかった。時間周波数解析に関する詳細は，第 5 章に記述があるので，設定を細かく変更したい場合はそちらを参考にしていただきたい。ここでは，「'cycles', [2 0.5], 'nfreqs', 48, 'freqs', [4 40]」と記入して，Ok ボタンを押す。

　また，下から 2 番目の Save single-trial measures をオンにすると，各試行におけるデータがすべてファイルとして記録されることになるため，試行数が

第3章 収録データから脳波を抽出する

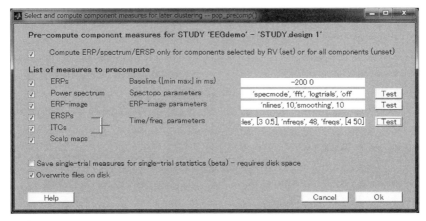

図3-29 独立成分データの前計算の際のオプション指定を行うウインドウ

多ければ多いほど，膨大な量のデータ（数GB以上に及ぶこともある）がハードディスク上に作成されることになる。よって通常はオフのままにし，全試行分のデータを平均したもののみをファイルとして保存する。

前述の通り，EEGLABでは，各電極における波形の解析と独立成分分析の結果を用いた独立成分の波形の解析が別々に行われるが，この前計算からその分岐が始まる。第6章における検討を行うには，Study-Precompute component measures をクリックして，独立成分用の前計算を行う。設定は電極で行ったものと同様にすればよい（図3-29）。1点だけ異なるのは，**Precompute component measures** のみ Scalp maps（脳波の頭皮上分布図。ここでは各成分の頭皮上電位分布）という項目が追加されていることだが，こちらは必ずチェックを入れて計算しておく。ここまでの行程が完了していれば第6章における検討が可能になる。

手順4：channel data の表示

前計算が終わったら，集団解析のデータの表示ができる。詳細な解説は，第4章より順次行う。また，独立成分分析データを集団解析するためには独立成分分析クラスタリングを用いて行うが，これは第6章に詳しく説明しているの

II 脳波解析の実際

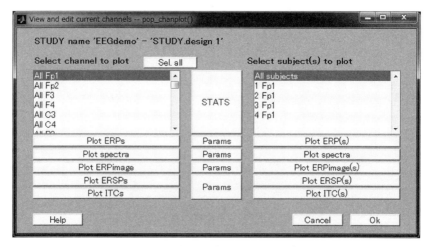

図3-30 STUDYにおいてデータを表示するための設定を行うウインドウ

でそちらを参照されたい。ここでは確認までに，チャンネルデータの実験参加者平均を図示する方法を簡単に記述する。

Study-Plot channel measuresをクリックする。ここではERPデータを表示する方法を示す。現れた画面（図3-30）から，select channel to plotで表示したいチャンネルを選択する。すべての電極を表示したい場合には，Sel. allのボタンを押せばよい。すべての電極が選択されたら，左側のPlot ERPsのボタンを押せば，すべての条件の平均ERPが表示される。しかし，この状態では複数の条件の波形が別々のパネルに表示されるため，条件差の検討が難しい。そこで，Plot ERPsの横にあるParamsのボタンを押すと表示される画面から，ERP plotting formatのPlot first variable on the same panelにチェックを入れ，Okボタンを押し，再びPlot ERPsを押すと，すべての条件が1枚のパネルに表示され，条件間の差の検討がしやすい。このParamsでは，必要に応じて，表示するデータ区間の範囲や，データにローパスフィルタをかけるなどの指定ができるため，必要に応じて指定するとよい。また，データの条件間の差をデータポイントごとに統計検定にかけるためには，STATSボタンを押し，出てきた画面からCompute 1st independent variable statisticsにチェックを

入れる。ここではさらに，use EEGLAB statistics のチェックが入っている状態で，すぐその下の選択窓で use parametric statistics と Do not correct for multiple comparisons を選択し，有意水準（Statistical threshold（p-value））を 0.05 に変更し，Ok を押して ERP を表示させると，条件間で有意差（多重比較補正なしの有意水準 0.05）があるデータポイント（時間窓）は，底面に黒色でその位置が示される。ERP ではなく ERSP を表示する場合には，Plot ERSP のボタンを押すと ERSP が表示されるが，すべてのチャンネルのすべての条件を同時に表示することはできない。select channel to plot で二つ以上のチャンネルが選択されている時には，各チャンネルの条件間平均が表示される。条件間比較をする時には一つのチャンネルを選んで plot するしかない。Params で時間と周波数を指定すれば，ERSP の頭皮上分布を表示させることも可能である。

3 技術的内容についての補足と説明

この節では，脳波データの前処理の中でも特に高度な計算が要求されるフィルタ，独立成分分析，および信号源推定について，補足的な説明を加える。独立成分分析は解析技術の中心をなす。難解に思われがちであるが，それを定性的に理解することはそれほど難しくない。以下に，まずフィルタについての注意点を概観し，次に独立成分分析の性質，脳波解析に応用した時の生理学的意義（定性モデル），および実際の使用時の注意点などを項目ごとに説明し，最後に信号源推定についての基礎事項を確認する。

EEGLAB のフィルタについて

FIR とは finite impulse response（有限インパルス応答），IIR とは infinite impulse response（無限インパルス応答）の略である。FIR について，入戸野・小野田（2008）は移動平均の拡張として考えるとわかりやすい，と述べている。つまり，3 点の移動平均であれば，中央の 1 点の値の及ぼす影響は前後の 1 点ずつに限られる。有限な応答というのはそのような意味であり，応答が理論上無限に続く IIR に比べると扱いやすい。FIR フィルタは IIR と比較して，①制御が簡単である，②常に安定である，③通過帯域が明示的である，④追加計算なしで 0 位相（位相ずれを起こさない）にできる，⑤最小位相に変換可能である，

という利点がある（Widmann et al., 2015）。

なお，EEGLAB に実装されているデフォルトのフィルタは，ver. 12 へのアップデートで大幅に変更され，アンドレアス・ヴィドマンが書いた関数（pop_eegfiltnew）が使われるようになった。たとえば 500Hz のデータに 1Hz のハイパスフィルタを適用する時，変更前の関数はフィルタ長 7 万 5000（遷移周波数帯域 0.022Hz）を指定したが，変更後は 1650（遷移周波数帯域 1Hz）となった。変更前の値は，エンジニアリングの常識から見てかなり問題があるので，ver. 11 以前の EEGLAB を使う場合，フィルタはヴィドマンのプラグインを使うことを強く推奨する。

独立性，主成分分析との違い，アルゴリズムの種類について

独立成分分析を一言で説明すると，出力される成分間の冗長性を（主成分分析よりも強力に）最小化する手法である。たとえば，Fz，Cz，Pz における P300 の加算平均波形を見て，似ていると思ったことのある人は多いだろう。似ているというのは相関があるということだが，独立成分分析とはこの相関（と依存性）を 0 へ押しやり，その結果最大限「独立な」波形を得る手法である。

よく比較される対象として，主成分分析が挙げられる。主成分分析は無相関性の仮定の下に二次の相関を 0 にする。一方で，独立成分分析は独立性の仮定の下，二次の相関に加え三次以上の相関のどれかも 0 にする。独立性の仮定は，無相関性の仮定よりも多くの制約条件が使えるので，強い仮定である。

無相関であっても独立ではないという例を考えてみよう。二つ変数があり，一方の変数の上下動がもう一方の変数の上下動に正や負に直接連動する時，両者には相関があるという。これは二次の相関である。これを無相関化すると，両者の上下動は連動しなくなる。しかしながら，一方がある値をとる時に他方がとる値を予測する余地が，まだ残されているのである。これすらも 0 にするというのが，独立性の仮定である。したがって，独立成分分析の後には，成分同士のお互いの予測可能性は理論上 0 になる。

独立成分分析および類似のアルゴリズムは，派生形を含めると 20 近く存在するが，Infomax およびその派生型のパフォーマンスが最も優れている（Delorme et al., 2007, 2012）。

脳波に独立成分分析を適用した結果の生理学的解釈について

脳波に独立成分分析を適用することの生理学モデルに基づいた理解は，Onton & Makeig（2006）で確立されたと言ってよい。それを簡潔に表現すると，独立成分分析を頭皮上電極データに適用すれば，信号源における活動を推定できるということである。このモデルは次のようにイメージできる。脳の各部位は，あたかもそれぞれがばらばらに選局されたラジオのように，お互いが時間的に「独立な」信号を出している。各信号源からそれぞれの脳波収録用電極までの距離や障害物は，それぞれの信号の強度を決定する（forward model，順問題：入力（原因）を与えると出力（結果）を計算する関数）。つまり，それぞれの電極で観察されたデータは，各信号源の信号にそれぞれの信号強度を重み付けしたものと理解できる。なお，ラジオの音声の比喩の場合とは異なり，脳波の場合は信号の発生，混合，および受信には時間遅れがないものとする（瞬時混合モデル）。

脳波に独立成分分析を適用することには以下の利点がある。

① 頭皮上脳波を信号源からの信号足し合わせとして再構成し，かつ信号源を取捨選択できる。
② 時間的に重畳した成分を分離できる。
③ 体積伝導および頭蓋異方性の問題を解決できる。
④ 信号源の空間位置推定を半分済ませられる。

①は，アーティファクトリジェクションに役立つ。筋電，まばたき，眼球運動などの独立成分をリジェクトし，その後残った成分を頭皮上電極に投射すれば，脳活動信号だけで頭皮上電極データを再構成できる。先のラジオの比喩で言えば，いらない信号源の電源を「オフ」にすることができるようになる。

②について，たとえばP300のような大きな後期陽性成分を，複数の下位成分に分解するといったことは，独立成分分析の得意技である（Makeig et al., 2004）。これは，電極レベルで複数の信号が時間的に重畳しても，信号源に分離することで時間的重複も自動的に分離されるためである。

③は，MEGと比べた時に脳波が不利と言われる最大の要因である。MEGは神経活動の結果生じた電磁気的変化を検出するが，その際に信号源とセンサーの間にある脳脊髄液，硬膜，頭蓋骨，皮膚などは電磁気的に「透明」であり，

信号を歪ませることなく通過させるため，非常にシンプルな電磁気学的モデルを使って信号源推定を行うことができる。一方，脳波の場合は電源部位で発生した脳波は，体積伝導（volume conductance）を経て頭皮上のあらゆる部位に投射される上，その過程において脳脊髄液，硬膜，頭蓋骨，皮膚などの電気伝導度の異なる組織を伝わる（頭蓋異方性）ため，信号源推定が難しくなる。「電極位置と脳の活動部位の対応を無条件に想定することは誤りを招く」というトポグラフィの誤謬（入戸野・堀，2000; Coles, 1989）は，体積伝導と頭蓋異方性（scalp anisotoropy）のためである。この脳波特有の事情により，脳波の信号源推定には人間の頭部の脳，脳脊髄液，硬膜，頭蓋骨，皮膚などの電気伝導度を再現した頭部モデルが必要となり，このモデルの精度が信号源推定精度に影響する（順問題）。ここで注目すべきことに，独立成分分析は，頭部モデルはおろか電極部位情報すら不要のまま，時系列信号解析だけを解析していきなり空間フィルタ（各電源の重み付け係数）を算出するのに等しい。つまり，体積伝導と頭蓋異方性の両方の問題を一挙に回避してしまえるのである。脳内に点在する様々な電源で生じる信号は，この空間フィルタで規定されるとおりの重み付けで頭皮上電極に現れる。

　④について，独立成分分析は，各独立成分（＝脳内の電源）が空間フィルタを経て投射した先の頭皮上電位分布を出力する。これは，順問題を経た出力結果と同じである。実際の電源部位の座標系を算出するには，別に信号源推定を行う必要があるが，そこで必要とされる頭皮上電位分布図には独立成分分析の結果を使うことができる。また，独立成分分析は単一成分の頭皮上電位分布を出力するため，信号源推定の際に電源の個数を一つと仮定すればよくなり，逆問題推定を劇的に単純化することに貢献する。

独立成分の頭皮上電位分布／電源部位が時間的に不変なことについて

　独立成分の頭皮上電位分布，およびそこから求められる電源部位は，収録時間を通して一定である。このことは，先のラジオの比喩においても暗黙の前提となっている。これは，時間が経過しても脳の電源部位——もし脳機能マップが存在するならば，脳部位そのもの——は，移動しないということに対応している。

よくある誤解に，独立成分分析で求める電源には時間分解能がないというものがある。たしかに，潜時ごとに変わる頭皮上電位分布から信号源推定すれば，潜時ごとに電源部位も変化するだろう。しかし，独立成分分析から見た脳波は，どの瞬間においても，位置が時間的に不変な複数の電源の，独立な活動の重ね合わせとして表現されており，それぞれの成分の活動が時間的に変化するのである。オーケストラの例で考えてみよう。ある瞬間にはある楽器がソロのパートの演奏をしているかもしれないし，別の瞬間には全部の楽器がシンフォニーを奏でているかもしれない。このように，時間的に変化するのは楽器の組み合わせと出す音の大きさであり，演奏者の存在と位置は不変である。

独立成分分析の前提条件について

EEGLABが推奨する脳波解析は，独立成分分析において有意味と認められる成分だけを生体信号と見なし，解析の対象とするという，強い解釈の立場をとっている。この立場の是非を以下に検討しておく。

独立成分分析を行う際の仮定は，以下の通りである。
① 脳活動部位と電極部位の相対的空間関係は，収録を通して一定である。
② 頭皮上脳波は，各脳部位の活動の単純な足し合わせである。
③ 各脳部位の信号の混合過程は，瞬間的である。
④ 各頭皮上電極における信号の確率密度は，正規分布しない。
⑤ 各脳部位の活動は時間的に独立である。

独立成分分析の適用に対し強い解釈を行うことの是非は，これらの仮定のいずれかが生理学的な事実と矛盾するかという問いに置き換えて考えることができる。どれもが生理学的な妥当性を持っており，また独立成分分析の結果も生理学的知見に一致する。

独立成分分析から見たアーティファクトについて

独立成分分析はアーティファクトに敏感であるという時，二つの意味がある。第一の意味は，まばたきなど「従来アーティファクトと呼ばれてきたもの」（＝脳波ではないもの）を，効率よく独立成分として抽出してくれるということである。これら分離された成分は，お互いに最大に独立であるように分離されてい

るので，たとえばまばたきが独立成分として得られたのなら，他の独立成分はまばたきとは最大に独立ということであり，つまり，まばたきの影響を最大限まぬがれている。この点で，独立成分はアーティファクトや脳波成分の吸引濃縮保持機として考えてよい。アーティファクトの中でも，まばたき，眼球運動，心電などは，信号や空間分布が特徴的であるため，分離が容易である。一方，筋電は完全な分離は難しい。その理由は，筋電は単純に体積伝導するのではなく，活動源が筋繊維に沿って拡散するためである。このように信号源の位置が時間に伴って変化する場合，独立成分分析は時間的に不変な空間フィルタではそれをうまく表現することができないため，十分に機能しないことが多い。

　もう一つの意味でのアーティファクトとは，独立成分分析のパフォーマンスを低下させるものである。電極がずれた，外れた，リードがゆれたなどの外来ノイズは，独立成分分析にとって脅威となるアーティファクトである。なぜなら，これらのイベントは脳波の時空間的な構造から完全に「独立」であるため，独立成分の気を引くこと甚だしく，結果として独立成分分析の出力を食い荒らしてしまう。たとえば，1時間の収録時間中のほんの一度のアーティファクトであっても，独立成分分析がそれを「独立」と認定し，成分をそれに割いてしまうということはしばしば生じる。このような外来ノイズから脳波を隔離するためには，外来ノイズを含むデータ区間をリジェクトするしかない。

　この観点から，計測の合間に電極に電解ジェルを追加するのは，独立成分分析を行うつもりであれば避けたほうがよい。なぜなら，計測の合間に電極がわずかでもずれると，新しい電極位置関係を表現するための全く別の空間フィルタが必要となるためである。その結果，もともと一つだった成分が，複数の時間ブロックに分割された複数の成分となって現れたりする。同じ理由から，同じ実験参加者であっても，収録が違う（キャップを一度とってしまった）場合には，別々の独立成分分析を行う必要がある。

独立成分分析を用いたリジェクションでよくある誤解について

　1回目の独立成分分析において，眼電や筋電などが簡単に分離されるので，それらを独立成分として一度リジェクトする。その上で2回目の独立成分分析を行えば，きれいなデータからまた独立成分分析を行うことになるから，より

よい分解が得られるのではないか——この考え方はなぜか人々を誘惑してやまない。しかしこれはうまくいかないので，その理由を以下に確認しておく。

　独立成分分析がいくつの成分を分離するかは，便宜上電極の数だけと言われることが多いが，正確にはデータの階数（行列における線形独立なベクトルの総数）の数が上限である。30 極のデータから 30 個の独立成分を得て，そのうち 5 個の独立成分を捨てるとする。残りの 25 個の独立成分を 30 極に投射して得られた頭皮上電極データは，階数が 25 である。つまり 30 極のうち 5 極は他の 25 極の純粋な足し合わせで表現されている。この見かけ上 30 極の電極データをもう一度独立成分分析にかけても，階数が 25 なので，25 の成分が出てくるだけであり，しかも同じ結果となる。

　このように，独立成分を捨てると，投射される頭皮上電極のデータをきれいにすることはできるが，独立成分分析自体の精度向上にはならない。時系列データからアーティファクトを除外し，もう一度独立成分分析をかけることだけが，独立成分分析自体の精度向上に有効な手立てである。

独立成分分析と定常性の仮定について

　定常とは，データのどの部分を持ってきても，その区間の平均や分散などの統計的特徴が他の区間と同じであるという意味である。定常性の仮定は独立成分分析を行う上で重要な仮定である。一方，「脳波の真の証はその時間領域におけるダイナミクスが高度に非定常的であり，あらゆる時間スケールにおいて連続変化し続けること」とも言われる（Makeig & Onton, 2011）。これらは一見矛盾して聞こえるので，以下に説明しておきたい。

　典型的な ERP 課題においては，刺激呈示前のベースライン区間は脳の安静状態，刺激呈示後の ERP 誘発中の区間は興奮状態，と区別して解析される。ここで，数百ミリ秒で安静と興奮が切り替わる点を指して，非定常的だと言うことができる。一方，これを 300 試行反復して得られるデータは，定常的だと言える。このように，時系列データの定常性の定義は切り取ってくる時間窓の長さに依存する。実験室実験において理想とされる「きれいな」脳波とは，この意味で定常的なデータである。典型的なエポックだけを残し，非典型的なエポックを捨てるというデータのクリーニングは，つまりデータの定常性向上の

ための作業にほかならない．また，たとえ筋電が混入していても，それが収録の始めから終わりまで，持続的かつ安定したレベルで収録されていれば，定常性の観点からはそれはよいデータである．問題になるのは，どこかで始まってしばらく続いて，急におとなしくなって，しばらくして突然また始まる，といった事象非関連な筋電である．このほか，突発的な外来アーティファクトなどは非定常的であり，独立成分分析にとっては望ましくないデータである．なお，まばたきは時系列的には非定常的と言えるが，大きな電圧と安定的で広大な空間分布を持つため，実際には独立成分分析にとって最も簡単なターゲットである（第6章に後述）．

データ長と階数，次元縮約，電極の補完について

独立成分分析は学習アルゴリズムを含むので，チャンネル数に対して十分なデータポイントを確保することは重要である．残念ながら経験的な基準しか存在しないが，EEGLAB のマニュアルには電極数の2乗に30をかけた値（ただしこれは30極の場合で，電極数が増えるにつれて30という定数は適当に増える），その後の Onton et al.（2006）にはチャンネル数の2乗に20をかけた値，などが目安として報告されている．

チャンネル数に対してデータポイントが圧倒的に少なく，うまくいかない場合，主成分分析を用いてデータの階数を落とす方法がある．これを次元縮約という．独立成分分析を行う際に，option の欄に 'pca', 60 のように入力すると，たとえば60より多い電極のデータから60個だけ独立成分を得ることができる．階数を落として求められた独立成分によって再構成されるデータは，厳密には元のデータと一致しない．これは次元縮約の際に，寄与率の小さな主成分を不可逆的に捨てているためである．

これに関連して，電極の補完は，独立成分分析にとって冗長性を増やすだけで意味がない．これは，補完された電極の時系列は，周囲の電極の時系列の純粋な和として表現され，新しい情報を持たないためである．なお，EEGLAB で STUDY を構成する際，元データの電極数がいくつであっても 67×67 の頭皮上電位分布図に変換されるため，その意味でも電極の補完は必要ない．

独立成分分析の結果によく似た独立成分が出てくる場合について

独立成分は定義上お互いに独立なはずであるが，似たような成分が複数出てくることはめずらしくない。独立成分分析という名前なのに，出てくる成分間に高い相関が見られるのは矛盾なのではないか，と思われるかもしれない。

これらの類似した成分の集合は，部分空間と呼ばれる。独立部分空間分析(Independent Subspace Analysis: ISA)は，独立成分分析の一般化された形式である (Hyvarinen & Hoyer, 2000; Palmer, 2012)。部分空間には，そこに属する成分間には相関があるが (intradependent)，部分空間外に対しては独立である (interdependent) という性質がある。部分空間であるかどうかは，対応のある相互情報量 (Delorme et al., 2012; Palmer et al., 2008) を計算することにより，定量的に検討することができる。このように，独立成分分析の結果が部分空間を形成することは，独立成分分析に問題があるためではなくもともとの性質であり，独立成分分析を行うことは独立部分空間分析を行うことと同義である。部分空間に含まれる独立成分の数は，分解が良好な場合に多いので，独立成分分析のパフォーマンスの経験的な目安とすることができる。電極数をどんどん減らしていくと，部分空間はどんどん統合されていき，最終的には単一の独立成分にまとまると考えられる。

独立成分が両側性の頭皮上電位分布を示す場合について

両側性の頭皮上電位分布は，たいていの場合，後頭に分布する視覚野由来のアルファ帯域活動か，頭頂付近に分布する運動野由来のミュー律動などである。その生理学的メカニズムとして，脳梁を介した両半球の活動の同期が考えられる。また，眼電やそれにシンクロした筋電の頭皮上電位分布も両側性を示すことがあるが，これは眼が両側性だからである。一方で，左右の聴覚野が両側性の単一成分として分離されたものは，皆無ではないにしても極めてまれである。これは，同じ潜時帯において両側の聴覚野の活動が重複していても，それらの活動のパタンが高度に独立であることを示唆する。これは聴覚野の機能的左右差についての報告と一致する（例：Tervaniemi & Hugdahl, 2003）。fMRIにおけるBOLD信号計測や，同じ脳波でも単潜時／平均潜時の頭皮上電位分布からLORETAなどを用いた信号源推定法では，必ず両側の聴覚野に信号源が推定

されるのと対照的である。

独立成分の分散の大きさ，およびスペクトラの単位について

EEGLAB の Reject components by map や Component maps で表示される独立成分は，分散の大きさの順に並べ替えられている。典型的には，この順に並べた時の最初の成分は眼電であり（眼電は電位が大きいため），スペクトラのピークはおよそ $20\,\mu V^2$（マイクロボルト2乗）/Hz 程度である。一方，35番目ぐらい（1枚のプロットに収まる最後の成分）では，中身は大抵ノイズで，そのピークはおよそ $-20\,\mu V^2$/Hz 程度である。この差はちょうど 40dB であり，ほぼ 100 倍の電圧差に相当する。このように，すべての独立成分が等しい分散を持っているわけではなく，35成分を並べたプロットの最初と最後では100倍程度は違っている。したがって，100個の独立成分のうち後ろから80個を捨ててもデータの8割を捨てたことにはならず，むしろ最初の20個がデータの8割以上を説明するのが普通である。

なお，μV^2/Hz という単位について，電圧の2乗となっているのは脳波の振幅特性（amplitude）を各周波数において2乗したもので，パワー（power）と呼ばれる。これを周波数で補正してあるのは，周波数の変化に対して 1/f に正規化するためである。単位は dB（デシベル）で，$+/-1\,\mu V$ の頂点振幅を持つサイン波は 0dB，$+/-10\,\mu V$ だと 20dB，$+/-0.1\,\mu V$ だと -20dB と表される。

独立成分分析を前提とした課題中のまばたきの抑制の廃止について

独立成分分析は，まばたき成分を分離する際に最大の威力を発揮する。たとえば，33極収録のデータを Fz, Cz, Pz の3極にまで減らして独立成分分析を適用しても，33極の時に観察されたのと全く同じまばたき成分が分離される。これは，まばたきが大きな電位を持つこと（独立成分分析は電位に敏感である），前頭を中心に広大で安定的な分布を持つこと，確率密度関数がほかよりも優ガウス的である（つまり，まれなイベントである）ことなど，独立成分分析と相性がよいためである。独立成分分析の使用を前提とすれば，課題中にまばたきを抑制させる必要はなくなる。これにより，実験参加者の負担が減り，まばたきによるエポックリジェクションの必要もなくなる。また，まばたき抑制は，認

知科学的観点から，島，前障，前部帯状回，補足運動野，一次運動野顔面部位などの活動を上昇させることが知られており (Lerner et al., 2009)，課題中にまばたきを抑制させることは，二重課題を導入することを意味する。まばたきを抑制する必要がなければ，実験参加者はより課題に集中することができ，実験者はより課題に即した脳活動を計測することができる。

信号源推定について

すでに述べた通り，独立成分分析は信号源の空間位置推定を半分済ませてくれる。残りの半分とは，独立成分分析の結果得られる頭皮上電位分布を使って，それを最も合理的に説明する電源部位を脳内に推定することである。頭皮上電位分布を二次元モデルだと考えれば，信号源推定とは頭部モデル（順問題）を利用してそれを三次元位置に変換することである。この推定のために，EEGLABでは等価電流双極子 (Equivalent Current Dipole: ECD, 以下，ダイポール) 推定を行う。この方法は，神経活動の結果生じる電場電位を電流双極子モデル（棒磁石における磁場のようなもの）に簡略化し，当てはめることで行う (Nunez, 1981)。なお，独立成分分析の結果は，その頭皮上電位分布のダイポール性で評価することが可能である (Delorme et al., 2012)。

脳波（脳磁図）の観測データからその信号源を推定することの難しさは，一つの頭皮上電位分布を導く信号源活動が無限に存在することに由来する（悪問題：ill-posed problem）。この悪問題を解くために，実際の信号源推定において様々な制約が利用される。信号経路は最短であるという物理学的前提，活動はダイポール的であるという電磁気学的前提，頭皮，頭蓋骨，脳脊髄液，脳実質の空間分布や電気伝導性の違いを表す生理学的前提などである。これらの前提の正しさには限界があり，そのため信号源推定はその前提に基づいた「推定」にとどまる。推定誤差は，理論（数学的に逆問題を解く必要があり，精度に限界がある）に由来するものと，事前情報（現実的モデルの作成には実験参加者全員分の頭部のMRIデータが必要，また装着された電極部位の空間位置の記録が必要）に由来するものとに大別できる。前者の誤差は皮質領域で平均 5mm, 最大 10mm, 一方で後者の誤差は，頭部 MRI 画像と電極の空間位置計測結果が利用可能な場合で，平均 10mm, 最大 20mm であった (Akalin Acar & Makeig, 2013)。MRIデータや電

極の空間位置が利用できない場合，後者の誤差は増大する。しかし，たとえ違う個人の（平均）脳である標準脳であっても，脳機能の種類を弁別するための制約場として依然として有用である。

　さて，現在広く行われている信号源解析には大きく分けて二つの種類がある。単数，あるいは少数のダイポールを推定してデータの当てはまりを計算するダイポール推定と，脳内に数千から数万のダイポールを想定し，その強度を推定する空間フィルタ法とである。以下では，それぞれの手法を簡単に説明した後，EEGLAB を用いた実際の推定を行うことにする。

ダイポール推定について

　脳波は，細胞に発生した後シナプス電位がもとになっている。後シナプス電位とは，シナプス間隙から放出された神経伝達物質が次の神経細胞に作用した際に発生する電位で，各ニューロン間の情報伝達時に起こる電位とされている。あるまとまった細胞群に，同時に同様の後シナプス電位が発生した際に電流が形成され，ここで形成された電流を等価電流ダイポールと呼ぶ。信号源解析では，脳内に発生したこの電流源の活動の強さを推定することが目的である。ダイポール推定法は，単一あるいは少数のダイポールにより観察されたデータを説明する手法である。ある特定の時間帯の頭皮上電位分布が，仮定されたダイポールによってどの程度説明されるかを指標として，頭皮上電位分布を最もよく説明するダイポールの配置と向きを選択する。

　計算は，まず皮質，頭蓋骨，頭皮などの頭部領域を数学的にモデル化することから行う。この処理では，皮質，脳脊髄液，頭蓋骨，頭皮，それぞれの伝導率を考慮した 4 層（あるいは，脳脊髄液を省略した 3 層）からなる球体で頭部をモデル化した球体モデルか，あるいは本人の頭部 MRI 画像，もしくは平均化されたテンプレート画像から境界要素法と呼ばれる数学的手法を用いて，脳領域（皮質，頭蓋骨，頭皮など）を分離しモデル化した，頭部モデル（Boundary Element Model: BEM）を使うことが多い（図 3-31）。頭皮上脳波計測では，発生した電位変化が頭蓋骨の影響を強く受けながら伝播するため，正確な信号源推定のためには正確な頭部モデルと各組織の電気伝導係数が必要である。EEGLAB では，BESA で用いられる 4 層の伝導率を想定した球体モデルと，MNI テンプレー

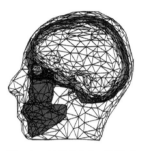
図3-31 境界要素法で再構成された頭部モデル

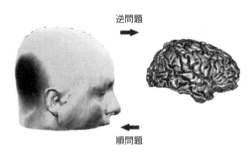
図3-32 順問題と逆問題

トから作成された3層のBEMモデルの，二つの頭部モデルが利用できる。

より正確な頭部モデルを作成するためには，個人の頭部MRI画像を用いる必要がある。この頭部モデルが決定されれば，脳のある領域にダイポールが形成された時に頭皮上でどのような電位分布になるのかを推定することが可能となる（順問題：図3-32）。そこで，任意の脳領域においてダイポールを仮定した時に，順問題を経て表現される頭皮上電位分布と実際に観測された頭皮上電位分布の一致の誤差を表す残差の分散（RV）が最小化されるようにダイポールの位置および向きを調整するという問いを解く。その結果として得られるRV，または実際のデータとの一致率（Goodness of Fit: GOF）が，推定精度の指標となる。

このダイポール法は，信号源に関してのある程度の事前知識がある場合，そして，観測された電位分布が単数（あるいは少数）のダイポールによって形成されている場合に有効であるが，事前に全く知識がない場合や，複数の領域が同時に活動するような認知活動（特に高次の認知処理など）を独立成分分析による前処理なしに解析するのには適さない。そのような場合には，脳の全域にダイポールを仮定する空間フィルタ法を使うほうが望ましい。EEGLABでは，独立成分分析を適用した後の各IC成分に対して，信号源解析を適用することを前提としている。したがって，信号源解析を行う時点でデータは分離されており，各独立成分は単一の時空間モードで活動するため，ダイポール法と相性がよい。EEGLABでは，ダイポール法の一つであるDIPFIT（Oostenveld et al., 2011）を実装している。

空間フィルタ法について

 次に,空間フィルタ法について述べる。近年,脳波や脳磁図研究では初期の視覚処理や聴覚処理などの低次処理だけではなく,より高次な認知処理を検討することが増えてきた。高次認知処理では複数の領域が同時に活動する上,どこの領域が活動するか事前に想定するのは難しい。空間フィルタ法では単一または少数のダイポールを想定するのではなく,脳皮質の全体にダイポールを仮定し,すべてのダイポールの強度を推定する。そのため,事前情報も必要ないし,各領域の活動を再構成し特定の領域の活動の時間的変化を検討することができる。こういった利点から最近は空間フィルタ法を使った脳波・脳磁図研究は主流になりつつある。

 空間フィルタ法ではまず,計測された電位活動を数学的にモデル化することを目的とする。最初に脳皮質全体に電流源が存在していると仮定する。皮質を数千から数万のパッチに分割し,そのすべてのパッチに電流源を想定する。そして,信号源の活動に空間フィルタをかけると観測データになるような空間フィルタを求める。各ダイポールにおける電位変化は,電磁気的法則に従った振る舞いをするので,正確な頭部モデルを形成できれば近似が可能である。ここでの空間フィルタは,電場(磁場)導出行列(リードフィールド行列)と呼ばれる。

 想定した電流源の数が電極の数よりも大きい場合には,解は無限に存在し,電流源を求めることは不可能である。一般的に脳波で用いられる電極数は数十から数百なのに対して,皮質に想定する電流源の数は数千から数万に及ぶため,実質的には解を求めるのは不可能ということになる。したがって,いくつかの仮定を利用することになる。たとえば,最小ノルム推定法(Minimum Norm Estimation: MNE)では,電流源の活動(の2乗ノルム)の総和が最小になるという仮定を置く。この仮定を置くと,ラグランジュの未定係数法という数学的テクニックを用いて信号源活動を推定することが可能となる。また Low Resolution Electromagnetic Tomography (LORETA) 法では,「隣接した神経細胞群が類似した活動を行う (smoothness)」,つまり,隣接した電流源が相関を持つという仮定をおいて電流源活動を求める。現在,様々な空間フィルタ法による解析法が提唱されているが,多くの場合は解を求める際に置く仮定にそのオリジナリティがある。このような方法ですべての時点におけるすべての信号源の活動

を推定すれば,特定の領域の活動の変化を推定できる。

引用文献

Akalin Acar, Z., & Makeig, S. (2013). Effects of forward model errors on EEG source localization. *Brain Topography*, **26**, 378-396.

Amari, S. (1998). Natural gradient works efficiently in learning. *Neural Computation*, **10**, 251-276.

Bell, A. J., & Sejnowski, T. J. (1995). An information-maximization approach to blind separation and blind deconvolution. *Neural Computation*, **7**, 1129-1159.

Bigdely-Shamlo, N., Mullen, T., Kothe, C., Su, K. M., & Robbins, K. A. (2015). The PREP pipeline: Standardized preprocessing for large-scale EEG analysis. *Frontiers in Neuroinformatics*, **9**, 16.

Coles, M. G. H. (1989). Modern mind-brain reading: Psychophysiology, physiology, and cognition. *Psychophysiology*, **26**, 251-269.

Delorme, A., Makeig, S., Fabre-Thorpe, M., & Sejnowski, T. (2002). From single-trial EEG to brain area dynamics. *Neurocomputing*, **44-46**, 1057-1064.

Delorme, A., & Makeig, S. (2004). EEGLAB: An open source toolbox for analysis of single-trial EEG dynamics including independent component analysis. *Journal of Neuroscience Methods*, **134**, 9-21.

Delorme, A., Palmer, J., Onton, J., Oostenveld, R., & Makeig, S. (2012). Independent EEG sources are dipolar. *PLoS One*, **7**, e30135.

Delorme, A., Sejnowski, T., & Makeig, S. (2007). Enhanced detection of artifacts in EEG data using higher-order statistics and independent component analysis. *Neuroimage*, **34**, 1443-1449.

Dien, J. (1998). Issues in the application of the average reference: Review, critiques, and recommendations. *Behavior Research Methods, Instruments, & Computers*, **30**, 34-43.

Friston, K. J. (1998). Modes or models: A critique on independent component analysis for fMRI. *Trends in Cognitive Sciences*, **2**, 373-375.

Groppe, D. M., Makeig, S., & Kutas, M. (2009). Identifying reliable independent components via split-half comparisons. *NeuroImage*, **45**, 1199-1211.

Hyvarinen, A., & Hoyer, P. O. (2000). Emergence of phase- and shift-invariant features by decomposition of natural images into independent feature subspaces. *Neural Computation*, **12**, 1705-1720.

Jung, T. P., Makeig, S., Westerfield, M., Townsend, J., Courchesne, E., & Sejnowski, T. J. (2001). Analysis and visualization of single-trial event-related potentials. *Human Brain Mapping*, **14**, 166-185.

Lee, T. W., Girolami, M., & Sejnowski, T. J. (1999). Independent component analysis using an extended infomax algorithm for mixed subgaussian and supergaussian sources. *Neural Computation*, **11**, 417-441.

Lerner, A., Bagic, A., Hanakawa, T., Boudreau, E. A., Pagan, F., Mari, Z., Bara-Jimenez, W., Aksu, M., Sato, S., Murphy, D. L., & Hallett, M. (2009). Involvement of insula and cingu-

late cortices in control and suppression of natural urges. *Cerebral Cortex*, **19**, 218-223.
Makeig, S., & Onton, J. (2011). ERP features and EEG dynamics: An ICA perspective. In S. Luck & E. Kappenman (Eds.), *Oxford handbook of Event-Related Potential components*. New York: Oxford University Press.
Makeig, S., Westerfield, M., Jung, T. P., Enghoff, S., Townsend, J., Courchesne, E., & Sejnowski, T. J. (2002). Dynamic brain sources of visual evoked responses. *Science*, **295**, 690-694.
Mitra, P., & Bokil, H. (2008). *Observed brain dynamics*. New York: Oxford University Press.
入戸野宏・小野田慶一 (2008). 事象関連電位の波形に及ぼすフィルタの効果 生理心理学と精神生理学, **26**, 237-246.
入戸野宏・堀忠雄 (2000). 心理学研究における事象関連電位 (ERP) の利用 広島大学総合科学部紀要IV理系編, **26**, 15-32.
Nunez, P. L. (1981). *Electric fields of the brain: The neurophysics of EEG*. New York: Oxford University Press.
Onton, J., & Makeig, S. (2009). High-frequency broadband modulations of electroencephalographic spectra. *Frontiers in Human Neuroscience*, **3**, 61.
Onton, J., Westerfield, M., Townsend, J., & Makeig, S. (2006). Imaging human EEG dynamics using independent component analysis. *Neuroscience & Biobehavioral Reviews*, **30**, 808-822.
Oostenveld, R., & Praamstra, P. (2001). The five percent electrode system for high-resolution EEG and ERP measurements. *Clinical Neurophysiology*, **112**, 713-719.
Oostenveld, R., Fries, P., Maris, E., & Schoffelen. J. M. (2011). Field trip: Open source software for advanced analysis of MEG, EEG, and invasive electrophysiological data. *Computational Intelligence and Neuroscience*, **2011**, 156869.
Palmer, J. A., Makeig, S., Kreutz-Delgado, K., & Rao, B. (2008). Newton method for the ICA mixture model. *Proceedings of the 33rd IEEE International Conference on Acoustics and Signal Processing (ICASSP 2008)*, Las Vegas, pp. 1805-1808.
Palmer, J. A., & Makeig, S. (2012). Contrast functions for independent subspace analysis. *Proceedings of the 10th international conference on latent variable analysis and signal separation (LVA ICA 2012)*, Tel-Aviv, (accepted).
Picton, T. W., Bentin, S., Berg, P., Donchin, E., Hillyard, S. A., Johnson, R. Jr., Miller, G. A., Ritter, W., Ruchkin, D. S., Rugg, M. D., & Taylor, M. J. (2000). Guidelines for using human event-related potentials to study cognition: Recording standards and publication criteria. *Psychophysiology*, **37**, 127-152.
Rousselet, G. A. (2012). Does filtering preclude us from studying ERP time-courses? *Frontiers in Psychology*, **3 (131)**, 1-9.
Tervaniemi, M., & Hugdahl, K. (2003). Lateralization of auditory-cortex functions. *Brain Research Reviews*, **43**, 231-246.
Van Rullen, R. (2011). Four common conceptual fallacies in mapping the time course of recognition. *Frontiers in Psychology*, **2 (365)**, 1-6.
Widmann, A., Schröger, E., Maess, B. (2015). Digital filter design for electrophysiological data: A practical approach. *Journal of Neuroscience Methods*, **250**, 34-46.

第4章 認知活動との関連を探る1：事象関連電位

松本　敦

1　事象関連電位（ERP）とは何か

　事象関連電位（Event-Related Potentials: ERP）とは，その字義通りに意味を考えてみれば，「ある特定の出来事（事象）に関連して発生する一過性の脳波」であるが，一般的には加算平均法によって得られたものを ERP と呼ぶ。加算平均法では，試行ごとに得られた脳波波形を加算平均することによって波形を得る。加算回数が増えるにつれて，ランダムに発生するノイズは相殺されて消え，全試行において現れる振動（deflections）が残る。これが ERP である。

　ERP は知覚や認知処理に対応して出現し，これらの処理の過程を検討するための有用な指標として，心理学や神経科学分野で頻繁に用いられてきた。ERPには複数の波の振れが観察され，この振れのことを一般的には成分と呼ぶ。成分には，特定の名前が付けられて検討されることが多い。たとえば，オドボール課題（説明は「ミスマッチ陰性電位」の項で後述する）で得られる刺激呈示後，300 ミリ秒あたりに頂点を持つ極性が陽性（＋）の成分は，P300 と呼ばれる。また，単語処理にかかわる成分で有名なものは，N400 と呼ばれる。ここでいう P（Positive）や N（Negative）はそれぞれ極性が陽性（＋）陰性（－）であることを表す。P や N の後に続く数字はその成分が見られる潜時（latency の訳語で，ある成分や反応が見られるまでの時間）を表すことが多い。つまり，P300 というのは刺激呈示後 300 ミリ秒近辺に頂点を持つ陽性成分ということになる。また，振れが現れる順番をとって，P1 や N2 などと名を付けることもある。N2 というのは，2 番目に現れた陰性成分という意味である。ただし，成分名は発見者が任意につけるため，その限りでない場合もある。各成分はそれぞれ固有の頭皮上電位分布と課題に対する反応を持ち，これらの成分の振る舞いを検討することによって認知処理を推測していくことになる。新しい課題を用いて

ERP を検討する場合には，まずターゲットをどの成分において検討するのかを決めておくと，効率よくデータを解釈することができるだろう。

ERP 発生のメカニズム

ERP の発生に関しては，最近の研究からいくつかの生理学的なモデルが考えられている。図 4-1 に代表的なモデルを示した。一つ目（図 4-1a）は従来から考えられていたモデルで，脳波中の ERP 成分が課題に関連して時間的に同期して発生するというものである。図では刺激呈示前は直線で示されているが，実際には，ランダムに発生するノイズに信号は埋もれている。加算平均によってこの信号は姿を現す。この場合は加算平均によって消される「ノイズ」は認知処理とは全く関係なく発生しているものと考え，生理学的な意味を持つ活動からは切り離して考える。二つ目の考え方（図 4-1b）では，加算平均され，キャンセルされてしまう「ノイズ」に関する考え方が，最初のモデルとは大きく異なる。このモデルでは，ノイズはランダムに発生し，生理学的に意味を持たない振れではなく，脳内の特定の部位から発生している律動（oscillation）の特異な形であると想定する。特定の周波数の振れが，あるイベント（刺激の呈示など）が起こることで時間を同じくしてリセットされ，位相が瞬間的にそろう。その結果として，加算平均した時に成分として検出されるというものである。三つ目のモデル（図 4-1c）は，一つ目と二つ目のモデルを合わせたようなものであり，イベントによって律動がリセットされ，位相がそろうと同時に，その振幅が増強し，大きな成分として観察されるというモデルである。もちろんこれらのモデルは相互に排他的なものではなく，特定のモデルが正しく，どれかが間違っているということではない。

ERP 研究の長所と短所

当然のことだが，ERP を用いた研究には，利点もあれば欠点もある。ERP の最大の利点は，その研究量の豊富さからくる研究結果の蓄積である。たとえば，ある課題において，ある特定の成分が注意の配分量を反映することが明らかになれば，以後の研究では，その成分を注意割り当ての指標として使うことが可能になる。これまでの長い研究の歴史から，各 ERP 成分の特徴について

第4章　認知活動との関連を探る1：事象関連電位

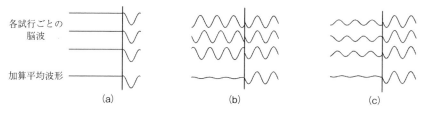

図 4-1　ERP 発生に関する三つのモデル

は多くのことが明らかになっており，心理学的な問題を検討する際の「指標」としてのアドバンテージはとても大きく，ERP が心理学的研究で用いられる所以である。また，加算平均法はノイズと信号の比である信号雑音比（signal-noise ratio: s/n 比）に優れ，頑健なデータが得られやすいという点も大きな利点である。さらに，ERP はデータ量，算出のための計算量ともに小さく，解釈を単純化しやすく，比較的手軽に扱える脳機能データである点も魅力である。

一方，ERP の欠点としては，①位相のそろわない成分の検討が不可能である点と，②20Hz 以上の高周波成分の検討が不可能である点，の二つが挙げられる。①の理解に関しては，evoked な成分と induced な成分という考え方を知る必要がある。加算平均法では，イベントに対して常に特定の時間帯に特定の位相で出現する成分のみが抽出される。このような成分は evoked な成分と呼ばれ，イベントに対して特定の時間に出現するが位相はランダムである成分（induced な成分と呼ばれる）とは別に考えられる。加算平均法では，induced な成分は「ノイズ」としてキャンセルされてしまうため，これを検討するためには時間周波数解析を行う必要がある。また，②の高周波成分に関しては，evoked な反応であれば加算平均法によってキャンセルされることはないが，振幅が非常に小さいため，ERP 上での定量化が難しく，フーリエ変換などの解析的手法を用いないと検討は不可能である。induced な成分，高周波成分ともに認知処理との関連で近年大きな注目を浴びており，様々な認知処理を反映しうるこれらの成分を無視してしまうのは非常にもったいない。このような成分を検討するには，ERP を算出すると同時に時間周波数解析を行い，データを多面的に検討する必要があるだろう。

以下では，代表的な ERP 成分について紹介する。

視覚・聴覚・体性感覚誘発電位

視覚誘発電位 (Visual Evoked Potentials: VEP) は，様々な視覚刺激によって惹起される後頭部優位の ERP 成分の総称である。後頭葉の視覚野に起源を持つと考えられており，200 ミリ秒くらいまでの比較的早い潜時で観察される。VEP は様々な成分を含み，その潜時や呼び方も呈示された刺激の特性によって異なるが，最も初期に見られる成分は，後頭部に刺激呈示後 65 ～ 85 ミリ秒に現れる陰性成分である。Jeffreys (1972) は，後頭中心部に最も早く現れる陰性成分を成分 1 (component 1) という意味で C1 と名付けている。この陰性成分の頭皮上分布は刺激の網膜上の位置に対応し，その特性から一次視覚野 (V1) の活動を反映していると考えられている (Gomez Gonzalez et al., 1994; Clark et al., 1995; Di Russo et al., 2002)。C1 の後に観察されるのは，刺激呈示後 70 ～ 130 ミリ秒付近に現れる陽性成分 P1 である。P1 成分もごく初期の視覚処理を反映していると考えられるが，一次視覚野よりは高次な有線外皮質 (extrastriate cortex) に起源を持つと考えられている。Hillyard et al. (1998) によれば，この成分は選択的注意の影響を受け，注意によってその振幅が増強する最初の成分であるが，近年の研究では P1 より前の C1 成分にすでに注意の影響が表れるという報告もある (Kelly et al., 2008)。P1 の後 (130 ～ 200 ミリ秒) には，後側頭領域において大きな陰性成分が観察され，N1 成分と呼ばれる。N1 の信号源は高次視覚野に存在すると考えられている。N1 の振幅と潜時は呈示された刺激の持つ情報に影響を受け，この時点で多くの刺激の特徴弁別が行われることを示している。たとえば，顔刺激を呈示した際には，特に右半球においてこの N1 成分が増強し，N170 という名前で呼ばれることが多い。また，文字刺激を呈示した際には，左半球において N1 成分が増強し，N200 と呼ばれる。これらの成分の活動源は紡錘状回の顔領域や文字領域に存在すると考えられており，顔や文字の物理的特徴を符号化していると考えられている。

聴覚刺激によって惹起される成分は，聴覚誘発電位 (Auditory Evoked Potentials: AEP) と呼ばれる。最も早く観察される AEP は，聴性脳幹反応 (Auditory Brain-stem Response: ABR) と呼ばれる。ABR は，クリック音呈示から 10 ～ 12 ミリ秒後に観察される七つの電位で構成される。ABR は，個体間の変動が少なく，麻酔や睡眠の影響をほとんど受けず，比較的簡単に脳深部の電気活動を

得られるため，臨床検査に用いられることがある．異常が発生すると，これらの成分は潜時が遅れたり消失したりし，障害によってその挙動は変化する．したがって，ABR の変化からその障害を推定することが可能である．ABR に続く 10 〜 50 ミリ秒区間ではいくつかの成分が観察される（N0, P0, Na, Pa, Nb）．発生源は，側頭葉にある聴覚領域のヘッシェルの横側頭回や視床ではないかと考えられている．刺激呈示後 100 〜 200 ミリ秒には，大きな陰性と陽性の成分が観察される．N1 や P2 と呼ばれるこの成分は，Näätänen & Picton（1987）によれば，6 種類の下位成分によって構成される（諸富・沖田, 1998）．これらの成分は，刺激強度や周波数の増加といった刺激の物理的特徴に対して敏感に反応するという点で，内的な要因によって変化する後述のミスマッチ陰性電位とは区別して考えられている．Hillyard（1973）によれば，N1 は初期視覚電位におけるP1 と同じように選択的注意によって変化し，注意を向けると振幅が増大する．なお，これらの成分は，視覚刺激によって惹起する N1 や P1 成分とは別物である．

体性感覚誘発電位（Somatosensory Evoked Potentials: SEP）は，皮膚表面などを物理刺激された時に現れる ERP 成分であり，上肢（正中, 尺骨神経）あるいは下肢（後脛骨, 総腓骨神経）を電気刺激することによって得られる．SEP も ABR と同じように複数の短潜時成分からなり，正中神経を刺激すると，刺激から 50 ミリ秒までに N9, N13, N20 などの成分が，名前が付けられた時間帯に観察される．このうち N20 の発生源は大脳皮質感覚野とされている（飛松, 2005）．SEP の振る舞いを検討することで，末梢神経から大脳皮質運動野に至るまでの上行性経路の機能を見ることが可能であり，臨床応用に用いられている．

これら各モダリティにおける誘発成分に関しては，ERP 研究の初期から多くの知見が蓄積されており，様々な刺激特性に対する反応が明らかになっている．ここでは紙幅の都合上詳しくは触れないが，より詳しい解説を求める読者は ERP を扱った書籍などを参照するとよい（たとえば，諸富・沖田, 1998）．

ミスマッチ陰性電位

Näätänen *et al.*（1978）は，高い音と低い音を 1 : 9 の割合でランダムに実験参加者に呈示した．実験参加者は時折呈示される新奇なターゲット音に対して

反応することを求められた。このような課題はオドボール課題と呼ばれる。すると，低頻度刺激呈示条件では，高頻度呈示条件に比べて，刺激呈示後 200 ミリ秒近辺で陰性の成分が観察され，この成分はミスマッチ陰性電位（mismatch Negativity: MMN）と名付けられた。MMN は刺激に対して注意を向けているか向けていないかに関係なく惹起され，自動的で受動的な脳の定位反応成分と考えられている。MMN は聴覚刺激だけではなく，視覚刺激の逸脱に対しても反応し，各感覚モダリティに特異的に観察されると考えられる。MMN に関しては，先行刺激の記憶痕跡との照合過程を反映するという説や，事前に来る刺激を予測した予測コードとの照合のエラーを反映するという説などが提唱されているが，現状ではまだ議論があるところである。Garrido et al. (2007) の最近の研究によれば，聴覚 MMN の発生には一次聴覚野だけでなく，上側頭回や下前頭回がかかわっており，特に，より高次な領域（下前頭回など）から低次な領域（一次聴覚野）への情報のトップダウンな流れが重要であることが示されている。

P300

P300（P3 と呼ばれることもある）は，最も有名な ERP 成分と言ってもよいかもしれない。Sutton et al. (1965) によって発見されたこの成分は，一般的にはオドボール課題で観測され，検討されることが多いが，選択や理解など，なんらかの心的な判断を求めるほとんどの課題で観察される。P300 は頭頂中心部で最大になり，潜時は 300 ミリ秒から 900 ミリ秒くらいにまで延長することもある。一般的に，潜時は課題が簡単であれば短くなり，課題が難しく判断に時間がかかるほど長くなる。Makeig et al. (2004) では，P300 はボタン押し反応の直後にピークを迎えているのが示されている。このことから P300 は，「刺激評価時間の指標」としてよく使用される。ボタン押しなどの直接の反応を求めなくても，P300 の潜時を見ることで処理の終了を知ることができるからである。P300 は諸説あるが，一時形成された作動記憶（ワーキングメモリ）内の情報の更新や，注意の割り当てなどを反映すると考えられている。ただし，P300 は複数の領域から発生している活動の複合波であって，単一の認知的処理だけを反映していると考えるのはおそらく正しくない。一般的に P300 と呼ばれるのは，P3b と呼ばれる頭頂中心部の陽性成分であるが，これよりも若干早い潜時

において前頭部で最大の振幅になる P3a という成分があることは古くから知られていた（Katayama & Polich, 1998）。さらに Makeig *et al*.（2004）は，独立成分分析（ICA）を用いて，P300 が観察される潜時帯には少なくとも八つの陽性成分が存在していることを明らかにしている。P300 は多くの課題で観察され，頭皮上の広い部位から計測されるが，それは一つの活動源から発生した活動が体積伝導で計測されたものだけではなく，複数の活動源から発生した成分が重畳している可能性があることを考慮に入れる必要があるだろう。

後期陽性複合

　記憶や感情，言語処理など，高次な処理を行う課題で観察される長潜時の陽性成分は後期陽性複合（Late Positive Complex: LPC）と呼ばれる。その潜時から P600 と呼ばれることもある。Rugg（1990）によれば，LPC の振幅は記憶における相対的熟知度を反映する。たとえば，記憶実験では学習項目に含まれていた旧刺激と比較して，新奇刺激が惹起する LPC のほうが小さくなる。Van Petten *et al*.（1991）によれば，この成分は意味やエピソードといった情報を長期記憶から取り出し，ワーキングメモリ内での情報を統合する処理を反映するとされる。この考え方は前述の P300 の解釈とよく似ており，LPC を，時間的に遅れて惹起した P300 であると捉えている。実際，LPC は多くの点で P300 と共通点を持つ。感情研究においては，画像や単語刺激などに対して ERP を計測すると，感情価を含まない刺激と比較して，感情価を含む刺激では LPC 振幅は大きくなる。これは，感情価を含む刺激のほうがより多くの注意資源を割り当て，より多くの処理を行うためであると考えられる（Schupp *et al*., 2004）。この解釈でも同様に，LPC をより遅く，そして長く発達した P300 であると捉えている。一方で，言語研究では LPC にはよりアクティブな役割が想定され，特に統語的（文法的）な処理に重要な役割を果たしていると解釈されている（Friederici, 2005）。LPC を理解し，解釈するためには，その研究分野でどのように解釈されているかを事前に十分調べる必要があると言えるだろう。また，P300 と同様，LPC は多くの成分の複合波であることも考慮に入れる必要がある。

N400

P300 や MMN は刺激の持つ物理的な逸脱に対して惹起するが，N400 は刺激の持つ意味的な逸脱に対して惹起する。Kutas & Hillyard (1980) は，実験参加者に対して，文を構成する七つの単語を1秒間隔で次々に呈示し（例：It was his first day at work.），その時の ERP を計測した。そこで意味的に逸脱した単語を呈示すると（例：He spread the warm bread with socks.），最後の意味的に逸脱した単語に対して，刺激呈示後 400 ミリ秒近辺で頂点を持つ大きな陰性成分が観察され，この成分は N400 と名付けられた。N400 は，意味的逸脱だけでなく，世の中に対する一般的な知識や常識における逸脱にも惹起されることが示されている（Hagoort et al., 2004）。また，この成分は単語を単独で呈示した際にも観察され，反復プライミングや意味プライミングによってその振幅は減少する。このことから，N400 に関しては，単語の意味表象に対するアクセスを反映するという仮説と，意味的な文脈統合に関係するという仮説が提唱されている。しかし，P300 と同じように，N400 は複数の信号源から発生する複数の成分からなる複合波であり，複数の処理と対応していると考えるのが妥当である。

以上，様々な ERP 成分を見てきたが，注意しておきたいのはその成分の意味や解釈は，研究の文脈において変わる可能性があるという点である。ERP 研究を始めた人が陥りやすいのは，ある特定の成分がある特定の認知処理だけに対応するという思い込みから，実験結果を極度に単純化して解釈するという事態である。多くの ERP 成分は，同時に複数の解釈を持ちうる。特に，P300 や N400 のような後期成分は様々な成分からなる複合波であるため，その解釈は一筋縄ではいかない場合が多い。たとえば，先に P300 の解釈として作動記憶の更新と注意の割り当てという二つの説を紹介したが，これはどちらかが正しくて，どちらかが間違っているわけではなく，P300 はおそらくどちらの処理をも反映する。よく考え，その課題ではその成分はどのような認知処理と対応しているのかを推測する必要があるだろう。ERP 成分を解釈する上では，その課題の特性や先行研究をよく考慮し，課題やそこで行われている認知処理に適当な解釈を採用したいものである。

2　新しい ERP 研究

　ERP 研究では，様々な新しい解析法と併用されることによって新しい可能性が呈示されている。たとえば，David et al.（2006）は，ERP の発生に関する生理学的知見をもとに，数理的なモデルを構築した。さらに，そのモデルをもとに，複数の信号源の活動のネットワークモデルから観測されたデータを説明する手法，Dynamic Causal Modeling（DCM）を提唱した。この手法では，領域間の影響も評価することが可能になる。また，複数のモデルの中から，データを最もよく説明するモデルを選択することも可能である。脳波や脳磁図を用いた神経ネットワーク解析では，現在，周波数解析をもとにしたコヒーレンス解析が主流であるが，DCM を用いれば，ERP データに対してもネットワーク解析を行うことが可能である。実際に，Garrido（2007）では MMN が一次聴覚野などの低次領域からのフィードフォワードな信号だけでなく，高次領域からのフィードバック信号によって形成されることを明らかにしている。また，Boly et al.（2011）では，遷延性意識障害（いわゆる植物状態）の患者では MMN 計測課題においてフィードバック信号が欠落していることが明らかになっており，意識とトップダウンな処理との関係性が示唆されている。認知処理を脳領域間のネットワークとして捉えるという考え方は，これから先，より広く一般的になっていくと考えられる。そのため，DCM のような新しい解析手法を取り入れていくことも重要だろう。なお，現在，DCM は SPM8 という後述（第 7 章）のソフトウェアに実装されており，誰でも使用が可能である。

　ERP を用いて，人の意思や考えを，コンピュータやマシンの動きの中に再現しようという Brain Machine Interface（BMI）の試みも近年多くなされている。たとえば，P300 成分を用いて，思考するだけで文字をコンピュータに入力する P300 speller などが実用化されている。これは，P300 が非常に大きい成分であり，ほとんどの実験参加者で頑健に検出できるために行える手法である。P300 はその頑健さから，P300 speller 以外の BMI にも用いられている。ただし，振幅が大きいとはいえ，ノイズに埋もれた単一試行データから P300 を抽出することは難しい。したがって，複数回の試行を行う必要があるが，近年では様々な信号解析手法を用いて，より少ない試行数で意思を解読する試みが行われて

いる。たとえば，独立成分分析（第3章第3節，第6章参照）を用いてP300以外のノイズ成分を除去すれば，より少ない試行でP300のみを取り出すことが可能になる。また，ERPに限らず，ターゲットとなる成分の検出や判別には，Support Vector Machine（SVM）などの機械学習による識別手法が用いられている。現在では，様々な解析手法とERPを組み合わせて，より現実的な場面に即した応用可能性が吟味され，期待されている。

　これまでのERP研究では，環境的に統制された条件下で実験が行われ，実験方法にも大きな制約があった。しかし，神経科学的手法の社会心理学，発達心理学，経済学などの様々な分野への応用の期待により，より自由な条件での実験手法の確立が必要とされている。具体的には，シールドルーム外での脳波計測や，様々な身体的な動きの中での脳波計測などである。このようなニーズを背景に，Gramann *et al.* (2010) では，シールドルーム外で，実験参加者が運動中に，オドボール課題を用いてそのERP成分を検討した。もちろん，計測された脳波は様々なノイズによって汚染されていたが，独立成分分析によって筋電などのノイズ成分を除去した後には，P1やN1，P300などの大きな成分であれば検出が可能であった。この手法は，たとえば，実験者が運動をうまく制御できない乳幼児のデータを計測する際や，複数の人物のコミュニケーション中の脳活動の計測など，これまで興味は持たれてもなかなか実施できなかった実験系の確立に寄与しうるものである。

　ここで紹介したいくつかの研究は，すべてERPをベースにしながら新しい解析手法を応用することによって新しい観点からの問題の検討を可能にしたものである。先に述べたように，ERPは頑健さとその先行研究の多さから，新しい解析手法の適用に相性がよい。逆に，研究しつくされてきたように思えるERP成分であっても，DCMやICA，SVMなど新しい解析手法を取り入れることによって，これまで考えもしなかったような新しい実験パラダイムの確立や，全く新しい理論の構築などが期待できるだろう。これから先，より多様で新しい方向へERP研究が進展，発展していくと予想される。

3　EEGLABによるERP解析

　ここでは，第3章で前処理を施したデータに対して，ERP解析を行う手順

を紹介する。ここでは単一のデータセットから様々なERPデータの表示方法を示していく。例として，sub01_standard.setを用いる。ただしこのデータセットでは，まばたきなどのノイズが混入したままなので，ERPを示す前にまずまばたきの独立成分を除去する。File‐Load existing datasetからsub01_standard.setをロードし，Tools‐Remove componentsからComponent (s) to remove from dataに「1 6」（スペースをはさんで1と6）と入力しOkを押し，出てきたダイアログボックスのAcceptを押す。

すると，Data set info‐pop_newsetウインドウが表示されるので，Name it: でデータセットにsub01_standard_pruned_with_ICAと名前を付け，Save it as file: のチェックボックスにチェックを入れた上で，テキストボックスにsub01_standard_pruned_with_ICA.setと入力し，Okを押す。こうすると，まばたきの成分を除去したデータをファイルに保存したことになる。この際，保存されるフォルダは，基本的にMATLABカレントフォルダ（第3章で指定していれば，C:\Users\ユーザ名\Documents\MATLAB\）になっているので，ロードする時は注意する。以上の準備をした上で，解析をスタートする。

Channel ERP の表示

全電極の波形を一つの時間軸に重ねて表示，あるいは電極ごとに表示する。また，その際，特定の時間の頭皮上電位分布を表示することが可能である。条件差などは検討することができないが，条件差の検討を行う前に全体のERPを確認しておくとよいだろう。

EEGLABメニューの，Plot‐Channel ERPsからERPデータを表示することが可能である（図4-2）。表示方法は二つ用意されており，With scalp mapsでは，一つの時間軸上に重ね合わされたERP波形とともに，特定の時間の頭皮上電位分布が表示される。In scalp/rect. arrayでは，頭皮上の電極位置あるいは電極ファイルの順番に，各電極ごとのERP波形が表示される。

With scalp maps

設定ダイアログボックス（図4-3）では，以下の設定を行う。

Plotting time range (ms)：プロットするERPの時間範囲。デフォルトでは

II 脳波解析の実際

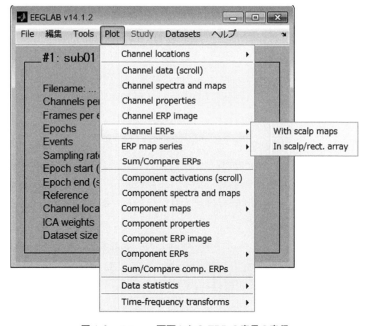

図4-2 メニュー画面からのERPの表示の実行

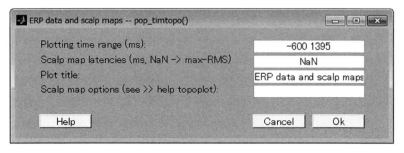

図4-3 ERPと頭皮上電位分布を表示するための設定ダイアログボックス

エポックに区切った時の値に設定されている。

Scalp map latencies (ms, NaN -> max-RMS)：どの潜時の頭皮上電位分布を表示するかを指定する。デフォルトはNaN (Not a Numberの略) になっており，この設定では最も振幅の絶対値が大きい潜時の頭皮上電位分布が表示される。

第4章 認知活動との関連を探る1：事象関連電位

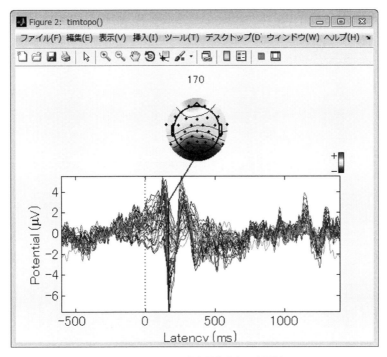

図 4-4　ERP と頭皮上電位分布の表示例

　Plot title：プロットされる図のタイトル。
　Scalp map options（see >> help topoplot）：様々な表示オプションを設定できる。
　これらをデフォルトのまま Ok ボタンを押すと，図 4-4 が表示される。ここでは，刺激呈示後 170 ミリ秒に陰性成分が惹起され，これが解析区間最大の振幅であるため，この時点の頭皮上分布が示されている。この成分は後頭部に分布を持っていて，この時間帯に視覚処理が行われていることが確認できる。

In scalp/rect. array
設定ダイアログボックス（図 4-5）では，以下の設定を行う。
　Channels to plot：プロットする電極の指定。デフォルトでは全電極。
　Plot title：プロットされる図のタイトル。

II 脳波解析の実際

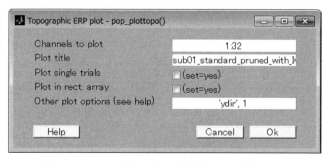

図4-5 ERPを表示するための設定ダイアログボックス

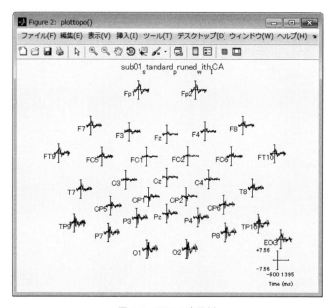

図4-6 ERPの表示例

 Plot single trials：全試行個別の波形をプロットするかどうかの選択。yes/noで選択できる。デフォルトはno。

 Plot in rect. Array：チェックすると，指定された電極のERPが電極の位置情報と関係なく順番に表示される。

 Other plot options (see help)：表示に関して様々なオプションが設定できる。デフォルトでは'ydir'が1に設定されており，この設定では陽性が上として波

第4章　認知活動との関連を探る1：事象関連電位

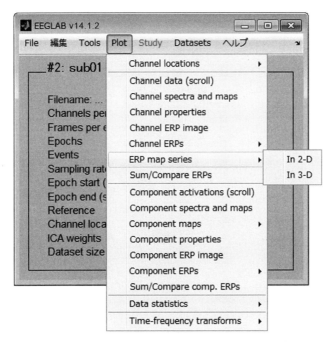

図 4-7　メニュー画面からの ERP map series の表示の実行

形が表示される。「-1」に設定すると陰性が上となる。

　これらをすべてデフォルトのまま Ok ボタンを押すと，図 4-6 が表示される。ここで各電極をクリックすると，その電極の波形が拡大表示される。With scalp maps の時とは異なり，各電極の波形を一目で確認することができるので，電極位置やそれぞれの電極の波形に不具合がないか確認するとよい。また，ノイズの混入が大きい電極などもここで確認できる。

ERP map series の表示

　任意の時間の頭皮上電位分布の表示は，Plot - ERP map series から可能である（図 4-7）。以下，In 2-D では任意の時間の二次元の頭皮上電位分布を表示し，In 3-D では三次元の頭皮上電位分布を表示する。時間的な変化に伴う頭皮上分布の推移を確認する時にはこの機能を使うとよい。

111

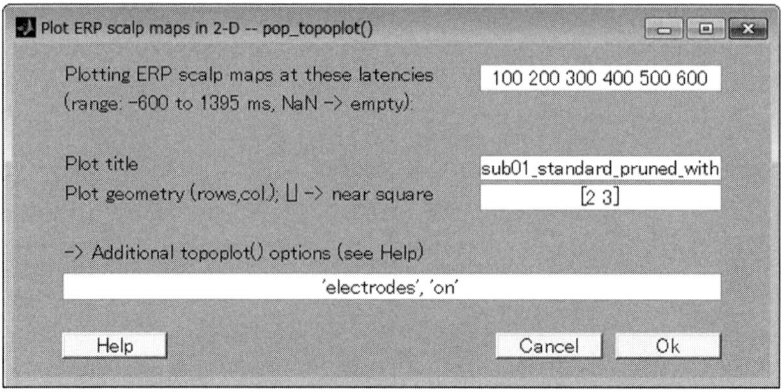

図4-8 二次元の ERP map series を表示するための設定ダイアログボックス

In 2-D

設定ダイアログボックス（図4-8）では，以下の設定を行う。

Plotting ERP scalp maps at these latencies（range: -600 to 1395 ms, NaN-> empty）：頭皮上電位分布を表示する潜時を指定する。複数の時間を指定することが可能。デフォルトでは最も電位が大きい潜時のマップが表示される。ここでは，「100 200 300 400 500 600」と入力する。

Plot title：プロットされる図のタイトル。ここでは特に変更しない。

Plot geometry（rows,col.）; [ ] -> near square：表示される複数の頭皮上電位分布の配置の指定。行数と列数を指定する（「2 3」ならば2行3列）。ここでは「2 3」と入力する。

-> Additional topoplot ( ) options (see Help)：表示に関して様々なオプションが設定できる。デフォルトでは 'electrodes' が 'on' になっており，これを 'off' にすると頭皮上電位分布に電極が表示されなくなる。ここでは特に変更しない。

設定後，Ok ボタンを押すと，図4-9が表示される。ここでは刺激呈示後200ミリ秒近辺に後頭領域で陰性の成分が観察でき，その後400ミリ秒近辺で頭頂部分に弱い陽性の成分が惹起していることが確認できる。

Plot 3-D

ERP map series-In 3-D を押すと，頭部形状とその上に配置された電極の位

第4章 認知活動との関連を探る1：事象関連電位

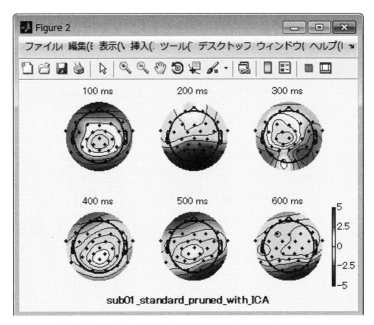

図4-9 指定された潜時の二次元の頭皮上電位分布の表示例

置合わせに関する注意事項が表示されるが，無視して Ok を押し先へ進む。

設定ダイアログボックス（図4-10）では，以下の設定を行う。

Co-register channel locations with head mesh and compute a mesh spline file（each scalp montage needs a headplot（ ）spline file）：頭皮上電位分布を表示するための三次元の頭部モデルに，電極の位置を指定する作業である。この情報は，spline file というファイルに記録される。

Use the following spline file or structure：すでに spline file が作成してある場合には，こちらにチェックを入れ，使用する spline file を選択する。ここではチェックを入れない。

Or (re) compute a new spline file named：新しく spline file を作成する場合にはこちらにチェックを入れ，作成するファイルの名前を入力する。ここではこちらにチェックを入れて，新しいファイルを作成する。ファイル名はデフォルトのまま。

3-D head mesh file：使用する頭部形状を三次元メッシュで構成した mesh

113

II 脳波解析の実際

file を選択する。通常はデフォルトで選択されているファイルを使用する。ここではデフォルトのまま。

Mesh associated channel file：mesh file 上の電極位置を指定するためのファイル。通常はデフォルトで選択されているファイルを使用する。ここではデフォルトのまま。

Talairach-model transformation matrix：データで使用している電極情報を mesh file 上に反映させるための位置合わせ（co-register）を行う。**Manual coreg.** ボタンを押し，表示される三次元マップ上において電極位置を確認する。**Labels on** のボタンを押せば，電極名（**Fz** など）が表示されるので位置が実際に計測された位置と合っているかを確認する。電極位置が確認しがたい場合には，三次元マップをドラッグして頭部画像を回転させるとよい。計測データの頭皮上の位置と合っていない場合には，**Warp montage** ボタンを押して，出てきたリストの電極名と電極の順番が合っているかを確認する。必要に応じて対応付けができたら，**Ok** ボタンを押すと自動的に位置の補正が行われるが，チュートリアル用データのように通常の 10-20 法や 10-10 法の電極名を用いている場合には，EEGLAB で用意されている電極名と一致するため，そのまま **Ok** ボタンを押せばよい。co-register 画面に戻り，もう一度電極の頭皮上位置を確認して **Ok** ボタンを押し，co-register を完了する。

Plot interpolated activity onto 3-D head：spline file 完成後には，どの潜時の頭皮上電位分布を表示するかなどの指定をしていく。

第4章　認知活動との関連を探る1：事象関連電位

図4-10　三次元の ERP map series を表示するための設定ダイアログボックス

Making headplots for these latencies (from -600 to 1395 ms)：三次元の頭皮上電位分布を表示する潜時を指定する。複数の時間を指定することが可能。ここでは「100 200 300 400 500 600」と入力する。

Plot title：プロットされる図のタイトル。

Plot geometry (rows, col.)：(Default [ ] -> near square)：表示される複数の頭皮上電位分布の配置の指定。行数と列数を指定する（「2 3」ならば2行3列）。ここでは「2 3」と入力する。

Other headplot options (See >> help headplot)：表示に関して様々なオプションが設定できる。

これらを指定して Ok ボタンを押せば，spline file が作成され，三次元の頭皮上電位分布が作成される（図4-11）。次回以降は，Use the following spline or structures にチェックを入れ，この時作成された spline file を使用すれば，スムーズに表示され，時間の短縮になる。

条件間の波形の比較

EEGLAB メニュー，Plot-Sum/Compare ERPs では，複数のデータセットの ERP 波形を表示し，異なった条件間での波形の違いや条件間での差分波形などを検討することが可能である。条件差を検討するため，通常最もよく使う機能であるとも言える。ここでは，sub01 の standard 条件と target 条件の波形を比較する。事前準備として sub01_target.set のまばたきの独立成分を除去

II 脳波解析の実際

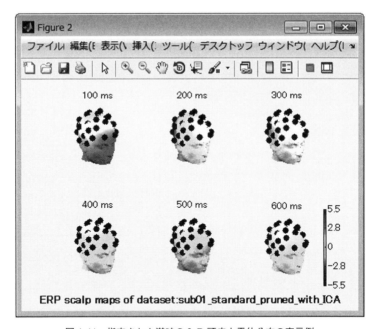

図 4-11　指定された潜時の 3-D 頭皮上電位分布の表示例

する。File-Load existing dataset から sub01_target.set をロードし，Tools-Remove components から Component (s) to remove from data に「1 6」と入力し Ok を押し，出てきたダイアログボックスの Accept を押す。ここでは sub01_target_pruned_with_ICA.set と名前を付けて保存する。一度 EEGLAB を右上の×ボタンを押して終了させ，MATLAB コマンドウインドウに eeglab と打ち込んで再起動する。その後，File-Load existing dataset から sub01_standard_pruned_with_ICA.set と sub01_target_pruned_with_ICA.set をロードし，EEGLAB メニューから Plot-Sum/Compare ERPs を押す。

設定ダイアログボックス（図 4-12）では，以下の設定を行う。

Datasets to average（ex: 1 3 4）：表示したいデータセット ERP の指定。データセット 1 の ERP を表示したければ，「1」と入力する。データセット 1 と 2 の ERP を表示したければ，「1 2」と入力する。ここでは「1 2」と入力。ただし，avg. にチェックを入れると，1 と 2 の ERP を平均した波形になるため，

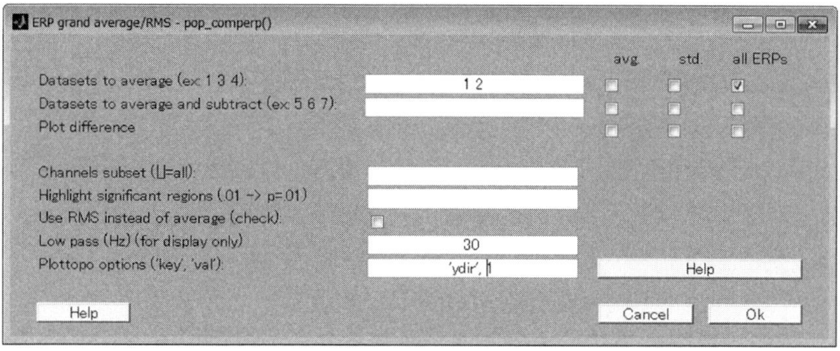

第4章　認知活動との関連を探る1：事象関連電位

図4-12　ERPの条件間比較を行うための設定ダイアログボックス

二つのERPを同時に表示する場合には，all ERPs にチェックを入れ，avg. のチェックを外す。std. にチェックを入れると，二つ（以上）の波形の標準偏差が波形に追加される。ここでは all ERPs にチェックを入れ，avg. のチェックを外し，std. のチェックも外しておく。

　Datasets to average and subtract（ex: 5 6 7）：複数の条件の差分（平均）波形を表示するためのデータセットの指定。ここにデータセット番号を入力し，さらにその下の Plot difference にチェックを入れると，Datasets to average に入力されているデータセットの ERP 波形から指定のデータセットの波形を減算した差分波形が表示される。Plot difference のチェックを外せば差分波形は表示されず，二つのデータセットの ERP が同時に表示される。ここで複数のデータセットを指定することも可能だが，その場合 avg. にチェックを入れると指定した波形が平均されるため，指定したすべてのデータセットを表示する場合は all ERPs にチェックを入れて avg. のチェックを外す。ここでは何も入力しないでおく。

　Channel subset（[ ]=all）：表示する電極の指定。デフォルトは全電極。ここでは指定しない。

　Highlight significant regions（.01-> p=.01）：Datasets to average に複数のデータセットが入力されている場合，t 検定を行い，有意な差がある区間をハイライトで表示する。任意の p 値を入力する。ここでは指定しない。

　Use RMS instead of average（check）：チェックを入れると，ERP（平均波

117

形)の代わりに,各試行のデータを2乗し平均した数値の平方根である RMS (2乗平均平方根)を表示する。この値はデータの試行間での散らばりを考慮したものとなる。ここではチェックを入れない。

Low pass(Hz)(for display only):ローパスフィルターの設定。周波数を指定する。ただし,ここでのフィルタはディスプレイ目的なので,データ自体にはフィルタはかからない。つまり,表示されたイメージだけにフィルタがかかっており,データそのものは高周波ノイズが乗ったままである。ここでは 30 と設定しておく。これにより 30Hz 以上の高周波成分は表示されなくなる。

Plottopo options('key', 'val'):様々な表示に関するオプションを設定できる。デフォルトでは 'ydir' が -1 で設定されているため,陰性方向が上になる表示(ERP では長年,この表記方法が好まれてきた)になる。「1」に指定すると陽性方向が上になる。ここでは -1 を 1 に変更する。

ここで **Ok** を押し,データを表示してみると,target 条件と standard 条件の波形の違いを見ることができる(図4-13)。たとえば,Pz では,standard 条件と比較して target 条件で,大きくてやや頂点潜時の遅れた(500~600ミリ秒近辺)P300 を確認することができるだろう。小さくて波形が見づらい場合には,各波形をクリックすると拡大するので,拡大させて確認するとよい。

ERP イメージの表示

Plot-Channel ERP image から,ERP イメージを表示することができる。ERP イメージは,試行ごとの脳波の振幅を二次元の情報で表現したものである。振幅はイメージの色によって表現され,データの持つ様々な情報の次元(反応時間や特定の周波数の位相)に従って並べ替えることが可能である。この解析法では,ERP を構成する試行ごとの脳波を視覚的に検討することが可能であり,ERP の解釈に大きな助けとなる。紙幅の都合上ここでは説明しないが,本書ウェブサイトで解説を行っているのでそちらを参考にされたい。

ICA コンポーネントの ERP の表示

この機能は,電極ごとではなく,独立成分ごとにどのような ERP 波形なのかを確認するために必要な機能だが,基本的には channel ERP の表示と同じ

第4章 認知活動との関連を探る1：事象関連電位

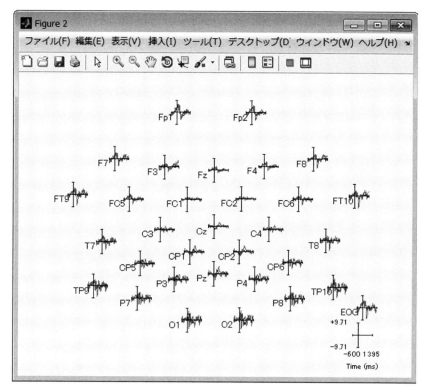

図4-13　複数のデータセットの ERP の表示例

手続きで行える。電極の部分を独立成分に置き換えるだけである。ただし，Plot-Component ERP（s）-With component maps では，複数の component ERP が channel ERP にどの程度貢献しているのかを確認することができる。ここでは紙幅の都合上，With component maps の説明を中心に行う。

With component maps

設定ダイアログボックス（図4-14）では，以下の設定を行う。

Enter time range（in ms）to plot：表示する ERP の時間範囲。「-100 500」などとミリ秒単位で入力する。ここでは「-100 800」と入力する。

Enter time range（in ms）to rank component contributions：コンポーネン

トの ERP への貢献を評価するための時間範囲。興味のある時間帯だけを指定するとよい。ここでは「0 800」と入力。

Number of largest contributing components to plot (7)：表示するコンポーネントの指定。指定された時間範囲において最も貢献の大きいコンポーネントを指定された数だけ表示する。たとえば、「7」と入力すれば、その区間の ERP に最も貢献している七つの成分が表示される。ここでは7と入力する。

Else plot these component numbers only (Ex: 2: 4, 7)：指定された成分のみの ERP の貢献を表示する。複数成分の選択が可能。ここでは指定しない。

Component numbers to remove from data before plotting：表示する際に channel ERP から除去されるコンポーネントの指定。明らかな眼電や筋電などのアーティファクトはここで指定して取り除くとよい。ここでは指定しない。

Plot title：表示される図のタイトル。

Optional topoplot ( ) and envtopo ( ) arguments：様々なオプションが指定できる。

設定後、Ok ボタンを押すと、電極 ERP 波形に対して七つの独立成分がどのように貢献しているのかを見ることができる（図4-15）。電極 ERP は黒い太い線で表示されており、色がついている領域が七つの成分で説明される部分である。ppaf（percent power accounted for の略）= 89.70％なので全体の89.7％がこの七つの成分で説明できるということである。200ミリ秒前後の初期の視覚処理は成分4で説明でき、400ミリ秒近辺の大きな陰性成分は成分2で説明されることが見てとれる。

With comp. maps（compare）

二つのデータセットの差分波形に対する ICA コンポーネントの貢献を表示する。条件差をどの成分が反映しているかを検討することができる。

Dataset indices to subtract (Ex: '1 2'-> 1-2)：差分する二つのデータセットの指定。「2 1」と入力した場合には、2-1ということになる。それ以外の変数は With component maps と同じになるため、そちらを参考にされたい。

第 4 章 認知活動との関連を探る 1：事象関連電位

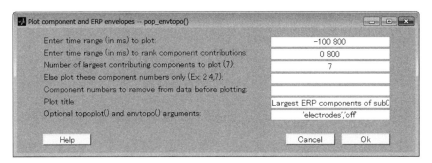

図 4-14 ICA コンポーネントの ERP に対する寄与を表示するための設定ダイアログボックス

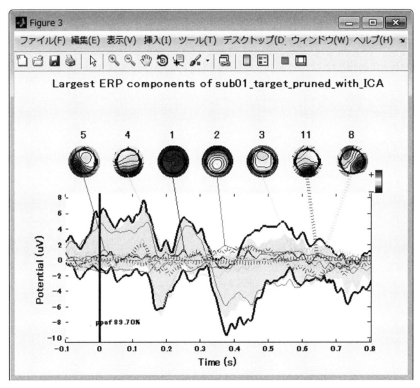

図 4-15 電極 ERP 波形に対する独立成分の貢献の表示例

In rectangular array
指定されたコンポーネントの ERP を縦に並べて表示する。全成分の ERP を一度に確認できる。

Channel number（s）：表示するコンポーネントの数の指定。デフォルトは全電極。

Plot title：プロットされる図のタイトル。

Vertical limits（[0 0] -> data range）：表示される波形の電位の上限と下限の指定。デフォルトでは自動調節。

ここまで EEGLAB による ERP の表示に関する説明を行ってきたが，たとえば Excel などの他のソフトでデータを扱いたい場合には，**File-Export-Data and ICA activity to text file** から **Export ERP average instead of trials** にチェックを入れ，**Output file name** にファイル名を打ち込んで **Ok** を押せば，ERP データが text file で保存されるので，それを用いて解析できる。

引用文献

Boly, M., Garrido, M. I., Gosseries, O., Bruno, M. A., Boveroux, P., Schnakers, C., Massimini, M., Litvak, V., Laureys, S., & Friston, K. (2011). Preserved feedforward but impaired top-down processes in the vegetative state. *Science*, **332**, 858-862.

Clark, V. P., Fan, S., Hillyard, S. A. (1995). Identification of early visual evoked potential generators by retinotopic and topographic analyses. *Human Brain Mapping*, **2**, 170-187.

David, O., Kiebel, S. J., Harrison, L. M., Mattout, J., Kilner, J. M., Friston, K. J. (2006). Dynamic causal modeling of evoked responses in EEG and MEG. *Neuroimage*, **30**, 1255-1272.

Di Russo, F., Martinez, A., Sereno, M. I., Pitzalis, S., & Hillyard, S. A. (2002). Cortical sources of the early components of the visual evoked potential. *Human Brain Mapping*, **15**, 95-111.

Friederici, A. D. (2005). Neurophysiological markers of early language acquisition: From syllables to sentences. *Trends in Cognitive Science*, **9**, 481-488.

Fuentemilla, L., Marco-Pallarés, J., Grau, C. (2006). Modulation of spectral power and of phase resetting of EEG contributes differentially to the generation of auditory event-related potentials. *Neuroimage*, **30**, 909-916.

Gomez Gonzalez, C. M., Clark, V. P., Fan, S., Luck, S. J., Hillyard, S. A. (1994). Sources of attention-sensitive visual event-related potentials. *Brain Topography*, **7**, 41-51.

Gramann, K., Gwin, J. T., Bigdely-Shamlo, N., Ferris, D. P., & Makeig, S. (2010). Visual evoked responses during standing and walking. *Frontiers in Human Neuroscience*, **29**, 202.

Hagoort, P., Hald, L., Bastiaansen, M., Petersson, K. M. (2004). Integration of word meaning

and world knowledge in language comprehension. *Science*, 304, 438-441.
Hillyard, S. A., Hink, R. F., Schwent, V. L., & Picton, T. W. (1973). Electrical signs of selective attention in the human brain. *Science*, 182, 177-180.
Hillyard, S. A., Vogel, E. K., & Luck, S. J. (1998). Sensory gain control (amplification) as a mechanism of selective attention: Electrophysiological and neuroimaging evidence. *Philosophical Transactions of the Royal Society of London. Series B, Biological Sciences*, 353, 1257-1270.
Jeffreys, D. A., & Axford, J. G. (1972). Source locations of pattern-specific components of human visual evoked potentials: I. Component of striate cortical origin. *Experimental Brain Research*, 16, 1-21.
Katayama, J., & Polich, J. (1998). Stimulus context determines P3a and P3b. *Psychophysiology*, 35, 23-33.
Kelly, S. P., Gomez-Ramirez, M., & Foxe, J. J. (2008). Spatial attention modulates initial afferent activity in human primary visual cortex. *Cerebral Cortex*, 18, 2629-2636.
Kiebel, S. J., Garrido, M. I., & Friston, K. J. (2007). Dynamic causal modelling of evoked responses: The role of intrinsic connections. *Neuroimage*, 36, 332-345.
Kutas, M., & Hillyard, S. A. (1980). Reading senseless sentences: Brain potentials reflect semantic incongruity. *Science*, 207, 203-208.
Makeig, S., Delorme, A., Westerfield, M., Jung, T. P., Townsend, J., Courchesne, E., & Sejnowski, T. J. (2004). Electroencephalographic brain dynamics following manually responded visual targets. *PLoS Biology*, 2, 747-762.
諸富隆・沖田庸嵩（1998）．事象関連電位．宮田洋（監修）藤沢清・柿木昇治・山崎勝男（編）新生理心理学1　北大路書房　pp. 104-123.
Näätänen, R., Gaillard, A. W. K., & Mäntysalo, S. (1978). Early selective-attention effect on evoked potential reinterpreted. *Acta Psychologica*, 42, 313-329.
Näätänen, R., & Picton, T. (1987). The N1 wave of the human electric and magnetic response to sound: A review and an analysis of the component structure. *Psychophysiology*, 24, 375-425.
Rugg, M. D. (1990). Event related potentials dissociate repetition effects of high-and low-frequency words. *Memory & Cognition*, 18, 367-379.
Schupp, H. T., Junghöfer, M., Weike, A. I., & Hamm, A. O. (2004). The selective processing of briefly presented affective pictures: An ERP analysis. *Psychophysiology*, 41, 441-449.
Sergent, C., Baillet, S., & Dehaene, S. (2005). Timing of the brain events underlying access to consciousness during the attentional blink. *Nature Neuroscience*, 8, 1391-1400.
Squires, N. K., Squires, K. C., & Hillyard, S. A. (1975). Two varieties of long-latency positive waves evoked by unpredictable auditory stimuli in man. *Electroencephalography and Clinical Neurophysiology*, 38, 387-401.
Sutton, S., Braren, M., Zubin, J., & John, E. R. (1965). Evoked-potential correlates of stimulus uncertainty. *Science*, 150, 1187-1188.
飛松省三（2005）．早わかり誘発電位（3）．臨床脳波，47，717-726.
Van Petten, C., Kutas, M., Kluend, R., Mitchiner, M., & McIsaac, H. (1991). Fractionating the

word repetition effect with event-related potentials. *Journal of Cognitive Neuroscience*, **3**, 131-150.

第5章 認知活動との関連を探る2：時間周波数解析

金山範明

　本節では，時間周波数解析の簡単な原理解説およびEEGLAB，MATLABでの計算の仕方，出力の見方の解説などを行う。

1 脳波を検討する上での周波数という概念の考え方

　生理心理学および認知神経科学における脳波の歴史を繙いてみると，今日主流である事象関連電位の加算平均波形の解析に先立って，周波数帯域の異なる波を解析する周波数解析が行われていたことがわかる。リラックスした状態や閉眼時に出現するアルファ波，計算や注意を要する課題を行うと出現するFmシータ波，運動に関連するとされるミュー律動など，周波数帯域や出現部位の違いにより脳活動の種類を弁別することができるため，研究対象としての有用性が認められてきた。また，周波数解析は，脳波データに混入してしまった脳波以外の電位変化（アーティファクト）の弁別にも有用である。
　では，前述の「周波数帯域の異なる波を解析する」とはどういうことだろうか。イメージとしては，異なる用途の糸，たとえば，毛糸，釣り糸，USBケーブルが，散々に絡まった状態で与えられたとして，それらを使いたいのでその特徴が知りたい，というような状態である。毛糸ならどんな色なのか，釣り糸なら強度はどうか，USBケーブルなら長さはどのくらいか，など。こうした特長をすべてが絡まった状態で判別するのは難しいので，丁寧に解きほぐしてやり，それぞれの特徴を個別に確認してやればよい。実際に一つの電極から収録された波形は，周波数という基準で，速い周期の波，遅い周期の波に分けることができ，それらが無数に組み合わさっていると考えられる。これを絡んだ糸を解きほぐすように，各周波数帯域の波に分解すれば，並列に起こっている異なるリズムで働く脳機能を独立に検討できるかもしれない。このように脳波を周波数分解することが，新しい脳機能の発見に役立つ場合がある。また周波数

解析を行えば，脳波信号の振幅を反映するスペクトラムパワー（スペクトラと同義）値と，神経活動のタイミングを反映するとされる位相値とに分離することもできる。

なぜ「時間」周波数解析か

　以上では周波数解析の利点ばかり述べたが，一方で大きな欠点もある。それは，いつその反応が起こったかという情報（時間分解能）を失うため，処理の時間的な順序や反応時間を検討したい場合には不適切であるということだ。脳波の大きなアドバンテージである時間分解能を失うことは，脳波を使って研究をする意義を失わせるくらいの大きな問題であり，この意味で周波数解析の使用はかなり限定的であったと言えるだろう。一方で，「時間」周波数解析は，時間分解能を保ったまま周波数解析を行おうという趣旨の解析法である。

　以下には，周波数解析と時間周波数解析の基礎的な原理を解説する。初学者にとっては難解な部分もあるかもしれないが，結果として出てくるスペクトラムパワー値，位相値とは何か，ということを理解するのは非常に重要である。また，その結果の出方に影響を与えるサイクルなどの概念を理解することは，時間周波数解析を使いこなす上で必要であり，この解析法を用いたデータを論文化しようとする研究者に降りかかる主要な課題となるだろう。必要な部分だけに絞り，できるだけ平易に解説したので，理系科目に縁のなかった読者も少し頑張って読んでみてほしい。一方で，厳密には数学的に正しくない表現もなされているが，そうした点は専門書で補うのがよいだろう。

周波数解析の理解

　第一に，周波数解析を理解するために，フーリエ変換という手法を理解する必要がある。フーリエ変換では，生体信号のような不規則な波形も様々な周波数帯域の規則的な波の合成波であると考え（図5-1），これを周波数ごとのサイン波とコサイン波に分離する。こうすることによって，各周波数帯域のスペクトラムパワー値と位相値を算出することができる。より具体的には，各周波数帯で振幅値が1のサイン波を用意し，ある解析対象の信号に対して，そのサイン波を何倍（あるいは何分の1）にすると最も近い波形になるか（振幅の強さを表

第 5 章　認知活動との関連を探る 2：時間周波数解析

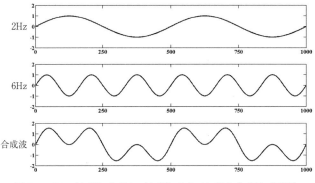

図 5-1　2Hz（上段）と 6Hz（中段）のサイン波の合成波（下段）

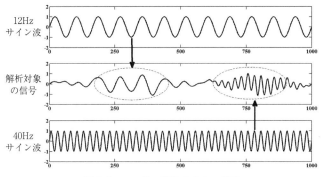

図 5-2　フーリエ変換のイメージ図
対象の波形に対し，各周波数のサイン波を当てはめ，その波形全体で対象とした周波数の振幅と位相を算出する。上段の周波数 12Hz のサイン波は，波形の前半部分に対応する反応があり，下段の周波数 40Hz のサイン波は，中盤の激しく波打っている部分に対応しているが，対象とした区間全体における平均的な値を算出するため，上記 2 種類の周波数の振幅値の時間的な違いは無視される。

すスペクトラムパワー値），そしてサイン波の位相からどれだけずれているか（振幅の出現位置を表す位相値）を，周波数ごとに算出している（図 5-2）。たとえば，シールドルームを使わないで脳波を収録した場合などは，解析対象とした波形の中に 50Hz（地域によっては 60Hz）の商用電源ノイズが常に混入しているため，フーリエ変換を行うと 50Hz の周波数帯域のスペクトラムパワー値は高い値を示す。また，正しく脳波が測定できていれば，10 〜 12Hz のアルファ波に相当する周波数帯域も信号内に多く含まれるため，他の周辺帯域（12 〜 20Hz や 3 〜

127

II 脳波解析の実際

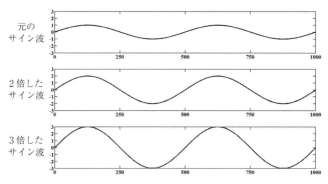

図 5-3 サイン波にいくら定数をかけても位相が変化しない様子
上段が 2Hz のサイン波，中段が 2Hz のサイン波を 2 倍したもの，下段が 2Hz のサイン波を 3 倍したもの。振幅は大きくなっているが，どれも横軸（時間）0 の時に縦軸（振幅）も 0 となっており，位相は変化していないので，縦軸のスケールを変えれば全く同じ波形に見えてしまう。

8Hz くらいの帯域）よりもスペクトラムパワー値が高まる傾向にある。ただし，このフーリエ変換を用いた周波数解析では，時間的に振幅の変化がないサイン波を用いる。そして，それを対象の信号全体にかけ合わせて，その全体においてどの程度の振幅であったかなどを計算するので，解析対象の中でどの時間帯に強くその信号が含まれていたかを検討することができない（図 5-2）。これは従来の周波数解析における限界である。

スペクトラムパワー値は，単純にその振幅の大きさであるため，振幅 1 のサイン波の何倍にあたるか，ということだけで表すことができる。ある周波数におけるサイン波とコサイン波は，それぞれ位相が 0 と $1/2\pi$ に固定されており，いくら定数倍してもその位相は変化しない（図 5-3）。つまり，振幅の上下するタイミングがいつも同じという仮定を置いている。一方で，実際の脳波データでは，各波形の現れるタイミングが必ずそうである（位相が 0 か $1/2\pi$ の波形にピッタリ合う）保証は当然ない。よって，位相のずれた波を表現する必要があるが，これにはサイン波とコサイン波の「合成波」を用いる。なぜなら，合成することで位相をずらす，つまり振幅のピークの時間帯をずらすことができるからだ（図 5-4）。これで，いつ，どのくらいの振幅が現れるのかを表現する。

スペクトラムパワー値は，振幅の積分値（2 乗して足したもの）であり，単位は μV^2（マイクロボルト 2 乗）である。よって，極性（波が正負——上下，陰陽とも

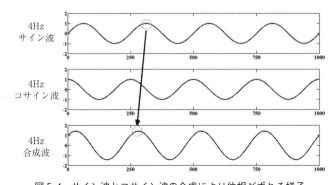

図 5-4　サイン波とコサイン波の合成により位相がずれる様子
上段が 4Hz のサイン波，中段が 4Hz のコサイン波，下段がその合成波。下段の合成波では上段のサイン波に比べ波形の頂点のくるタイミング（頂点潜時）がずれていることがわかる。このようにサイン波に適当なコサイン波を合成することで波の出現タイミングの違いを表すことができる。

言う——どちらの方向に振れているか）に関係なく，どれだけ波形が上下に大きく行ったり来たりしたかを表す指標と考えてよい。この指標は一般的に，脳内での処理量の上昇と結びつけて議論されることが多いが，厳密には様々な発生機序がある。一方で，波の極性や頂点潜時（波の頂点がどのタイミングで現れたか）のような時間情報は，波の位相として表現され，角度シータあるいはラジアンで表される。この指標により，ある刺激によって脳の活動のリズムが変化したかどうかを評価することができる。たとえば，2 種類の認知処理を比較した時，脳の処理タイミングに変化が生じている可能性がある。この場合，前述のスペクトラムパワー値には反映されないが，位相値を用いることで，神経活動のタイミングの変化を検討することができる。

時間周波数解析の理解

　前述のフーリエ変換では，解析対象となる波にサイン波あるいはコサイン波をかけて積分することで得られた係数から，振幅や位相を計算する。しかし，このサイン波やコサイン波は，無限に続く一つの波として計算を行うため，全時間ポイントのデータに対して，一つの結果しか出てこない。よって，周波数帯域の波の時間的な変化，つまり時間分解能が失われてしまう。そこで，基準になる波（基底関数という）として，時間とともに振幅が減衰し，やがてほぼな

II 脳波解析の実際

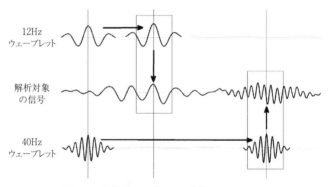

図 5-5　連続ウェーブレット変換のイメージ図
解析対象の波形に対し，各周波数のウェーブレットを連続的に当てはめ，各タイムポイントで振幅と位相を算出する。上段の周波数 12Hz のウェーブレットは，波形の前半から中盤に強く現れ，下段の周波数 40 Hz のウェーブレットは，後半の激しく波打っている部分に強く現れていることがわかる。

くなるような波を用いることで，ある時間的な区間のみに焦点を当てた周波数解析を行うのが時間周波数解析である。時間的に限定された幅を持つ波を移動させながら解析を行うことで，任意に設定したタイムポイント（たとえば，5ミリ秒毎など）で周波数スペクトラと位相情報を抽出することが可能となる。この方法は，各タイムポイントで（厳密には各周波数ポイントでも）連続的に振幅と位相の情報抽出を行っていくことから，連続ウェーブレット変換と呼ばれる。基準になる波として任意の「小さな波」（ウェーブレット：wavelet）を用いるのが特色であるため，この名前がついた。この連続ウェーブレット変換は，脳波を含む生体信号に適用する時間周波数解析の代表的な手法である。一方，脳波データへの適用に際しては，実用上その冗長性を排除した離散ウェーブレット変換を用いる（EEGLAB でも離散を用いている）が，計算の速さやデータ容量の抑制のためだと覚えておけば，ここでは厳密な数学的違いは理解する必要はないと考える。連続ウェーブレット変換のイメージを，図 5-5 に示す。解析対象の信号に対し，各周波数帯のウェーブレットを作成し，各タイムポイントでそれらを当てはめる（積分する）ことで，周波数スペクトラと位相情報を抽出している。

　この解析では，ウェーブレットの時間窓は任意に設定することができ，長い窓を取れば周波数分解能がよくなる代わりに時間分解能が落ち，短い窓を取ればその逆となる。このトレードオフは「不確定性の原理」と呼ばれ，時間情報

と周波数情報に関して，同時に精度を上げることは原理的に不可能である。

以下に，脳波解析で一般的に用いられているモルレー（Morlet）のウェーブレットを呈示し，サイクル数の設定によりウェーブレットがどのように変化するかを解説する。モルレーのウェーブレットは，波が滑らかで，生体反応として現れてくる波形に似ていることから用いられているが，特に生体信号解析に妥当であるという確固たる基準があるわけではない。

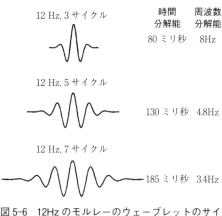

図 5-6　12Hz のモルレーのウェーブレットのサイクルを変化させた様子

すべて12Hzと同一周波数だが，サイクルを3，5，12と変化させると，その分，幅が広がっていく様子がわかる。このウェーブレットの幅は，一つの解析ポイントに用いる時間窓を表現しているため，時間分解能として解釈することができる。

ウェーブレットは，周波数とサイクルによって形が決められる。ここでは，周波数とサイクルを独立に設定することができ，それにより，時間および周波数分解能を調節することができるということを理解できれば問題ない。図 5-6 に示したように，同じ周波数でもサイクルを変更することにより，その時間窓が異なる。これは，一つのタイムポイントの解析を行うために，前後どれだけの時間幅のデータを使用しているかを表している。たとえば，図 5-6 の上段は 12Hz，3 サイクルのウェーブレットであるが，時間分解能は約 80 ミリ秒程度である。ここでは，刺激呈示後 180 ミリ秒のデータを解析するのに，1 タイムポイント（80 ミリ秒）前の刺激呈示後 100 ミリ秒から，1 タイムポイント後の 260 ミリ秒程度までのデータを用いて検討することになる。低い周波数では，小さなサイクルを用いても時間分解能は非常に低いことがわかる。

一方で，同じ 3 サイクルのウェーブレットでも，周波数が高くなると，時間窓は小さなものになる。たとえば，40Hz のウェーブレットはその時間窓が 20 ミリ秒程度であり，このウェーブレットを用いれば，非常に高い時間分解能を得ることができる。しかしながら，サイクル数が小さい場合，たとえば 40Hz の波であれば 1 秒間に 40 回の振動があって初めて 40Hz であると言えるが，3

サイクルではそのうちの3回分の振動しか表していないことになる。これでは他の周波数との弁別が非常に難しくなるため，周波数分解能が極端に下がる。40Hz，3サイクルのウェーブレットでは，前後26Hz，つまり14Hzから66Hzまでの活動は弁別できないことになってしまう。よって，サイクルは周波数ごとに変化させ，適切な時間周波数分解能を保って解析することが望ましい。妥当なサイクルの設定に関する詳細は，後述される「EEGLABによる時間周波数解析」で解説する。

2　時間周波数解析を行う意義

　時間周波数解析によって，電気生理学の最大の武器である時間分解能を生かしつつ，周波数解析を行うことが可能となった。ここでは，脳波の周波数分解自体の意義や，それに時間分解能を求めることの意義を確認する。

　ここで主に想定している脳波は，頭皮上に貼り付けた電極から収録した波形である。これは，硬膜下皮質電位計測（Electrocorticogram: ECoG）のような侵襲的計測法により測定されたデータと比較すると，様々なアーティファクト（まばたき，眼球運動，筋電，装置のゆれなど）が重畳するため，アーティファクトに対して，見たい信号が含まれている割合（信号雑音比）が低くなることは避けられない。しかし，アーティファクトの周波数特性がわかっていれば，周波数解析によってその影響を分離して検討することができる。さらに，事象関連電位（Event-Related Potentials: ERP）を算出する過程で加算平均を行うが，この処理は脳波の中から低い周波数かつ刺激呈示タイミングに位相が固定された電位変動を抽出しているのであって，これも一種の周波数分解と考えることができる。平均加算の過程において，位相のそろいにくい高周波の活動は基本的に相殺されるため，筋電位や商用電源ノイズの周波数帯域である高周波成分のフィルタリングを行っているに等しいのである。

　このように，ある周波数にはこのアーティファクトがのるだろうという経験則に基づいて，検討する周波数帯域を絞るという処理は，周波数解析を使わずともすでに行われている。これと同じように，ある周波数にはこのような認知活動が対応するだろうという経験則に基づいて，機能を分離することも当然可能であると考えられる。その際，ある神経活動が起こるとそれがどのような頭

皮上脳波となって現れるか，というメカニズムがある程度明らかであることが望ましい。次の項では，この頭皮上脳波と神経活動の関連について解説する。

周波数と生理学的な基盤

　周波数に分解することに本当に意味があるのかという点を検討する上で，第一に重要な観点は，他の脳活動の指標との関連性である。ここではまず，近年爆発的に普及したfMRIを用いた脳機能イメージングとの関連性を示す。fMRIで計測される信号は，神経活動の結果生じる血流の増加を反映している（Ogawa et al., 1992）。したがって，fMRIによって観察される現象は，神経活動そのものではなく，その結果生じる二次的な生理反応である。また，計測される信号自体が血流動態反応であるため，立ち上がりからピークに達するまでに数秒要するなど，時間分解能は低く，神経活動の時間的な変化を捉えるのには適していない。一方で，fMRIは高い空間分解能を持つため，時間分解能に優れた電気生理学的な計測と相補的に用いることで，認知神経科学における有用性を高めることができる。では，その関連はどのようなものなのか。たとえば，Niessing et al., (2005) の研究では，光学計測による脳血流反応の計測と，頭蓋内に電極を設置して脳波を計測するlocal field potential（LFP）を用いてその相関関係を検討した結果，高周波（ガンマ波）のパワーと脳血流反応の値が0.3～0.4程度の正の相関を示し，低周波の振幅値とは0.2以下の弱い負の相関を示すことがわかった。この研究は，時間周波数解析によって脳波と脳血流反応との対応関係を確認することができたという一つの例である。

　また，マカクザルの電気生理学的研究（Lee et al., 2005）によれば，記憶の保持中にはLFPのシータ波の活動が高まり，課題終了とともに減退すると報告されている。しかも，記憶保持課題において解答に失敗した場合，成功した場合に比べ，その活動は減退していた。このことから，シータ波の活動は記憶保持と関連すると考えられる。さらに，このシータ波の位相と，単一ニューロンから計測された神経発火のタイミングを検討すると，ある領域の神経発火が起こった時に，それに少し遅れて毎回シータ波の頂点振幅が現れることがわかり，単一ニューロンの活動とLFPは周波数依存的な関係を持つことが示唆された。

　脳波の周波数成分と神経伝達物質との関連性も明らかにされてきている。セ

ロトニン受容体作動薬およびその拮抗薬をラットに投与し，単一の細胞から脳波を計測した研究によれば，シータ波の活動は，拮抗薬を投与した際にはっきりと減退し，関係のない薬剤の投与では何の影響も現れなかった。このことは，脳波の低周波帯域活動が，特定の神経伝達物質のシナプス間隙における量と対応している可能性を示唆する。一方，高周波帯域においては，ガンマ波がGABA性の神経伝達と関連があることが示されている。Chen et al.（2014）は，健常者に比べて記憶課題の成績の低い統合失調症患者では，課題中のガンマ波の振幅が低下しており，その振幅は左背外側前頭前野のGABAレベルと相関することを報告している。また，何かを覚えようとしている時のガンマ波のピーク周波数が，GABAレベルおよび記憶課題成績と相関していたことも報告しており，GABAという神経伝達物質とガンマ波の関係の深さを示唆している。

　ここまで様々な脳反応指標と脳波の関連性を示してきたが，これらの多くは頭蓋内で収録された脳活動である。一方で，頭皮上から収録した脳波ではどうだろうか。Juergens et al.（1999）は，視覚の研究でよく用いられる正弦波格子刺激をマカクザルに呈示し，頭蓋内収録脳波と頭皮上脳波を収録したところ，どちらでも40Hz帯域に活動が見られたことを報告した。また，反復プライミングを用いた研究では，頭皮上脳波による測定でダイポール推定法により信号源推定を行った結果，反復された刺激に対して200〜300ミリ秒の時間帯で新奇刺激と異なる活動が，内側側頭葉に観測された（James et al., 2009）。この課題と同様の課題をてんかん患者に対して行い，頭蓋内で脳波を収録したところ，内側側頭葉付近の活動で同様の傾向が見られた（Nahum et al., 2011）。どちらの研究でも周波数帯域の検討はされていないが，ERP波形として現れていることから，低い周波数の活動と考えてよいであろう。頭皮上脳波の記録にはアーティファクトが混入するため，頭皮上脳波をそのまま脳神経活動（頭蓋内脳波）と見なすことはできないが，先行研究から両者の関連性は明らかであり，現在もさらなる解明が進められている領域の一つである。認知実験の歴史において，脳波は条件間の認知活動を生理的な指標で弁別するためのツールとして長く用いられてきたが，頭皮上脳波と頭蓋内脳波の関連性の解明により，今後は神経活動をより直接的に推定する指標として用いられる機会がますます増えていくだろう。

周波数と認知機能の関連

　周波数解析は，1929 年のハンス・ベルガーの研究で，8 〜 13Hz の電位変動をアルファ波，13 〜 20Hz の細かい電位変動をベータ波と命名し，それぞれアルファ波は閉眼安静時の活動，ベータ波は精神活動に集中している状態の活動と対応づけたことに始まる。アルファ波がどのような心的過程を反映するかの研究は現在も続いており，妨害刺激の処理（Kelly et al., 2006; Rihs et al., 2007），持続的注意（Sobolewski et al., 2011），視覚野のベースラインの活動（Romei et al., 2008a, b）などとの関連が見出されている。これらの研究においては，アルファ波のパワーの増大は，認知処理の中断あるいは待機状態の反映と解釈されてきた。同様に，Klimesch et al.（2007）は，認知や運動における抑制機能を反映する指標であると主張した。一方，Babiloni et al.（2002, 2003, 2005, 2006）の一連の研究では，痛みの呈示に先立ってアルファ波が減衰することが報告され，また，Onoda et al.（2006）によって，ネガティブな画像呈示前により強い減衰が起こることが報告された。これらの知見は，アルファ波が刺激の予測や準備状態を反映することを示唆する。

　ベータ波は，運動や体性感覚の処理と関連付けて研究されてきた。ハーバート・ジャスパーらが 1930 年代に発表した研究では，体性感覚刺激を与えた際に，視覚刺激によっては調節を受けなかった 25Hz 前後の周波数帯域のパワーが減退することが報告された。このパワー減衰は，体性感覚の入力が脊髄後角の白交連の交叉を通って左右が逆転する経路をたどることと対応して，刺激呈示部位の反対側の電極で観測された。これらを受けて，Jasper & Penfield（1949）は，中心前野に観測されるベータ波は，運動野のアイドリング（次の刺激に備えて活動を保っている）状態を反映すると主張している。Pfurtscheller らの一連の研究では，運動開始 2 秒前から，20Hz 前後のベータ波と 10 〜 12Hz のミュー律動が連動して減衰し，さらに，ベータ波は運動開始後にパワーが上昇することも明らかになっている（Stancák & Pfurtscheller, 1995, 1996a, b; Pfurtscheller et al., 1996）。それ以外にも，fMRI の BOLD 信号と相関解析を行った研究によれば，17 〜 23Hz のベータ波が，前部帯状回，側頭・頭頂連合野，背内側前頭前野の活動と正の相関があったことを踏まえ，休息状態におけるアクティブな認知処理を反映しているという主張もある（Laufs et al., 2003）。さらに顔の認知において，

親近性があるかどうかを弁別する指標となる可能性を示唆した研究も行われている (Özgören *et al.*, 2005)。

シータ波以下の比較的遅い波は，睡眠との関連で検討されている (堀, 1997; Rechtschaffen & Kales,1968)。睡眠段階の評価として，徐波と呼ばれるおよそ2〜7Hzの脳波の出現が，ノンレム睡眠の開始を示すとして定義づけられている。これに続く睡眠段階の浅い段階では，睡眠紡錘波（スピンドル：spindle）と呼ばれる12〜14Hz程度の周波数の活動が現れ，これがだんだんと遅い周波数（狭義の徐波，3Hz以下のデルタ波）になっていくことによって，睡眠段階が深まっていくとされている。このように，睡眠脳波の観点からすると，認知活動の停止に伴って，周波数の低い活動が現れてくるように考えられるが，実際はそれだけではない。Fmシータ波と呼ばれる脳波成分は，6〜7Hzの周波数帯域に見られるが，こちらは逆に認知活動が行われている際に観測されるものであると考えられている (Inouye *et al.*, 1994)。数字や図形を用いた計算問題などの精神活動を行わせている間，この成分は強弱を繰り返しながらしばらく続いて観測される (Ishihara & Yoshii, 1972)。Fmシータ波は，その典型的に観測される部位が前頭部であることから (Ishii *et al.*, 1999)，Frontal-midlineの頭文字を取ってFmシータ波と呼ばれているが，実際には帯状皮質を起源とするという報告がある (Colom *et al.*, 1988; Talk *et al.*, 2004)。前頭葉の活動ということで，選択的注意 (Asada *et al.*, 1999)，記憶の記銘や想起処理 (Asada *et al.*, 1999; Klimesch *et al.*, 1994, 1996)，ワーキングメモリ (Gevins *et al.*, 1997, 1998) などを反映するという報告がなされており，一般的な高次認知を反映している可能性が考えられる。記憶機能との強い関連性から，海馬が起源であるシータ活動も検討されている (Halgren *et al.*, 1978; Isokawa-Akesson *et al.*, 1987)。さらに，齧歯動物では，Fmシータ波と海馬起源のシータ波は同期して活動する可能性があることが報告されており (Hyman *et al.*, 2005; Jones & Wilson, 2005; Young & McNaughton, 2009)，人間でも同様の現象が存在し，皮質間の機能連結を反映している可能性があるのではないかと考えられている。

ガンマ波に関する議論は，比較的新しい。猫を被検体として視覚野の頭蓋内脳波計測を行った研究で，40〜60Hzの活動が，ある方向を向いた視覚刺激において強く起こることを明らかにしたGray *et al.* (1989) の研究から，主に視覚

反応に対応する活動として検討が始まった。ここでは，いくつかの方向に対応する細胞が同じタイミングで活動をしていることから，ある皮質部位における脳活動の位相同期（活動タイミングの一致）が，視覚処理の様々な特性の知覚に関与している可能性が示唆された。さらにこうした結果を受けて，時間的相関関係仮説として，脳のミリ秒単位での神経発火タイミングの同期が，視覚的な特徴の統合処理を行っていて，何かを知覚する際に重要な役割を果たすという考え方が呈示されるようになる（Singer & Gray, 1995）。また，連合学習時にガンマ帯域の活動が上昇し，かつ収録電極間で位相が同期する報告もなされ（Miltner et al., 1999），各皮質部位で処理されている情報の統合処理をガンマ波の上昇とその位相同期によって行うのではないかという主張もなされるようになった。Melloni et al.（2007）の研究では，ある視覚刺激が意識的に知覚された場合，意識に上らなかった場合に比べて，ガンマ波の活動が上昇し，その部位間位相同期も強くなることが明らかになっている。その他にも，高周波帯域の活動が，言語処理（>30Hz：Pulvermüller et al., 1996），選択的注意（Tiitinen et al., 1993）などにも反映されることが報告されており，一貫して高次な認知処理を反映する可能性を示している。しかしながら，やはり研究知見の蓄積が乏しいこと，原理的に高周波の活動が頭皮上まで現れにくいことから，議論の多い成分であると言える。

以上で見てきたように，脳波信号の周波数分解は非常に有用であり，その時間変化を検討することで新たな知見が得られる可能性は高い。では，こうした解析法はどのように行うのであろうか。近年一般的になってきたとはいえ，単純な加算平均法に比べ，その算出方法が複雑であることは否めない。以下では，モルレーのウェーブレットを用いた連続ウェーブレット変換による時間周波数解析法を，実際に EEGLAB 上でどのように行うのかを紹介する。

3　EEGLAB による時間周波数解析

ここでは，第3章で前処理を施したデータに対して，時間周波数解析を行う手順を紹介する。本節のチュートリアルを開始するには，前処理後のファイル（separated_datasets.zip）を本書ウェブサイトからダウンロードし，第4章と同じ

MATLABフォルダ（C:\Users\ユーザ名\Documents\MATLAB\）に解凍する。separated_datasetsという名のフォルダが作成され，中に計8個のファイル（.setが四つ，.fdtが四つ）が入っていることを確認する。このうち，sub01_standard.setをEEGLABに読み込んで使う。EEGLABメニューから，**File-Load existing dataset**をクリックしてファイルエクスプローラを開き，該当するファイルを選択して，**開く**をクリックする。この状態で，#1：sub01_standard.setがアクティブな（選択されている）データセットとなっている。以降は，EEGLAB上のデータセット#1にsub01_standard.setが読み込まれ，アクティブなデータセットとなっていることを前提に記述を進めていく。

時間周波数スペクトラムパワーマップの表示

時間周波数スペクトラムパワーマップでは，振幅の強さおよび試行間位相同期（試行を通じて出現タイミングが一致しているかどうか）を各周波数成分に分解して表示する。たとえば，課題中アルファ波がどのタイミングで現れてくるかなど，特定の周波数の活動に興味があり，かつその時間的な変化を検討したい場合などに用いる。振幅を事象関連スペクトラムパワーマップ（Event-Related Spectrum Perturbation (or Power): ERSP）で，位相同期を試行間位相同期（Inter Trial (Phase) Coherence: IT (P) C）や部位間位相同期で表す。ここでは主に，個人のデータセットにおいてどのような反応が出ているかを確認する際の方法を紹介する。

EEGLABメニューから，**Plot-Time-frequency transforms-Channel time-frequency**で時間周波数解析の結果をプロットするための設定ウインドウが開く（図5-7）。独立成分分析（ICA：第3章第3節，第6章参照）適用後であれば**Component time-frequency**から独立成分の時間周波数スペクトラムパワーマップの表示が可能である。

以下に，設定ウインドウ（図5-8）で行うことのできるパラメータの意味を記述していく。必ずしもすべてのオプションを設定する必要はないので，とりあえず流れを確認したい場合には，**Channel number**に「19」を入力，**Frequency limits**に「3 40」と入力，また**Frequency limits**のプルダウンメニューから**padding 4**を選択，**Wavelet cycles**を「2 0.5」として出力を行い，後述「出力

第5章 認知活動との関連を探る2：時間周波数解析

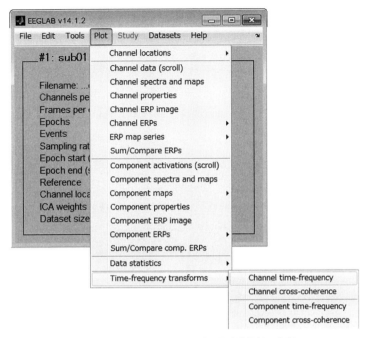

図5-7 メニュー画面からの時間周波数解析の実行

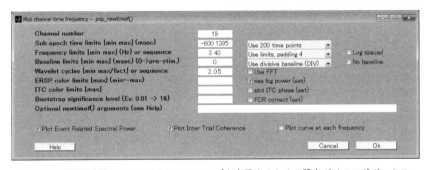

図5-8 時間周波数スペクトラムパワーマップを表示するための設定ダイアログボックス

の見方」を参照されたい。以下に各オプションの説明を行う。

Channel number：解析対象とする電極番号を入力する。独立成分に対して行う場合は解析対象とする独立成分の番号を入力する。

Sub epoch time limits [min max] (msec)：解析対象とするエポックの時間

139

窓。デフォルトでは作成したエポック全体が対象として表示されている。プルダウンメニューから，設定した時間窓をいくつのタイムポイントに区切るかを設定する。たとえば，刺激呈示後-600 ミリ秒から 1200 ミリ秒までの範囲を解析対象とし，**Use 200 time points** とした場合は，全区間から解析窓（ここでは仮に 400 ミリ秒とする）の長さを引いた 1400 ミリ秒を 200 に分割して計算するため，7 ミリ秒幅で解析が行われる。より細かい時間分解能を求める場合は，出力するタイムポイントを多くすればよいが，それだけ計算量・出力されるデータ量が増える。

　Frequency limits [min max]（Hz）or sequence：解析対象とする周波数帯域の下限と上限を設定する。あるいは，解析対象とする周波数を系列的にすべて入力する（たとえば，3，4，5Hz を検討したい場合は，「3 4 5」あるいは「3：5」のように入力する）。プルダウンメニューでは，出力の際の細かさを，1～4 までの **padding** の値により設定する。**padding** の値は高いほど目の細かいマップを表示する。周波数を系列的に入力した場合は，このプルダウンメニューの一番下にある **Use actual freq.** を選択する。**Log spaced** のチェックボックスをオンにすると，表示する縦軸の周波数が対数表示される。

　Baseline limits [min max]（msec）(0 -> pre-stim.)：ベースラインとして用いる時間窓を設定する。ベースライン区間のパワーや位相の平均が，ベースライン以外の区間から差分される。「0」を入力すれば，刺激より前の区間をすべて選択したことになる。**No baseline** のチェックボックスをオンにすると，ベースライン補正を行わない値が算出される。

　Wavelet cycles [min max/fact] or sequence：適用するウェーブレットサイクルを設定する。この値が高いと，周波数分解能が高くなり，時間分解能が低くなる。min として設定した値は，**Frequency limits** で設定した最も低い周波数に適用され，max として設定した値は **Frequency limits** で設定した最も高い周波数に適用される。**Frequency limits** と同様，系列的に入力することも可能である。また，max の値を「1」以下にすることで，サイクルを上昇させるステップを設定することもできる。「3 0.5」で最低サイクルを 3 とし，周波数ステップごとにサイクルを一定ずつ上昇させるという意味である。この時の 0.5 は高いほど最高サイクルを低くする，減衰率のようなものである。高い周波数

帯域においても低い周波数帯域と同じサイクルを用いると，時間／周波数分解能比が周波数に依存して大きく異なってしまう。これに対処するには，低周波帯域ではサイクル数を少なく，高周波低域ではサイクル数を多くするのがよい。

ERSP color limits [max]（min=-max）：ERSPとして算出されるスペクトラムパワー値は，時間周波数の二次元のマップに，色の違いでそのパワーの強さを表す形で表示される。その色に対応させるパワー値の上限・下限を設定する。この場合，上限のみを入力し，下限は自動的に「上限にマイナスをつけた値」で設定される。**See log power**のチェックボックスをオンにすると，対数を取った値で表示される。

ITC color limits [max]：ITCとして算出される位相の試行間一致度の値は，ERSPと同様，時間周波数の二次元のマップに，色の違いでその一致度の強さを表す形で表示される。試行間一致度は，0から1までの値で表され，1に近いほど試行間で位相が一致していることを表す。具体的には，ERP波形の頂点潜時が，すべての試行で完全にそろっていた場合は1を示し，全くバラバラであった場合は0を示す。どの試行でも同じタイミングで活動が行われているかどうかの指標となる。**Plot ITC Phase**のチェックボックスをオンにすると，符号（正負）付きで表示される。

Bootstrap significance level（Ex: 0.01 -> 1%）：表示するマップのうち，ブートストラップ法による統計にかけ，有意とならなかったピクセルをマスクし，有意となったピクセルの値のみを表示する。この場合の有意とは，ベースラインから有意に上昇が見られたかどうかの検定で，ブートストラップ法における反復回数は，後述の詳細な設定を行わない場合，デフォルトで200回に設定されている。

Optional newtimef ( ) arguments（see Help）：詳細な設定をしない場合は，空欄とする。

Plot Event Related Spectral Power：チェックボックスをオフにすると，スペクトラムパワーが表示されなくなる。デフォルトでオンになっているため，試行間位相同期の値のみを表示したい場合以外は，特に変更する必要はない。

Plot Inter Trial Coherence：チェックボックスをオフにすると試行間位相同期が表示されなくなる。デフォルトでオンになっているため，スペクトラム

パワーのみを表示したい場合以外は，特に変更する必要はない。

Plot curve at each frequency：チェックボックスをオンにすると，スペクトラムパワーも試行間位相同期も折れ線グラフで表される。この際，周波数は**padratio**の区分に従って，各周波数に対して1本ずつの折れ線グラフを表示する。また，この場合，上記のBootstrap significance levelで説明した統計解析の結果，有意な区間が灰色のハイライトで表されるが，どの周波数に対する統計値にもとづいているのかわからない。検討周波数が多い場合は見づらいので，「7Hzと12Hzの値のみ見たい」など，限られたいくつかの周波数に対してプロットしたい場合にのみ有効であると考えられる。

部位間位相同期マップの表示

部位間位相同期マップは，二つの信号間に位相同期（出現タイミングの一致）が存在するかどうかを検討する際に用いる。たとえば，前頭に設置した探査電極におけるアルファ波と，後頭に設置した探査電極におけるアルファ波との間に関連があるかを調べたい場合などに用いる。ここで行われる部位間位相同期の計算は電極間で行われるため，同じ信号源を持つ一つの活動が二つの電極に同期して現れている現象を検討してしまう可能性がある。この場合，二つの（脳）領域間で信号の同期があった（関連が見られた）と判断することは間違いであるため，電極データを用いた部位間位相同期マップの検討には注意が必要である。独立成分に分離された後の信号間で用いる場合や，推定された複数の信号源における信号間などに用いるほうがより適切である。

EEGLABメニューから，**Plot-Time-frequency transforms-Channel cross coherence**で，部位間位相同期の結果をプロットするための設定ウインドウが開く。独立成分分析の適用後であれば，**Component cross coherence**から独立成分間の位相同期の結果を表示することが可能である。

以下に，設定ダイアログボックス（図5-9）で行うことのできる設定を記述していく。こちらも，出力を確認したいだけの場合には，以下の設定で**Ok**を押した上，「出力の見方」を参照されたい。まずは，**First channel number**に「17」，**Second channel number**に「19」を入力する。それ以外は前項の「時間周波数スペクトラムパワーマップの表示」と同様にすればよいが，ウインドウ

第5章　認知活動との関連を探る2：時間周波数解析

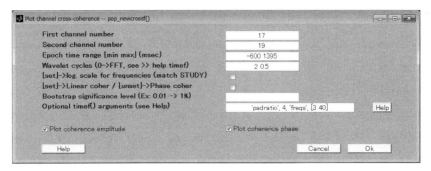

図5-9　部位間位相同期マップを表示するための設定ダイアログボックス

の構成が多少異なるため，Wavelet cycles を「2 0.5」とするほか，Optional timef ( ) arguments のテキストボックス内に「'padratio', 4, 'freqs', [3 40]」と打ち込む必要がある。この設定で出力すると，前項で行った出力に対応する設定の部位間位相同期マップ出力が得られる。

　First channel number：解析対象とする一つの電極番号を入力する。独立成分に対して行う場合は解析対象とする一つの独立成分番号を入力する。

　Second channel number：解析対象とするもう一つの電極番号を入力する。独立成分に対して行う場合は，解析対象とするもう一つの独立成分番号を入力する。

　Epoch time range ［min max］（msec）：解析対象とするエポックの時間窓を設定できる。デフォルトでは，プリプロセスで作成したエポック全体が対象として表示されている。時間周波数スペクトラムパワーマップと同様である。

　Wavelet cycles（0 -> FFT, see >> help timef）：適用するウェーブレットサイクルを設定する。時間周波数スペクトラムパワーマップと同様である。

　[set] -> log. scale for frequencies（match STUDY）：チェックボックスをオンにすると，表示する縦軸の周波数が対数を取った値で表示される。時間周波数スペクトラムパワーマップにおける Log spaced のチェックボックスと同様である。

　[set] -> Linear coher / [unset] -> Phase coher：チェックボックスをオンにすると，位相の値が表示される。時間周波数スペクトラムパワーマップにおける Plot ITC Phase のチェックボックスと同様である。

Bootstrap significance level（Ex: 0.01 -> 1%）：表示するマップのうち，ブートストラップ法による統計にかけた後，有意とならなかったピクセルをマスクし，有意となったピクセルの値のみを表示する。時間周波数スペクトラムパワーマップと同様である。

Optional timef ( ) arguments（see Help）：時間周波数スペクトラムパワーマップと異なり，padratio はここで設定することになっている。デフォルトで表示されている「1」を2のべき乗の値に変更することで，周波数の区切りの細かさを設定する。その内容は時間周波数スペクトラムパワーマップと同様である。また，周波数の設定ボックスがダイアログボックス（図5-9）内に存在しないため，ここで「'freqs', [3 40]」のように見たい周波数帯域を指定する必要がある。指定をしない場合は，デフォルトでサイクルなどの設定に基づいて計算された下限から，40Hzまでを上限として表示することになっている。**padratio**に加えて（二つ以上のオプションを）設定する場合は，その間をカンマ「,」とスペース「 」でつなぐ。それ以外の詳細な設定をしない場合は，そのままにしておく。

Plot coherence amplitude：チェックボックスをオフにすると，振幅値の相関値を表示しない。

Plot coherence phase：チェックボックスをオフにすると，位相の相関値を表示しない。

出力の見方

チュートリアル用データセット（sub01_standard.set）を用いて，時間周波数スペクトラムパワーマップをデフォルトの設定のまま表示すると，設定した順番における一つ目の電極の解析結果が表示される。試しに19番目の電極である Pz を選択し（Channel number に「19」を入力），対象周波数を3Hzから40Hzまでに指定する（Frequency limits に「3 40」と入力）。また，スムーズなマップを書くために，padding の設定を4にして（Frequency limits のプルダウンメニューから padding 4 を選択），サイクルを「2 0.5」として出力を行った（図5-10）。ERSP（上段）とITC（下段）がそれぞれ表示され，縦軸が周波数，横軸が時間となっている。図5-10には，頭頂部のPzに当たる場所に設置された電極から

第5章 認知活動との関連を探る2：時間周波数解析

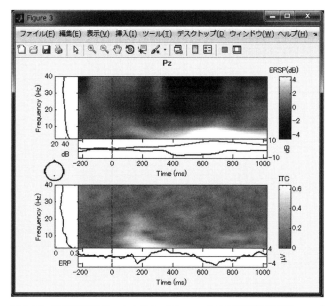

図5-10 時間周波数スペクトラムパワーマップと試行間位相同期マップの表示例

上段に事象関連スペクトラムパワー（ERSP）マップ，下段に試行間位相同期（ITC）マップがそれぞれ示されている。どちらも縦軸は周波数（Hz），横軸は時間（ミリ秒：ms）で，マップ上の色が各時間周波数点における値を表す。ここでは黒から白までで，白が最も高い値を示している。マップ中の縦方向の点線は，エポックを作成する際に，オンセット（時間的に0）として指定した点である。ここでは刺激の呈示時点である。中央左に，頭皮上電極位置が図示されている。各マップ下端にある折れ線グラフは，全周波数ポイントの値を時間ポイントごとに平均した場合の時間的な変化の曲線であり，左端にあるものは全時間ポイントの値を周波数ポイントごとに平均した場合の周波数ごとの違いを表す曲線（周波数解析におけるスペクトラムパワーマップ）である。上段のERSPでは値はdBで表され，下段のITCマップでは0（同期なし）から1（完全同期）までの位相同期の指標が，各右端にあるカラースケールバーに従って示されている。

収録されたデータの，-600ミリ秒から1395ミリ秒までのエポックすべてに対して解析を行った結果が表示されている。使用したウェーブレットのサイクルにより，適切な時間窓分のデータがエポックの前後から削除されており，実際に示されているのは約-200ミリ秒から約1000ミリ秒までである。表示されている色は，右上のカラースケールに対応している。この場合，設定したベースラインに対して，白は強いパワー値の上昇，黒は強いパワー値の減退を示したことを表している。今回のデータによれば，刺激呈示から約200ミリ秒くらい，

また 400 〜 800 ミリ秒くらいの時間帯域に，10Hz 以下の周波数帯域で強いパワー値の上昇が見られる。下段に目を移すと，200 〜 400 ミリ秒くらいの時間帯に試行間位相の同期が見られる。その時間周波数成分が個人の特徴によって得られたものでなければ，グループレベルの解析（実験参加者全員の平均をとった場合など）でも同じような結果が得られると考えられる。

一方で，図 5-11 には，部位間位相同期のマップを時間周波数スペクトラムパワーマップと同じ設定で表示させたものを示した。図 5-10 で行った設定と異なるのは，電極を 17（Fz）と 19（Pz）の 2 極，選択することである。図 5-11 でも，中段折れ線グラフの左右端に二つの頭の図が示されており，それぞれ点が別の位置に表されている。これが **First channel number**，**Second channel number** として設定した電極になっている。独立成分間の同期を表示した場合は，各成分のトポグラフィーマップが表示される。時間周波数スペクトラムパワーマップと同じ設定にするため，**Wavelet cycles** を「2 0.5」とする。Frequency limits と padding は項目がないため，**Optional timef ( ) arguments** のテキストボックス内で設定する。padding を 4 にするには「'padratio', 4」という文字列を入力する。次のオプションを設定する前に，「, 」（カンマとスペース）で区切る。Frequency limits を 3 から 40Hz とするには「'freqs', [3 40]」と打ち込む。この設定で出力すると，前々項「時間周波数スペクトラムパワーマップの表示」で行った出力に対応する設定の部位間位相同期マップ出力が得られる。厳密には，ベースラインからの差分を表示するために **Optional timef ( ) arguments** に，「'baseline', [-300 0]」と入力することで，「時間周波数スペクトラムパワーマップの表示」と同様の反応傾向が見られるが，これは EEGLAB 開発者が，その指標が複素数であること，指標の意味の解釈を誤りやすいなどを理由に推奨していない。一方で，Cohen（2014）では，事象関連の反応を見るため，値を標準化して比較しやすくするためなどの理由で，ベースラインの差分を推奨していることもあり，研究者間で意見が異なる部分である。

上段の位相のコヒーレンスを見ると，高周波帯域で高い値を示していることがわかる。表示されている色は右上のカラースケールに対応しており，この場合，黒は強い位相同期の上昇，白は位相同期の減退を表している。

なお，位相同期について，同一電極における試行間の同期（ITC）と，複数

第5章 認知活動との関連を探る2：時間周波数解析

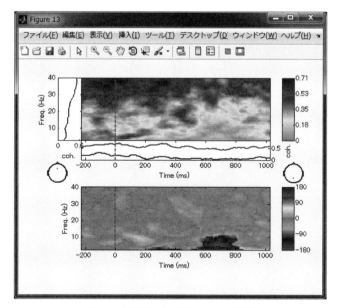

図5-11 部位間位相同期マップの表示例

上段に電極間同期の値，下段にはその角度表記されたものがそれぞれ示されている。どちらも縦軸は周波数（Hz），横軸は時間（ミリ秒）で，マップ上の色が各時間周波数点における値を表す。中央右に，二つ目の頭皮上電極位置が図示されている以外は，時間周波数スペクトラムパワーマップと見方は変わらない。

```
Using 2 cycles at lowest frequency to 13.3333 at highest.
Generating 200 time points (-226.6 to 1021.6 ms)
Finding closest points for time variable
Time values for time/freq decomposition is not perfectly uniformly distributed
The window size used is 149 samples (745 ms) wide.
Estimating 48 linear-spaced frequencies from 3.0 Hz to 40.0 Hz.
Processing time point (of 200): 10 20 30 40 50 60 70 80 90 100 110 120
 130 140 150 160 170 180 190 200

Now plotting...
>> eegh
[ALLEEG EEG CURRENTSET ALLCOM] = eeglab;
EEG = pop_loadset('filename','sub01_standard.set','filepath','C:\\Users\\dpnk\\Documents\\MATLAB\\separated_datasets\\');
[ALLEEG, EEG, CURRENTSET] = eeg_store( ALLEEG, EEG, 0 );
figure; pop_newtimef( EEG, 1, 19, [-600 1395], [2         0.5] , 'topovec', 19, 'elocs', EEG.chanlocs, 'chaninfo', EEG.chaninfo
figure; pop_newcrossf( EEG, 1, 17, 19, [-600 1395], [2        0.5] ,'type', 'phasecoher', 'topovec', [17 19], 'elocs', EEG.ch
fx >> figure; [ERSP ITC baseline timeline freqrange] = pop_newtimef( EEG, 1, 19, [-600 1395], [2         0.5] , 'topovec', 19, 'el
```

図5-12 eeghを使ったEEGLABコマンドラインの取得

一番下から7行目に，「eegh」とタイプしてEnterを押した跡が見られる。その後4行にわたって，EEGLABの起動（下から6行目），datasetファイルのロード（下から5行目），ERSPの表示（下から3行目）といったコマンドが並ぶ。このうち下から3行目（ここでは右端が切れているが，この行すべて）をコピーする。MATLAB上およびテキストエディタで必要な箇所を追記して，またコマンドウインドウ（「>>」の後）に貼り付ける。一番下の行は貼り付けた後の様子。

II 脳波解析の実際

	1	2	3	4	5	6	7	8	9	10	11	12	13	14	15	16	17	18	19	20	21	22
1	-0.20...	-0.19...	-0.19...	-0.18...	-0.15...	-0.13...	-0.12...	-0.10...	-0.07...	-0.05...	-0.02...	-0.00...	0.0321	0.0505	0.0680	0.0852	0.1177	0.1317	0.1432	0.1519	0.1601	0.1608
2	-0.28...	-0.29...	-0.30...	-0.29...	-0.28...	-0.27...	-0.26...	-0.25...	-0.21...	-0.16...	-0.13...	-0.08...	-0.04...	-0.01...	0.0129	0.0784	0.1007	0.1032	0.1297	0.1532	0.1913	0.2065
3	-0.20...	-0.25...	-0.28...	-0.30...	-0.34...	-0.35...	-0.36...	-0.36...	-0.35...	-0.33...	-0.32...	-0.20...	-0.24...	-0.17...	-0.13...	-0.06...	-0.02...	0.0183	0.0580	0.1346	0.1699	
4	0.0082	-0.09...	-0.14...	-0.19...	-0.27...	-0.30...	-0.33...	-0.36...	-0.38...	-0.39...	-0.38...	-0.37...	-0.33...	-0.31...	-0.28...	-0.24...	-0.17...	-0.17...	-0.08...	-0.04...	0.0406	0.0820
5	0.1701	0.0546	-0.00...	-0.05...	-0.14...	-0.19...	-0.22...	-0.25...	-0.29...	-0.29...	-0.30...	-0.27...	-0.25...	-0.21...	-0.15...	-0.13...	-0.11...	-0.04...	-0.00...	-0.01...		0.0204
6	0.1661	0.0747	0.0316	-0.00...	-0.07...	-0.13...	-0.14...	-0.14...	-0.14...	-0.13...	-0.12...	-0.10...	-0.08...	-0.06...	-0.05...	-0.02...	-0.01...	5.06...	0.0099	0.0240	0.0289	
7	0.0426	-0.00...	-0.03...	-0.05...	-0.07...	-0.07...	-0.07...	-0.07...	-0.05...	-0.01...	0.0064	0.0477	0.0665	0.0830	0.0965	0.1137	0.1151	0.1138	0.1089	0.0899	0.0766	
8	-0.11...	-0.09...	-0.10...	-0.10...	-0.09...	-0.09...	-0.08...	-0.06...	-0.02...	-0.00...	0.0171	0.0408	0.0847	0.1034	0.1190	0.1312	0.1440	0.1443	0.1409	0.1339	0.1107	0.0956
9	-0.12...	-0.12...	-0.12...	-0.12...	-0.11...	-0.10...	-0.09...	-0.08...	-0.06...	-0.01...	0.0029	0.0424	0.0538	0.0627	0.0731	0.0748	0.0745	0.0726	0.0647	0.0596		
10	-0.11...	-0.11...	-0.12...	-0.12...	-0.11...	-0.09...	-0.09...	-0.08...	-0.06...	-0.04...	-0.05...	-0.04...	-0.05...	-0.04...	-0.03...	-0.03...	-0.01...	-0.01...				
11	-0.09...	-0.10...	-0.11...	-0.13...	-0.13...	-0.13...	-0.13...	-0.14...	-0.14...	-0.14...	-0.15...	-0.15...	-0.15...	-0.15...	-0.14...	-0.14...	-0.14...					
12	-0.07...	-0.09...	-0.10...	-0.11...	-0.13...	-0.14...	-0.15...	-0.16...	-0.17...	-0.18...	-0.19...	-0.20...	-0.21...	-0.21...	-0.22...	-0.23...	-0.23...	-0.23...	-0.22...	-0.20...	-0.18...	-0.15...

電極における同一試行内の同期（inter-channel coherence, 独立成分の場合 inter-component coherence）は，同じ位相同期を計測したものであるが意味するところは全く別であり，区別して考える必要がある。具体的には前者は，その活動がいかにオンセット（エポックを作成する際に時間的に 0 とした点）に対して同期して出現するかを示しており，オンセットとしたイベント（今回は視覚刺激の呈示）に関連した成分であると考えられる。算出方法から ERP 成分と対応することが多い。一方で後者は，ある電極（信号源）に現れた信号と別の電極（信号源）に現れた信号が，どれほど時間的に同期しているかを表すものであり，間接的に 2 領域間の機能的な関連性を示唆するものである。

出力の保存法

ここまでに紹介した時間周波数解析は，基本的に個人のデータを，各条件一つのデータセットに分け，各データセットに対して行うものであった。EEGLAB ではこの段階での時間周波数データは表示のみサポートしており，自由にアクセスすることができない。たとえば，統計解析は，次節から説明される「STUDY セット作成後の時間周波数解析」において行うことができるが，時間周波数解析によってどんなデータが出てきたのか詳細に確認する場合や，他の統計ソフトウェアなどを用いて統計解析を行いたい場合などは，ASCII 形式でデータを書き出す必要がある。ここではその方法を簡単に説明する。

第一に，前述の通りに時間周波数解析を適用し，そのプロットを表示する。その状態で，MATLAB のコマンドウインドウに「eegh」とタイプし Enter キーを押す。すると，これまで EEGLAB のメニューやボタンで行った解析の履歴が，MATLAB のコマンドラインとして表示される。直近に行った処理は一

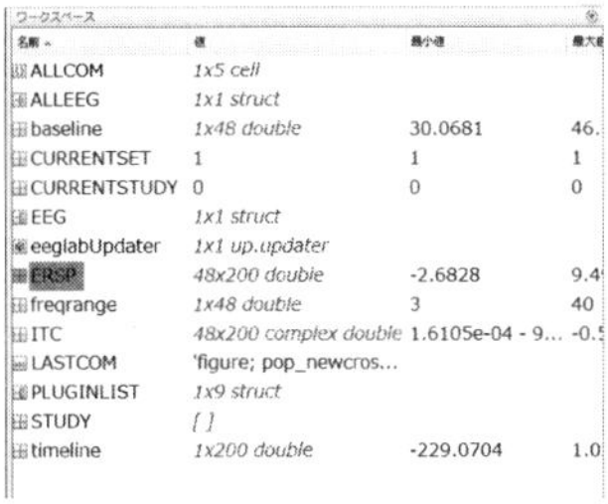

図5-13 MATLABワークスペース上の変数とArray Editor上の変数内容表示
画面左に変数、右にワークスペースが表示されている。ワークスペースにはEEGLABを起動すると自動的に作成される変数に加え、新たに取得したERSP, ITC, baseline, timeline, freqrangeの五つの変数が並んでいる。各変数をダブルクリックすると、その内容が左の変数に表示される。図5-13はERSPの例。

番下の行に表示されるので、その1行をコピーする（図5-12）。

figure; pop_newtimef（EEG, 1, 19, [-600 1395] ……'padratio', 4）;

このうちfigure;までは、図を表示するためのダイアログを開くコマンドなので、それ以降に、算出された値の受け皿となる変数の名前を書き込む。それ以外は変更しない。

figure; [ERSP ITC baseline timeline freqrange] = pop_newtimef（EEG, 1, 19, [-600 1395] ……'padratio', 4）;

この時、注意すべきは、データは変数の名前ではなく、書かれた順番に応じて格納されることである。たとえば、「[ITC ERSP baseline timeline freqrange] =……」と書けば、ITCという名前の変数にERSPの値が格納されることになり、混乱するので推奨しない（悪い例である）。先ほどの正しいものをコピーし、コマンドウインドウに貼り付け、Enterキーを押すと、結果の表示が行われた上に、[ ]内に設定した文字列を変数名とする変数がMATLABの**ワークスペース**に作られる（図5-13）。これをダブルクリックすると、その内容がArray Editor上に表示され、ERSPという変数には時間周波数解析の結果得られたERSPの値が、ITCという変数にはITCの値がそれぞれ格納されていることが確認できる。ここですべてをコピーし、Excelやメモ帳を開いてこの結果を貼り付け、名前をつけてファイルに保存することで、データをASCII形式で保存することができる。

しかしながら、このままでは、どのセルの値が、どの時間のどの周波数のデータかがわからない。この情報は、timelineという変数とfreqrangeという変数に格納されている。ここではtimelineに200個、freqrangeに48個の値が格納されている[1]が、これがそのままERSP, ITCの時間、周波数参照デー

タとなる。どちらもダブルクリックすることで**変数**上に表示される。**変数**に表示されているデータは一般的な表計算ソフトと同様に編集できるため，ERSPを表示した後，右クリックメニューから，それぞれ最上段に1行，最左端に1列挿入（すべて0のデータが挿入される）し，最上段2列目から **timeline** の値を，最左端2行目から **freqrange** の値をコピーしてきて貼り付けると，各セルの時間，周波数情報がわかるようになる。ただし，**freqrange** は行方向のベクトルなため，「freqrange=freqrange';」をコマンドウインドウ上で実行し，転置ベクトルを作成すると貼り付けやすい。

上記と同様のやり方で，部位間位相同期の値を出力することができる。その場合は「figure; pop_newcrossf (EEG, 1,……」を「figure; [COHERENCE baseline times freqs]= pop_newcrossf (EEG, 1, ……」とする。COHERENCE に格納されたデータが部位間位相同期の値である。

引用文献

Asada, H., Fukuda, Y., Tsunoda, S., Yamaguchi, M., & Tonoike, M. (1999). Frontal midline theta rhythms reflect alternative activation of prefrontal cortex and anterior cingulate cortex in humans. *Neuroscience Letters*, **274**, 29-32.

Babiloni, C., Babiloni, F., Carducci, F., Cincotti, F., Rosciarelli, F., et al. (2002). Human brain oscillatory activity phase-locked to painful electrical stimulations: A multi-channel EEG study. *Human Brain Mapping*, **15**, 112-123.

Babiloni, C., Brancucci, A., Babiloni, F., Capotosto, P., Carducci, F., et al. (2003). Anticipatory cortical responses during the expectancy of a predictable painful stimulation: A high-resolution electroencephalography study. *European Journal of Neuroscience*, **18**, 1692-1700.

Babiloni, C., Brancucci, A., Capotosto, P., Arendt-Nielsen, L., Chen, A. C. N., & Rossini, P. M. (2005). Expectancy of pain is influenced by motor preparation: A high-resolution EEG study of cortical alpha rhythms. *Behavioral Neuroscience*, **119**, 503-511.

Babiloni, C., Brancucci, A., Percio, C. D., Capotosto, P., Arendt-Nielsen, L., et al. (2006). Anticipatory electroencephalography alpha rhythm predicts subjective perception of pain intensity. *The Journal of Pain*, **7**, 709-717.

Bhattacharya, J., Shams, L., & Shimojo, S. (2002). Sound-induced illusory flash perception: role of gamma band responses. *Neuroreport*, **13**, 1727.

Chen, C.-M. A., Stanford, A. D., Mao, X., Abi-Dargham, A., Shungu, D. C., et al. (2014). GABA

注1）ここでは自動的に3〜40Hzが48分割され，3Hzの次のセルは3.7872Hz，4.5745Hzなどのようになっており，○Hzの値がほしいという時には適さない。この場合は算出周波数を [3 : 40] のようにすれば，1Hzステップでデータを取得することができる。

level, gamma oscillation, and working memory performance in schizophrenia. *NeuroImage: Clinical*, **4**, 531-539.
Cohen, X. M. (2014). *Analyzing neural time series data: Theory and practice*. Cambridge, Massachusetts: The MIT Press.
Colom, L. V., Christie, B. R., & Bland, B. H. (1988). Cingulate cell discharge patterns related to hippocampal EEG and their modulation by muscarinic and nicotinic agents. *Brain Research*, **460**, 329-338.
Fries, P., Reynolds, J. H., Rorie, A. E., & Desimone, R. (2001). Modulation of oscillatory neuronal synchronization by selective visual attention. *Science*, **291**, 1560-1563.
Fries, P., Scheeringa, R., & Oostenveld, R. (2008). Finding Gamma. *Neuron*, **58**, 303-305.
Gevins, A., Smith, M. E., Leong, H., McEvoy, L., Whitfield, S., et al. (1998). Monitoring working memory load during computer-based aasks with EEG pattern recognition methods. *Human Factors: The Journal of the Human Factors and Ergonomics Society*, **40**, 79-91.
Gevins, A., Smith, M. E., McEvoy, L., & Yu, D. (1997). High-resolution EEG mapping of cortical activation related to working memory: Effects of task difficulty, type of processing, and practice. *Cerebral Cortex*, **7** (4), 374-385.
Gray, C. M., Knig, P., Engel, A. K., & Singer, W. (1989). Oscillatory responses in cat visual cortex exhibit inter-columnar synchronization which reflects global stimulus properties. *Nature*, **338**, 334-337.
Gruber, T., & Muller, M. M. (2005). Oscillatory brain activity dissociates between associative stimulus content in a repetition priming task in the human EEG. *Cerebral Cortex*, **15** (1), 109-116.
Gruber, T., & Müller, M. M. (2002). Effects of picture repetition on induced gamma band responses, evoked potentials, and phase synchrony in the human EEG. *Cognitive Brain Research*, **13**, 377-392.
Gruber, T., Malinowski, P., & Müller, M. M. (2004). Modulation of oscillatory brain activity and evoked potentials in a repetition priming task in the human EEG. *European Journal of Neuroscience*, **19**, 1073-1082.
Halgren, E., Walter, R. D., Cherlow, D. G., & Crandall, P. H. (1978). Mental phenomena evoked by electrical stimulation of the human hippocampal formation and amygdala. *Brain: a journal of neurology*, **101**, 83-117.
堀忠雄（1997）．睡眠状態と生理心理学．宮田洋（監修）新生理心理学2 生理心理学の応用分野 北大路書房 pp. 88-97.
Hyman, J. M., Zilli, E. A., Paley, A. M., & Hasselmo, M. E. (2005). Medial prefrontal cortex cells show dynamic modulation with the hippocampal theta rhythm dependent on behavior. *Hippocampus*, **15**, 739-749.
Inouye, T., Shinosaki, K., Iyama, A., Matsumoto, Y., Toi, S., & Ishihara, T. (1994). Potential flow of frontal midline theta activity during a mental task in the human electroencephalogram. *Neuroscience Letters*, **169**, 145-148.
Ishihara, T., & Yoshii, N. (1972). Multivariate analytic study of EEG and mental activity in Juvenile delinquents. *Electroencephalography and Clinical Neurophysiology*, **33**, 71-80.

Ishii, R., Shinosaki, K., Ukai, S., Inouye, T., Ishihara, T., et al. (1999). Medial prefrontal cortex generates frontal midline theta rhythm. *Neuroreport*, **10**, 675-679.

Isokawa-Akesson, M., Wilson, C. L., & Babb, T. L. (1987). Diversity in periodic pattern of firing in human hippocampal neurons. *Experimental Neurology*, **98**, 137-151.

James, C., Morand, S., Barcellona-Lehmann, S., Michel, C. M., & Schnider, A. (2009). Neural transition from short- to long-term memory and the medial temporal lobe: A human evoked-potential study. *Hippocampus*, **19**, 371-378.

Jasper, H., & Penfield, W. (1949). Electrocorticograms in man: Effect of voluntary movement upon the electrical activity of the precentral gyrus. *European Archives of Psychiatry and Clinical Neuroscience*, **183**, 163-174.

Jones, M. W., & Wilson, M. A. (2005). Phase precession of medial prefrontal cortical activity relative to the hippocampal theta rhythm. *Hippocampus*, **15**, 867-873.

Juergens, E., Guettler, A., & Eckhorn, R. (1999). Visual stimulation elicits locked and induced gamma oscillations in monkey intracortical- and EEG-potentials, but not in human EEG. *Experimental Brain Research*, **129**, 247-259.

Kanayama, N., & Ohira, H. (2009). Multisensory processing and neural oscillatory responses: Separation of visuotactile congruency effect and corresponding electroencephalogram activities. *Neuroreport*, **20**, 289-293.

Kelly, S. P., Lalor, E. C., Reilly, R. B., & Foxe, J. J. (2006). Increases in alpha oscillatory power reflect an active retinotopic mechanism for distractor suppression during sustained visuospatial attention. *Journal of Neurophysiology*, **95**, 3844-3851.

Klimesch, W., Sauseng, P., & Hanslmayr, S. (2007). EEG alpha oscillations: The inhibition-timing hypothesis. *Brain Research Reviews*, **53**, 63-88.

Klimesch, W., Schimke, H., & Schwaiger, J. (1994). Episodic and semantic memory: An analysis in the EEG theta and alpha band. *Electroencephalography and Clinical Neurophysiology*, **91**, 428-441.

Klimesch, W., Schimke, H., Doppelmayr, M., Ripper, B., Schwaiger, J., & Pfurtscheller, G. (1996). Event-related desynchronization (ERD) and the Dm effect: Does alpha desynchronization during encoding predict later recall performance? *International Journal of Psychophysiology*, **24 (1-2)**, 47-60.

Lachaux, J. -P., Rodriguez, E., Martinerie, J., & Varela, F. J. (1999). Measuring phase synchrony in brain signals. *Human Brain Mapping*, **8**, 194-208.

Laufs, H., Krakow, K., Sterzer, P., Eger, E., Beyerle, A., et al. (2003). Electroencephalographic signatures of attentional and cognitive default modes in spontaneous brain activity fluctuations at rest. *Proceedings of the National Academy of Sciences*, **100**, 11053-11058.

Lee, H., Simpson, G. V., Logothetis, N. K., & Rainer, G. (2005). Phase locking of single neuron activity to theta oscillations during working memory in monkey extrastriate visual cortex. *Neuron*, **45 (1)**, 147-156.

Luu, P., Tucker, D. M., & Makeig, S. (2004). Frontal midline theta and the error-related negativity: Neurophysiological mechanisms of action regulation. *Clinical Neurophysiology*, **115**, 1821-1835.

Melloni, L., Molina, C., Pena, M., Torres, D., Singer, W., & Rodriguez, E. (2007). Synchronization of neural activity across cortical areas correlates with conscious perception. *Journal of Neuroscience*, **27** (11), 2858-2865.

Miltner, W. H. R., Braun, C., Arnold, M., Witte, H., & Taub, E. (1999). Coherence of gamma-band EEG activity as a basis for associative learning. *Nature*, **397**, 434-435.

Mishra, J., Martinez, A., Sejnowski, T. J., & Hillyard, S. A. (2007). Early cross-modal interactions in auditory and visual cortex underlie a sound-induced visual illusion. *The Journal of Neuroscience*, **27**, 4120.

Miyakoshi, M., Kanayama, N., Iidaka, T., & Ohira, H. (2010). EEG evidence of face-specific visual self-representation. *Neuroimage*, **50**, 1666-1675.

Nahum, L., Gabriel, D., Spinelli, L., Momjian, S., Seeck, M., et al. (2011). Rapid consolidation and the human hippocampus: Intracranial recordings confirm surface EEG. *Hippocampus*, **21** (7), 689-693.

Niessing, J., Ebisch, B., Schmidt, K. E., Niessing, M., Singer, W., & Galuske, R. A. W. (2005). Hemodynamic signals correlate tightly with synchronized gamma oscillations. *Science*, **309**, 948-951.

Ogawa, S., Tank, D. W., Menon, R., Ellermann, J. M., Kim, S. G., et al. (1992). Intrinsic signal changes accompanying sensory stimulation: Functional brain mapping with magnetic resonance imaging. *Proceedings of the National Academy of Sciences*, **89**, 5951-5955.

Onoda, K., Okamoto, Y., Shishida, K., Hashizume, A., Ueda, K., et al. (2007). Anticipation of affective images and event-related desynchronization (ERD) of alpha activity: An MEG study. *Brain Research*, **1151**, 134-141.

Özgören, M., Başar-Eroğlu, C., & Başar, E. (2005). Beta oscillations in face recognition. *International Journal of Psychophysiology*, **55**, 51-59.

Pesaran, B., Pezaris, J. S., Sahani, M., Mitra, P. P., & Andersen, R. A. (2002). Temporal structure in neuronal activity during working memory in macaque parietal cortex. *Nature Neuroscience*, **5**, 805-811.

Pfurtscheller, G., Stancák Jr, A., & Neuper, C. (1996). Post-movement beta synchronization. A correlate of an idling motor area? *Electroencephalography and Clinical Neurophysiology*, **98**, 281-293.

Pulvermüller, F., Preissl, H., Lutzenberger, W., & Birbaumer, N. (1996). Brain rhythms of language: Nouns versus verbs. *European Journal of Neuroscience*, **8**, 937-941.

Rechtschaffen, A., & Kales, A. (1968). *A manual of standardised terminology, techniques and scoring system of sleep stages of human subjects*. Washington, D. C.: Public Health Service, U.S. Government Printing Office.

Rihs, T. A., Michel, C. M., & Thut, G. (2007). Mechanisms of selective inhibition in visual spatial attention are indexed by alpha-band EEG synchronization. *European Journal of Neuroscience*, **25**, 603-610.

Rodriguez, E., George, N., Lachaux, J. P., Martinerie, J., Renault, B., & Varela, F. J. (1999). Perception's shadow: Long-distance synchronization of human brain activity. *Nature*, **397** **(6718)**, 430-433.

Romei, V., Brodbeck, V., Michel, C., Amedi, A., Pascual-Leone, A., & Thut, G. (2008a). Spontaneous fluctuations in posterior α-band EEG activity reflect variability in excitability of human visual areas. *Cerebral Cortex*, 18, 2010-2018.

Romei, V., Rihs, T., Brodbeck, V., & Thut, G. (2008b). Resting electroencephalogram alpha-power over posterior sites indexes baseline visual cortex excitability. *Neuroreport*, 19, 203-208.

Sakowitz, O. W., Quian Quiroga, R., Schurmann, M., & Başar, E. (2001). Bisensory stimulation increases gamma-responses over multiple cortical regions. *Cognitive Brain Research*, 11 (2), 267-279.

Sakowitz, O. W., Schürmann, M., & Başar, E. 2000. Oscillatory frontal theta responses are increased upon bisensory stimulation. *Clinical Neurophysiology*, 111 (5), 884-893.

Senkowski, D., Talsma, D., Grigutsch, M., Herrmann, C. S., & Woldorff, M. G. (2007). Good times for multisensory integration: Effects of the precision of temporal synchrony as revealed by gamma-band oscillations. *Neuropsychologia*, 45, 561-571.

Senkowski, D., Talsma, D., Herrmann, C. S., & Woldorff, M. G. (2005). Multisensory processing and oscillatory gamma responses: effects of spatial selective attention. *Experimental Brain Research*, 166, 411-426.

Singer, W., & Gray, C. M. (1995). Visual feature integration and the temporal correlation hypothesis. *Annual review of neuroscience*, 18, 555-586.

Sobolewski, A., Swiejkowski, D. A., Wróbel, A., & Kublik, E. (2011). The 5-12 Hz oscillations in the barrel cortex of awake rats: Sustained attention during behavioral idling? *Clinical Neurophysiology*, 122, 483-489.

Stancák, A., & Pfurtscheller, G. (1995). Desynchronization and recovery of β rhythms during brisk and slow self-paced finger movements in man. *Neuroscience Letters*, 196 (1), 21-24.

Stancák, A., & Pfurtscheller, G. (1996a). The effects of handedness and type of movement on the contralateral preponderance of μ-rhythm desynchronization. *Electroencephalography and Clinical Neurophysiology*, 99 (2), 174-182.

Stancák, A., & Pfurtscheller, G. (1996b). Event-related desynchronization of central beta-rhythms during brisk and slow self-paced finger movements of dominant and nondominant hand. *Cognitive Brain Research*, 4 (3), 171-183.

Talk, A., Kang, E., & Gabriel, M. (2004). Independent generation of theta rhythm in the hippocampus and posterior cingulate cortex. *Brain Research*, 1015, 15-24.

Tiitinen, H. T., Sinkkonen, J., Reinikainen, K., Alho, K., Lavikainen, J., & Naatanen, R. (1993). Selective attention enhances the auditory 40-Hz transient response in humans. *Nature*, 364, 59-60.

Trujillo, L. T., & Allen, J. J. B. (2007). Theta EEG dynamics of the error-related negativity. *Clinical Neurophysiology*, 118, 645-668.

Vierling-Claassen, D., Siekmeier, P., Stufflebeam, S., & Kopell, N. (2008). Modeling GABA alterations in schizophrenia: A link between impaired inhibition and altered gamma and beta range auditory entrainment. *Journal of Neurophysiology*, 99, 2656-2671.

Young, C. K., & McNaughton, N. (2009). Coupling of theta oscillations between anterior and posterior midline cortex and with the hippocampus in freely behaving rats. *Cerebral Cortex*, **19**, 24-40.

Yuval-Greenberg, S., & Deouell, L. Y. (2007). What you see is not (always) what you hear: Induced gamma band responses reflect cross-modal interactions in familiar object recognition. *Journal of Neuroscience*, **27** (5), 1090-1096.

Yuval-Greenberg, S., Tomer, O., Keren, A. S., Nelken, I., & Deouell, L. Y. (2008). Transient induced gamma-band response in EEG as a manifestation of miniature saccades. *Neuron*, **58** (3), 303-305.

第6章 認知活動との関連を探る3：独立成分分析クラスタリング

宮腰　誠・金山範明

1　独立成分分析（ICA）クラスタリングとは何か

　本章では，独立成分分析（Independent component analysis: ICA）クラスタリングを用いた，脳波データのグループ解析の仕方を紹介していく。まずICAクラスタリングとは何か，なぜそのような解析が必要なのかを述べていきたい。一般的な認知科学研究においては，個人のデータで議論を行うことはまれであり，多くの場合，十数人から数十人のグループにおけるデータをもとに統計処理を経て，考察を行う。その際，グループのデータを一つにまとめる必要があるが，脳機能データにおいてグループ解析を行う場合には多くの問題が存在しており，一筋縄ではいかない。なぜなら，われわれの脳は誰一人として同じ形態ではなく，その脳活動も個人個人で反応が異なるからだ。たとえば，事象関連電位のP300を例に考えてみよう。P300は比較的大きな脳波成分であり，多くの実験参加者のデータにおいて同定可能だが，その反応は実験参加者間でやはり異なっている。実験参加者Aでは頭の中心部に位置するCzを中心に観察されるが，Bではそれよりやや後方のPzに主に観察されるかもしれない。これは，P300の信号源が個人で微妙に違うというだけではなく，実験参加者AとBの脳溝や脳回の形状の違い，頭皮上に置いた電極の位置の微妙な違いなど，様々な要因が重なった末に起こる。グループ解析では，これらの個人差とも考えられる要因を考慮に入れる必要がある。

　第5章までで解説してきた，ICAを行わない電極レベルの解析では，CzならばCz，PzならばPzなど，各電極におけるすべての実験参加者のデータを，単純に平均することでグループ解析を行うことができる。これは，ある特定の信号源の活動は，容積伝導により，ある程度の広がりを持って頭皮上の電極から記録されるという特性に基づいている（第3章第3節参照）。つまり，前述の

P300のように,特定の脳活動が個人間である程度のばらつきを持ったとしても,それを複数人で平均化することにより,最も代表的な特徴をつかもうという試みである。これに対して,ICAを行った上で各独立成分を検討の対象とする場合,グループでの解析はより複雑な問題を持つことになる。ICAを行うと,各実験参加者から電極の数と同じ数だけの独立成分が得られる。脳の活動は独立成分として分離され,これらの成分の抽出のされ方は実験参加者ごとに異なる。ICAを行わない電極レベルの解析では電極ごとに平均化すればよかったが,独立成分では実験参加者間で対応する成分を見つけ,その成分のみを平均化する必要がある。これは非常に困難な作業である。15人の実験参加者から32個の電極で計測した場合,15×32＝480個の成分が抽出され,これらを分類するのは容易ではない。また,成分が「似ている」という判断をどういう基準で行えばよいのかも難しい。成分AとBは,頭皮上分布が同じでもERPやERSPは全く異なっているかもしれない。このとらえどころのない「似ている成分の線引き」を行わなくては,グループ解析ができない。この問題に対し,EEGLABではクラスタ解析を使って,すべての独立成分を特定の数の集まり（クラスタ）に分類する手法をとっている。

　具体的な手順を説明すると,①まず,注目する特性を決定する。各成分はそれぞれ固有の,頭皮上電位分布,信号源推定位置,周波数スペクトル,ERP,ERSPという特性を持っているが,この中から注目するものを事前に指定する。もちろんすべての特性を考慮してもよいが,その場合,データ量は多くなり,計算に時間がかかる。指定する際に,どの特性をどの程度重視するかの重みづけを行うことができる。②次に,これら複数の特性で特徴づけられた成分は非常に多次元の情報を持つため,主成分分析（Principal Component Analysis: PCA）を用いて次元を縮約し,各成分の特性としての値を決定する。③各成分をその値に基づいてクラスタ化する。クラスタ化の際には複数の手法が用意されているが,一番簡単に行うことができるのはk-means法である（図6-1）。この方法では,まず,全実験参加者からのすべての成分を,同一座標上に配置する。その座標上にランダムにクラスタの中心を表す点を配置し（点の数は解析者が指定するクラスタ数）,各成分から最も近い点にその成分を帰属させ,暫定的なクラスタとする。各クラスタの重心に各点を移動させ,再クラスタリングを行う。

第6章 認知活動との関連を探る3：独立成分分析クラスタリング

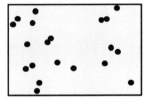 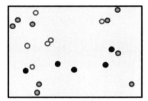

各点は一つの独立成分を表すため，ここには合計20の独立成分がある。
またわかりやすくするため二次元平面上（後述Preclusteringの「Final Dimension」が2）にこれを配置した。よって縦軸，横軸には指定した指標（ERPやDipole位置など）を主成分分析で二つの軸に縮約した値が対応する。

平面上の位置を無視して各点にランダムに色を塗る（クラスタに割り振る）。ここでは三つのクラスタに分けるため3色で塗り分けた（後述Clusteringの「Numbers of clusters to compute」にあたる）。
これを初期値としての暫定クラスタとする。

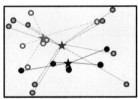 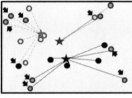 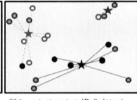

各暫定クラスタの重心位置を計算してプロットする。

設定された三つの重心（クラスタ）のうち，各点から最も距離の近いものに割り振りなおす。矢印のついた点は割り振りなおされた点。

新しいクラスタの構成点によって重心を計算しなおす。これを繰り返して点の割り振り直しが行われなくなったところで終了。

図6-1　k-means法によるクラスタリングのイメージ図

この再クラスタリングを数回繰り返し，変化がなくなった時点でクラスタリング終了とする。この手法ではクラスタの中心点の初期配置がランダムに決定されるために，行うたびに結果が微妙に変化することがある。そのため，何回かクラスタリングを行い，その特徴を見ておくことも有用である。また，重みづけやクラスタ数など，多くの変数を解析者が決定しなければならない点も問題である。EEGLABでは現在，この問題点を改善するために新しいグループレベル解析法（Measure Projection Analysis: MPA）を提唱している。また，覚えておくべき特徴として，各クラスタにはすべての実験参加者の成分が含まれているとは限らない点が挙げられる。逆に，一つのクラスタに1人から抽出された複数の成分が帰属することも起こりうる。

2　ICA クラスタリングの有効性

　前述のような扱いにくさが，特に統計を行う際に問題になることもあるとはいえ，ICA クラスタリングは非常に強力な手法である。ここでは ICA クラスタリングを用いた代表的な論文，Makeig et al. (2004) を解説し，その有効性を紹介する。Makeig et al. (2004) では，実験参加者は注視点の上部に存在している五つの四角の中から一つに注目し，その四角の中に丸が現れたらボタンを押すという課題を行った（図 6-2a）。脳波は 29 個の電極から計測され，15 人の実験参加者からのデータが解析された。従来の電極ベースの解析では，刺激呈示後 300～600 ミリ秒に頭頂部優勢に大きな陽性成分 (P300) が観察され，この成分は刺激に対するボタン押し反応の直後にピークを持っていることが明らかになった。また，時間周波数解析による ERSP の結果では，P300 と対応して刺激呈示後 400 ミリ秒付近でシータ帯域の活動が頭頂部で観察された。このデータに対して ICA クラスタリングを行ったところ，様々な成分が寄与していることが明らかになった。クラスタリングの結果，生体ノイズなどの成分を除いて九つのクラスタが抽出された。まず，P3f と名付けられた前頭部で観察された成分，そして P3b と名付けられた頭頂部中心の成分である。これらの成分は，従来から示されてきた P300 に関する二つの成分に対応しており，P3f は実験参加者の反応の直前にピークを持ち，反対に P3b は反応直後にピークを持っている。さらに，これら二つの成分のほかに，頭皮上の中心部には従来は見られなかった二つの成分が観察された。FM と名付けられた Fz 近辺を中心とした成分と，CM と名付けられた Cz 近辺を中心とした成分である。これらの成分は，反応直後に 2 サイクルのシータ帯域の活動を持っていたが，FM と CM とでは位相が反転して，ちょうど対応する形になっており，これら二つの成分が情報連絡を行っている可能性が示唆されている。これらの成分は，運動反応に対する評価などの側面を反映していると考えられる。特筆すべきは，P3f，FM，CM，P3b と，位置的に非常に近い成分も ICA クラスタリングで分離することが可能であった点である（図 6-2b）。また，左右の中心部には，ミュー律動に相当すると考えられるクラスタが観察された。これらの成分は，感覚運動野あたりに起源を持ち，運動制御にかかわっていることが考察された。面白い

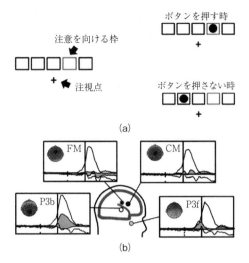

図 6-2 Makeig *et al.*（2004）における実験課題（a）と抽出された主な脳波成分（b）

ことに，これらの成分は FM や CM と位相が同期しており，FM や CM が運動反応のモニタリングなどとかかわっている可能性を示唆している．以上の成分以外にも，視覚野の活動と対応するだろう後頭部のクラスタも観察されている．このように，ICA クラスタリングを用いることで，従来の解析では観察できなかった様々な成分が課題の遂行にかかわっていることを示すことが可能である．

また，特定の成分に注目して検討を行いたい場合でも，その成分に重畳している他の成分の影響を取り除いて検討できるため，より純粋な課題の影響を評価することが可能である．たとえば，Onton *et al.*（2005）では，FM シータ波とワーキングメモリの関係性に焦点を当てて検討している．ICA をノイズ処理にとどまらずデータ解析そのものに用いるためには，クラスタリングの手法を知っておく必要がある．

3　EEGLAB における ICA クラスタリング

以下では，EEGLAB を用いて ICA クラスタリングを行う手法を紹介していく．

STUDY の作成に際して

STUDY は，すでにすべての処理が終わり，結果をプロットするだけになったデータ（STUDYSET.zip）をサイトからダウンロードし，MATLAB フォルダに解凍して，その中に入っている EEGdemo.study を使うのがよい。ただし，以下では，その手順の確認のために，STUDY を第 3 章で作成されたものとして説明を進めるため，まだこれができていない場合は，第 3 章第 2 節「STUDY ファイルを用いた集団レベル解析」に戻って，手順 3 までの行程を終えてから読み進められたい。また，すでに作成している場合も，ICA クラスタリングを行う場合には，以下の処理を行うことが推奨される。**File‐Load existing study** から，対象の STUDY ファイル（EEGdemo.study）を読み込み，STUDY 作成時のダイアログか，EEGLAB メニューの **Study‐Edit study info** から STUDY 編集のウインドウを開く（図 6-3）。その中の右側にある，**Select by r.v.** と書かれたボタンを押し，現れた **Pre-select components** ウインドウ内のテキストボックスに推定された各ダイポールの残差分散（RV：図中 r.v. もこれを指す）を入力し，閾値を設ける。ダイポール推定時の残差分散の単位は％であり，結果として推定したダイポール位置では説明しきれなかった分散の割合を示している。これが高いほどダイポールの推定精度が低いことになる。よってここでは，ある程度以上の残差分散を示したダイポールを持つ独立成分を解析から除外し，独立成分のクオリティコントロールを行う。この閾値は，残差 15％以下（推定精度 85％以上）を標準的に用いているので，ここではそれにならう。なお，これは成人が実験参加者の場合に経験的に決められた値であり，たとえば，子どものデータでは 25％程度が用いられることもある。**Ok** ボタンを押すと STUDY 内に存在する独立成分のうち，設定した基準に満たない成分が除外される。このデータセットでは，全実験参加者 4 人に対し，それぞれ 31 の電極を用いたため，合計 124 個（人数×電極数）の独立成分が得られているが，前述の基準によって，その中から 75 個の独立成分が除外された。これ以降の解析は，残った 49 個の独立成分に対して行うことになる。このように，除外される成分の割合が大きいと感じられるかもしれないが，頭皮上に現れる脳を信号源としない電位変動（生体ノイズ，環境ノイズ含む）の多種多様さ，脳信号に比しての電位の大きさを考えれば，半分以上がノイズ成分であっても妥当であると考えら

第 6 章　認知活動との関連を探る 3：独立成分分析クラスタリング

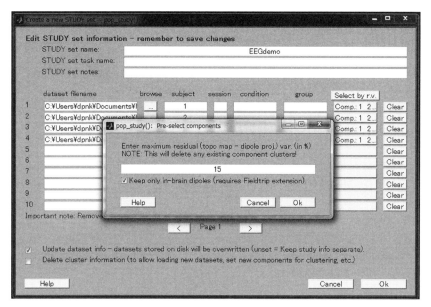

図 6-3　STUDY の編集ウインドウと Pre-select components ウインドウにおける閾値としての残差分散の指定

れる。最後に，Create a new study set ウインドウの右下にある Ok ボタンを押して，この除外を確定する。なお，この処理も含め，MATLAB コマンドウインドウに，Re-saving study file など保存した旨を表す報告が出力されない場合は，基本的にまだファイル上に変更が保存されておらず，EEGLAB を閉じると消えてしまうので注意されたい。

クラスタリング用データの指定

これ以降の作業を行うには，第 3 章第 2 節で手順 1「スタディへのデータセットの登録」，手順 2「STUDY デザインの指定」を終え，手順 3「前計算」の Study‐Precompute component measures からすべての指標を計算してある必要がある。これが終わっていれば，読み込んだ STUDY ファイルのあるフォルダ内に，.daterp や .icaitc などの見慣れない拡張子のデータが保存されているはずである。STUDYSET.zip をダウンロードして使っているなら，解凍フォルダ内に 90 以上のファイルが入っているはずである。以降に解説する ICA

163

クラスタリングでは，前計算（precompute）で計算した各指標を用いて，分析に含められた独立成分同士がお互いどれくらい似ているかを検討していく。その際に基準となる指標をここで選定する。EEGLAB メニューから，**Study‑PCA clustering（original）‑Build preclustering array** をクリックすると，**Select and compute component measures for later clustering** というウインドウが現れる（図6-4）。ここでは，計算済みの各指標について，どの指標のどの部分をクラスタリングの基準にするかを選択する。各指標左側のチェックボックスにチェックを入れると，クラスタリングに使用するデータとして選択されることになる。チュートリアルデータでは，上から順に，以下の三つを指定する。

　spectra　Dims. に「8」，Rel. Wt. に「3」，Freq.range [Hz] に「4 40」を入力。

　ERPs　Dims. に「8」，Rel. Wt. に「6」，Time range [ms] に，「100 600」を入力。

　dipoles　Dims. に「3」，Rel. Wt. に「10」を入力。

　2列目の Dims. は次元のことであり，ダイポール以外は次元の数を指定することができる（ダイポールは三次元空間座標のため，次元は3に限定される）[1]。3列目の Norm. は正規化を行うか否かを指定できるチェックボックスである。デフォルトでオンになっているのでここではそのままにしておく。4列目の Rel. Wt は相対的重み付けの値の指定であり，デフォルトではダイポールに10という比較的大きな値が指定されているが，これはダイポールの次元数が低いためである。これら三つの指標は，最上段のラベルと対応するテキストボックスやチェックボックスの位置が，多くの環境で一つずつずれているように見えるので注意されたい。spectra の Freq.range は周波数帯，ERP の Time range は潜時帯の範囲指定であり，それぞれ 4 〜 40Hz，100 〜 600 ミリ秒の情報を用いるように設定した。なお，最終的な次元の数（＝選択されているすべての項目の

---

1) たとえば ERP データは，電極の数×時間ポイントだけデータが存在するが，膨大な量になってしまうので，主成分分析を用いて次元縮約される。この次元を10とすると，主成分分析した結果の大きい方から 10 個の結果だけが選ばれ，それらの再構成される線形な組み合せだけ ERP データが次元縮約されたデータはクラスタ位置ベクトルとなり，クラスタ内での距離を計算する際に参照される。

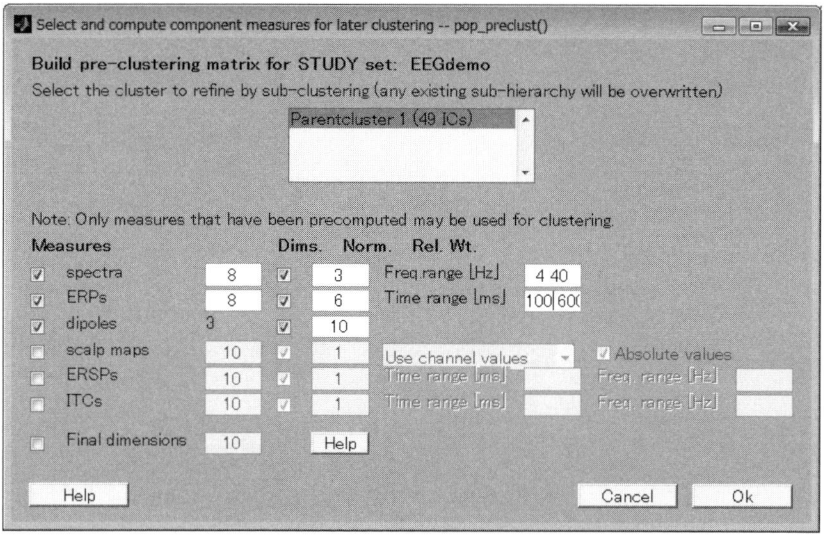

第6章 認知活動との関連を探る3：独立成分分析クラスタリング

図 6-4 Select and compute component measures for later clustering ウインドウにおける次元縮約，重み付け，計算範囲を指定するパラメータ入力

Dims. の値の和）が 10 〜 20 に収まらない場合，クラスタリングがうまく行われない可能性がある。このため，ウインドウ左下の **Final dimensions** のチェックボックスをオンにした上で，横のテキストボックスに 10 から 20 までの適当な数値を指定し，選択されたすべての指標の次元の数を減らすことも可能である。ただし，次元縮約にさらに次元縮約を重ねるのは適当な方法とは言えず，できる限り避けたほうがよい。EEGLAB のチュートリアルにおいても推奨されておらず，むしろそれぞれの **Dims.** の数を減らし，合計が 10 〜 20 の範囲に収まるように指定するのがよいとしている。ここでは変更できないダイポールの次元 3 を除く二つの次元を 8 とし，3+8+8 で合計 19 とした。パラメータの設定を終え，右下の **Ok** ボタンを押すと，EEGLAB メインウインドウの下から 2 番目，Status が Pre-clustered となりクラスタリングの準備ができたことを示すようになる。

クラスタリング

クラスタリングに用いるデータの指定が終わったら，いよいよクラスタリン

グを行う。EEGLAB メニューから，Study - PCA clustering (original) - Cluster components を選択すると，Set clustering algorithm ウインドウが現れる（図6-5）。クラスタリングに用いるアルゴリズムを，Clustering algorithm: のプルダウンメニューから選択する。使用している MATLAB に Statistical toolbox（現 Statistics and Machine Learning Toolbox）がない場合は，Kmeanscluster (no toolbox) を選ぶ。Statistical toolbox がある場合は，デフォルトの Kmeans (stat. toolbox) を使う。Numbers of clusters to compute には，最終的にいくつのクラスタに分離するか，その数を指定する。クラスタ数の指定は非常に重要であるが，いくつにすればよいというはっきりとした基準はなく，上限を 30 とし，通常は 10 〜 20 程度の範囲で値を選択する。これが小さければ当然分類はおおまかに，大きければ煩瑣になりデータの展望が悪くなる。クラスタリング後の各クラスタに含まれる独立成分数，実験参加者数などで基準を設ける方法もあるが，チュートリアルデータでは 10 と入力する。最後の Separate outliers (enter std.) では外れ値の独立成分をクラスタリングから除外するかどうかと，その場合の閾値とするための分散（その独立成分がどれほど平均的な独立成分から離れているか）を指定する。ここでは外れ値の隔離は行わないため，チェックボックスはオフのままにして Ok ボタンを押す。

クラスタの成分同定と最適化

クラスタリングが終了したら，次はその結果を概観する。通常クラスタリングが終わると自動的に View and edit current component clusters ウインドウが表示されるので，クラスタリングの結果を確認していく（図6-6）。

ただし，クラスタリングは，全く同じデータに同一のクラスタリング手法を繰り返し行った場合，ほぼ同じクラスタを構成するが，その並び順は毎回異なるため，読者がクラスタリングを行って結果を概観する場合，ここで紹介するものと内容が多少異なる可能性が高い。よってここで，「クラスタ番号 3 番が……」といっても，読者はそれぞれの結果から似たものをわざわざ探し出さなくてはならない。その煩雑さを回避したい場合は，前述したように本書ウェブサイトより STUDY (STUDYSET.zip) をまるごとダウンロードして使用すると確認しやすい。解凍し，MATLAB フォルダに入れたら，File - Load existing

第6章 認知活動との関連を探る3：独立成分分析クラスタリング

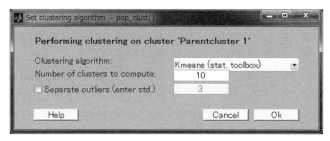

図6-5 Set clustering algorithm ウインドウにおけるクラスタリングのパラメータ設定

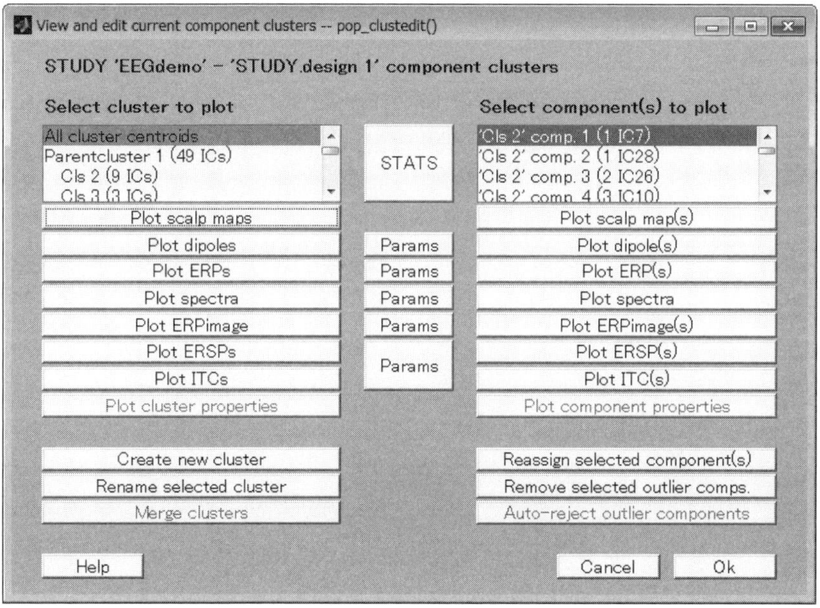

図6-6 View and edit current component clusters ウインドウ

study からそのフォルダ内の EEGdemo.study を選択してロードする。読み込めたら Study-Edit/plot clusters を選択し，クラスタリングの結果を概観する。

View and edit current component clusters ウインドウ左上，Select cluster to plot には，全クラスタを表す All cluster centroids，分類をする前の親クラスタ（すべての成分が割り当てられている）Parentcluster 1（49 ICs）に続いて，10個のクラスタが2〜11の番号を割り当てられてリストされている。まず結

167

II 脳波解析の実際

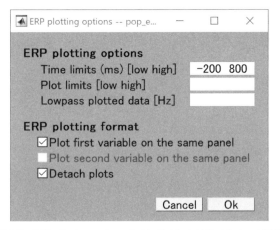

図 6-7　ERP plotting options ウインドウにおけるパラメータ設定

果の表示の仕方を設定するために，各表示用パラメータを入力する。ウインドウ左側 Select cluster to plot の列にある Plot ERPs の右横の Params ボタンをクリックし，ERP plotting options ウインドウを開く（図 6-7）。最上段の Time limits (ms) [low high] の欄に「-200 800」，Plot first variable on the same panel にチェックを入れておく。Ok ボタンを押して View and edit current component clusters ウインドウに戻ったら，同様に，Plot spectra の横の Params をクリックし，現れた Spectrum plotting options ウインドウで Frequency [low_Hz high_Hz] に「2 30」を入力し，Plot first variable on the same panel にチェックを入れて Ok ボタンを押す（図 6-8）。Select cluster to plot で All cluster centroids が選択されていることを確認し，左側のほうの Plot scalp maps と Plot ERPs と Plot spectra ボタンを押す。新しく開かれた三つのウインドウ（Average scalp map for all clusters とタイトルにある各クラスタの頭皮上分布図のウインドウ（図 6-9），Component ERP ウインドウ（図 6-10），Component Spectrum ウインドウ（図 6-11））に表示された三つのプロットを参考にしながら，それぞれのクラスタを探索的に検討していく。

　以下，クラスタリング後にどのような作業が必要かを概観する。前述のようにここで紹介するクラスタ番号は，読者がクラスタリングを行った場合の番号とは異なる可能性が高い。よって，その場合は，図 6-9 などと自分の出力結果

第6章 認知活動との関連を探る3:独立成分分析クラスタリング

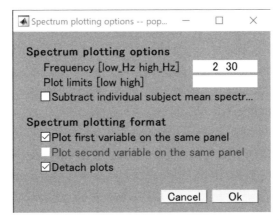

図 6-8 Spectrum plotting options ウインドウにおけるパラメータ設定

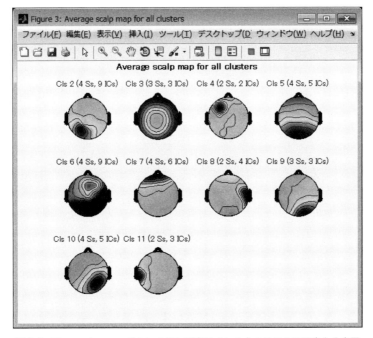

図 6-9 Plot scalp maps ボタンを押して表示される全クラスタの頭皮上分布図

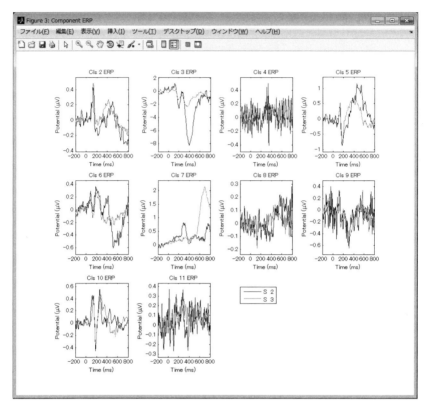

図 6-10　Plot ERPs ボタンを押して表示される全クラスタの ERP

を対比させ，どのクラスタのことを言っているのか確認しながら行う．STUDYSET.zip をダウンロードした場合は，全く同じものを確認できるはずである．ここではその前提で説明をしていく．

　最初に，脳波以外のクラスタを同定していく．周波数スペクトラ（図 6-11）を見て，クラスタ 4 や 11 のように 20Hz 前後にピークがあるのが筋電である．脳波は，周波数が高くなるほどスペクトラが緩やかに下がっていく，1/f と呼ばれる分布を持つことが知られているため，脳波成分が集中しパワーが高まる 10Hz 付近を除いて右下がりになっていない場合は，筋電がかなり混入しているということを疑ってよい．この観点からすると，クラスタ 8 にも筋電が含まれていると考えられる．一方で，右下がりではありながら，別のクラスタと比

第6章 認知活動との関連を探る3：独立成分分析クラスタリング

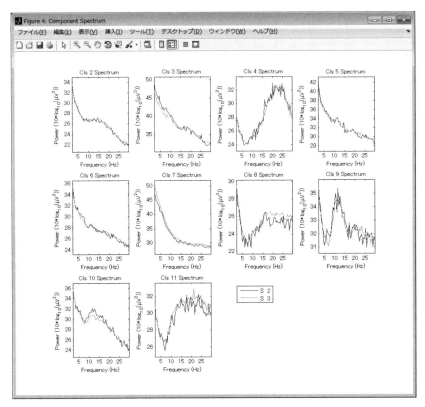

図6-11　Plot spectra ボタンを押して表示される全クラスタのスペクトラ

べて5Hz以下のパワーが非常に高くなるクラスタ3や7（スケールの上限が50以上であることに注意）は，まばたきなどの眼電関連のアーティファクトである可能性を考えておきたい。筋電が中心的な要素と見られるクラスタ4と11のERP（図6-10）を確認すると高周波が目立ち，第4章で確認したようなN1などの初期視覚電位やP300などの後期陽性成分も見られない。また，併せてその頭皮上電位分布（図6-9）を確認すると，クラスタ4は左前頭，クラスタ8は右側頭に限局されており，それぞれ筋組織が電源だと推定できる。頭皮上電位分布（図6-9）からはほかに，クラスタ2は左後頭の，クラスタ9は右後頭の筋電を含むと推定できるが，ERP（図6-10）を確認するとクラスタ2も9も完全に筋電とは言い切れない（刺激呈示後100〜200ミリ秒程度に視覚誘発電位のよう

な形状の波形が確認できるなど)。さらに,クラスタ9はERPがクラスタ4と似ているが,周波数スペクトラ(図6-11)のパターンにおいて,脳波成分と見られる10Hz前後のスペクトラの上昇が見られることから,現時点で筋電のクラスタだと断定することはできない。クラスタ7は,特にその前頭に局限している頭皮上電位分布(図6-9)から明らかであるように典型的な眼電(まばたき)だと言える。ERP(図6-10)を確認すると,大きな条件差を生み出していることが確認できる。

　次に,前段ではっきりとアーティファクトのクラスタであると推定された,クラスタ4,7,8,11内に,脳活動を含んだ独立成分がないかを確認しておく。まずは,左側のSelect cluster to plot内で典型的な眼球運動クラスタとしてCls 7を選択する。すると,クラスタ7に割り当てられた各独立成分が,右のSelect component (s) to plotにリストアップされる。このリストでは,左側の数字が実験参加者番号を,IC1などと書かれた数字がその実験参加者内での独立成分の番号を表している。Select component (s) to plotでAll componentsが選択されていることを確認し,その列の下のPlot scalp map (s)を選択しすべての独立成分の頭皮上電位分布を表示する。同様のことをクラスタ4,8,11に対しても行い,それぞれのマップを並べてみる(図6-12)。左上に大きく表示された頭皮上分布は,各クラスタに含まれる独立成分の平均の頭皮上電位分布を表している。周囲に小さく表示されているのがそのクラスタに含まれる各独立成分の頭皮上分布であり,各図の上部に1/ic1のようにどの実験参加者の何番の独立成分かが表示されている。クラスタ7は,まばたきを含む眼球運動に起因する電位の成分が集まっていると考えられ,分布にほぼ違いがない。1/ic17のみ眼球の左右の動きであり,厳密には異なる反応であるが,どちらも眼球のノイズなのでそのままにしておく。クラスタ7は,すべての実験参加者から最低一つずつの成分を含んでおり,普遍的で不可避なアーティファクトであることを示している。クラスタ4,8,11は成分数が少なく,すべての参加者に見られるわけではない。クラスタ4は,クラスタ7と同様にすべての成分で分布が酷似している。一方でクラスタ8は,1/ic19が前頭に陽性,後頭に陰性の分布を示しており,異質な印象を受けるため他の指標を確認しておきたい。ERPとスペクトラを確認するために,Select component (s) to plotのリスト

第 6 章　認知活動との関連を探る 3：独立成分分析クラスタリング

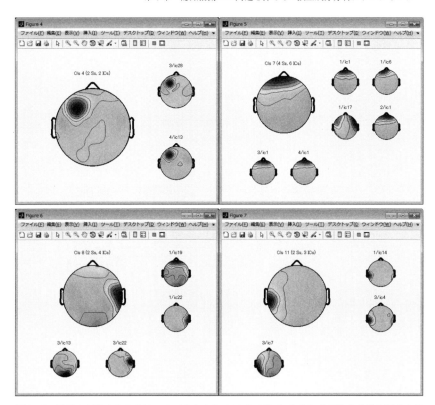

図 6-12　検討の対象としたクラスタ（左上から 4, 7, 8, 11）に含まれる各独立成分の頭皮上電位分布

内で各独立成分（1 IC19，1 IC22，3 IC13，3 IC22）に対し，その列の下の Plot ERP (s) と Plot spectra を押す。さらに，クラスタ 8 の平均 ERP とスペクトラを表示するため，左のリストから Cls8 (4 ICs) を選択し，その列の下の Plot ERP (s) と Plot spectra を押す。これらを並べてみると（図 6-13），**1/ic19** は ERP もスペクトラもほかと違いが見られることがわかる。左端のクラスタ平均 ERP に見られる条件差のようなものは，ちょうどこの **1/ic19** にのみ見られる。これはなんらかの認知活動による成分が，筋電と分離されずにアーティファクトクラスタに含まれてしまった可能性を示唆する。スペクトラも，他が 20Hz にかけて大きくなり筋電であることを示しているのに対し，こちらはきれいに

II 脳波解析の実際

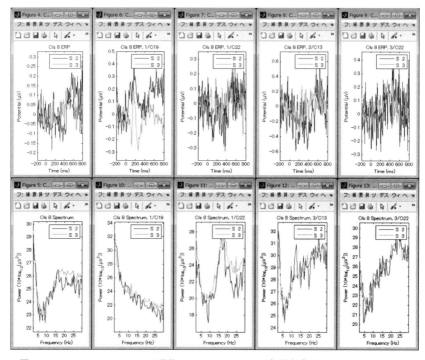

図6-13 クラスタ4のクラスタ平均ERP, スペクトラと各独立成分のERPとスペクトラ

右下がりである。しかしながら,主に脳波成分を反映するとされる10Hzの上昇も見られない。ほかの成分のように筋電由来ではないようだが,分布やその他の特徴からまばたきが強く混入していると推定できることがわかった。

このような検討を加えることで,クラスタ内でほかと異なる独立成分は,より適切なクラスタに配置しなおすか,除外することを検討すべきである。しかし,今回問題とした成分は,多角的に見て脳活動由来とは考えられなかったため,様相が多少異なるものの同じくアーティファクトである可能性が高い成分であれば,そのままにして問題ない。同様な手順でほかのアーティファクトと思われるクラスタを検討してみるとよいだろう。

同じ要領で,今度は脳波成分と思しきクラスタを見ていく。

どのような基準で脳活動として検討対象となるクラスタを絞るかという観点は様々であるが,ここでは二つの基準を置いた。一つは,ここまでの検討で,

アーティファクトのクラスタであるとされたものは除外するということ。もう一つは、すべての実験参加者から、最低一つの独立成分がそのクラスタに入れられていることである。後者は賛否あるが、今回は、この少ない人数で検討可能なのは、非常に頑健に得られる成分に限られるだろうという考えから、こうした方略を取った。すると、クラスタ2、5、6、10がその基準を満たしている。頭皮上分布を見ても、2、5、10は特に後頭—頂頭葉付近を中心に広がっており、視覚刺激を使った実験の結果としては妥当と考えられる（前掲図6-9）。

　クラスタ10を例にとって、先ほどアーティファクトと推定されたクラスタに行ったことと同じ確認作業を行う。まずは、左側のSelect cluster to plot内で、Cls 10を選択する。次に、右のSelect component (s) to plotに五つの独立成分がリストアップされる。Select component (s) to plotで、All componentsが選択されていることを確認し、その列の下のPlot scalp map (s)を選択し、すべての独立成分の頭皮上電位分布を表示する（図6-14）。左上のクラスタ平均分布では、右頭頂から後頭にかけての分布を示しているが、1/ic13、2/ic5はそれよりも後頭寄りの分布で、3/ic11に関してはかなり分布が異なるように見える。こうした、頭皮上電位分布がクラスタ平均のものと異なる成分の、ERPとスペクトラを詳細に確認してみよう。Select component (s) to plotのリスト内で、対象となる独立成分三つ（1/ic13、2/ic5、3/ic11）に対し、その列の下のPlot ERP (s)とPlot spectraを押す。また比較のために、左側の列のPlot ERPs、Plot spectraボタンを押してクラスタ平均のERPおよびスペクトラも表示する。これらを並べてみると（図6-15）、3/ic11（右端）のERP（上段）およびスペクトラ（下段）に顕著な違いが見られることがわかる。特筆すべきは、ERP波形において、それ以外のすべてのプロットで見られる200ミリ秒前の急峻な陰性の振幅が見られないことである。これは視覚誘発電位であると考えられるが、クラスタ平均のERPにも顕著に現れていることから、このクラスタの代表的な電位変化であると考えてよい。3番目の実験参加者からはほかに一つの成分がこのクラスタに含まれており、こちらを参照するとこの電位が確認できることからも、3/ic11はこのクラスタから除外するのが適切であるという判断が可能である。しかしながら、ここで目視による除外をする場合は、その基準は恣意的と言わざるを得ず、論文化する際には十分な説明が必要だろ

II　脳波解析の実際

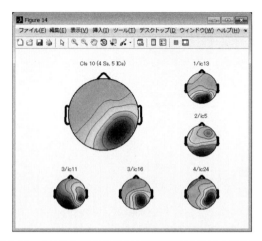

図 6-14　クラスタ 10 に含まれる各独立成分の頭皮上電位分布

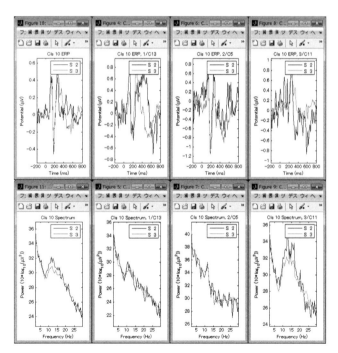

図 6-15　クラスタ 10 のクラスタ平均 ERP，スペクトラと検討の対象となった各独立成分の ERP とスペクトラ

第6章　認知活動との関連を探る3：独立成分分析クラスタリング

う。ここでは詳述しないが，その特徴量を基準として除外する方法もあるので，このような細かいクオリティコントロールが必要な場合には検討する必要がある。ERP振幅の絶対値がそれほど大きくないことを見ると，ここでは大きな影響はないと判断して，そのままにしておく。

　同様にクラスタ2，5，6に対しても検討を行うと，クラスタ2では3/ic31，クラスタ5では1/ic4などが，クラスタ6では2/ic11，2/ic31，23/ic25などが除外対象となりそうだ。ただし，恣意性をさけるため，ここでもそのままにしておく。以降，最終的な出力を，ある意味でのノイズは含まれた状態で検討していく。

　以上までの検討で，ほとんどのクラスタは筋電か眼電のアーティファクトで，脳波成分はわずかにクラスタ2，5，6，10という状態にまで整理することができた。ここまでのプロセスのすべてが，プリプロセス（前処理）であると言っても過言ではない。ちなみに，電極ベースで解析を行う場合，こうして独立成分を用いたクラスタリング解析によって選んだアーティファクトクラスタに含まれる独立成分を除外して検討することが可能である。それでは，次にいよいよ実験の関心である，標準刺激と標的刺激の条件差の検討を行う。

条件差検定の準備

　実験における条件差を検討する上で，どのような統計的手法を用いるかを選択する必要がある。よってデータ概観に先立って，これを設定する。**View and edit current component clusters** ウインドウ，中央上部 **STATS** ボタンを押すと，**Set statistical parameters** ウインドウが開く（図6-16）。各設定の詳細はここでは割愛し，どれを選ぶかのみを示唆する。このチュートリアルデータは実験参加者数が4しかないので，そもそもグループレベル解析を行うのは適当ではないが，練習のため，ここではBootstrap法を用いて検討を行う。また，多重比較補正にFalse Discovery Rate（FDR: Benjamini & Hochberg, 1995）を採用して，偽陽性の問題への対策を講じる[2]。**Set statistical parameters** ウインドウ上部，**Compute 1st independent variable statistics** のチェックボックスをオンにする。ウインドウ中段，**Use EEGLAB statistics** にチェックを入れる（デフォルトで入っている）。すぐ下のプルダウンメニューから，**Use bootstrap**

II 脳波解析の実際

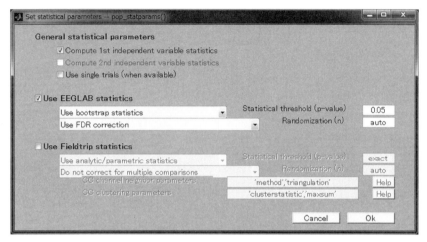

図 6-16　Set statistical parameters ウインドウにおけるパラメータ設定

statistics を選択する。Bootstrap 法を使うことによる問題の警告が出るが，ここではそのまま Ok を押す。さらに一つ下で，Use FDR correction を選択する。Statistical threshold（p-value）には「0.05」と入力し，Randomization（n）は auto のまま右下の Ok ボタンを押す。これで統計解析に関する設定は完了である。

View and edit current component clusters ウインドウに戻ったら，中央列の一番下にある Params ボタンを押して，時間周波数解析の結果の表示に関するオプション設定を行う。Set ERSP/ITC plotting parameters ウインドウ

2）ウェーブレット変換の結果は，時間と周波数のグリッドからなる二次元プロットとなり，数千から数万データポイントを含む。このデータポイントすべてに対し Bonferroni で補正すると，過剰補正となる（タイプⅡエラー，つまり有意差の見逃しの過誤）。このプロットでは隣接するピクセル同士には高い相関があるため，すべてのピクセルを独立のデータと考える前提そのものが間違っているためである。この問題を正しく扱うためには，空間的なスムーズネスを考慮するなどの対策が必要である（e.g. Worsley et al., 1992）が，ここで紹介されている手法は残念ながらこれを考慮しないため，依然としてタイプⅡエラーに陥っている可能性は否定できない。FDR に飽き足らない読者は，Fieldtrip（Oostenveld et al., 2011）に，この問題に対するより合理的な解決法が提案されているので，参照されたい。また，Groppe et al.（2011）は，脳波解析の多数の単変量解析の問題を論じた有益な論文である。

第6章 認知活動との関連を探る3:独立成分分析クラスタリング

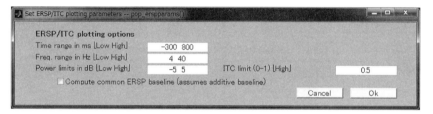

図6-17　Set ERSP/ITC plotting parameters ウインドウにおけるパラメータ設定

(図6-17) で，Time range in ms を「-300 800」，Freq. range in Hz を「4 40」，Power limits in dB を「-5 5」，ITC limit (0-1) を「0.5」としてOkボタンを押す。以下順不同にデータを確認していく。

クラスタ10の結果

View and edit current component clusters ウインドウの Select cluster to plot 内で Cls 10 (5 ICs) を選択する。まずクラスタ10について Plot dipoles を押してダイポールの分布を確認すると，それらは深部に分布していることがわかる。図6-18は，出力されたウインドウ内で，マウスドラッグして回転させたものである。クラスタ10には，五つの独立成分から成り立っているので，五つのダイポールが表示されるが，それに加えて，全体の平均が計算され，赤い色の球体で6番目に表示される（図6-18では白丸で表示）。Nextボタンを何度も押して，その6番目を選択すると座標位置の平均値が得られる。クラスタ10の場合，中心は Talairach の座標系において x=28, y=-39, z=23，推定残差の平均は5.94％であった。この値は良好であり，このクラスタに集まっている独立成分がこの位置に信号源を推定しても無理がないことを示唆している (Delorme et al., 2012)。続いてこのクラスタの各指標の条件差を検討する（図6-19）。ERPでは200，300，700ミリ秒付近に有意差が見られる。ERSPにおける条件差を検討したところ（図6-19），主に200ミリ秒以降，ベータ帯域で条件差が認められ，標的刺激 (S2)＜標準刺激 (S3) であった。刺激呈示前にも条件差が見られるのは，ウェーブレット変換の窓の長さが数百ミリ秒あったため，刺激呈示後の活動を拾っているためと解釈できる。試行間位相同期 (Inter-trial Coherence: ITC) には有意差が見られなかった。これは位相同期に差がなかったと結論す

179

II 脳波解析の実際

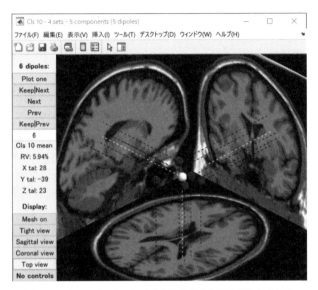

図6-18 クラスタ10における全独立成分の信号源とその平均

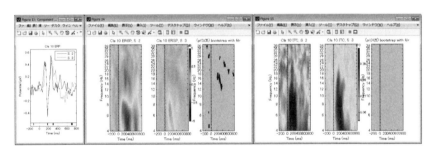

図6-19 クラスタ10における全独立成分の平均ERP, 平均ERSPマップ, 平均ITCマップ

ることもできるが, 標的刺激の試行数が少なすぎて, 背景ノイズのレベルが両条件で違いすぎる可能性もある。プロットを見ると試行数の少ない標的刺激において, 全体的にITCが高まっていることが見て取れる。これは, ERSPが比較的意味のありそうな時間変動の見えるデータを出していることと対照的であり, これら二つの指標の特性の違いを表している。

第 6 章　認知活動との関連を探る 3：独立成分分析クラスタリング

クラスタ 2 の結果

Cls 2（9 ICs） を選択する。Plot dipoles からダイポールの分布を見てみると（図 6-20），中心は Talairach の座標系において x=-36, y=-49, z=39，推定残差の平均は 10.10％となっており，クラスタ 2 は多少ダイポールの推定残差が気になるところではある。一つ，3/ic31 が皮質外に推定されているようにも見えるが（Coronal view だとわかりやすい），これは皮質外から脳活動が出ていると考えるよりは，このあたりの筋電とうまく分離されずに推定位置がずれてしまったと考えるのが妥当である。全体に頭頂部に信号源が分布しており，左頭頂葉の活動と考えてよさそうだ。指標を表示して検討したところ（図 6-21），ERPでは主に 400 ミリ秒前後を中心に全体にまばらに有意差が見られたが，ERSPでは 200 〜 400 ミリ秒の 6 〜 10Hz 程度，および 600 ミリ秒以降の 18 〜 26Hz 程度に有意差が見られた。そのほかもまばらに有意差が出ているが，時間周波数窓が小さいので，このくらいの人数では出てきてしまうノイズの有意差である可能性が高い。時間周波数窓の大きさを基準に，有意性を検討する方法もあるが，Cohen（2014）など，他書の詳述を参照されたい。ITC では異常に広い領域に有意差が見て取れることから，全体的に ITC の有意差は疑わしい。人数が少なすぎて，適当な有意差検定が行われなかった可能性が高い。以上，有意差を呈する時間周波数窓がまばらであることから，クラスタ 2 の条件差は実験参加者を増やしての再検討を待つ必要があると言えるだろう。

クラスタ 6 の結果

Cls 6（9 ICs） を選択する。ダイポールの分布を見てみると（図 6-22），中心は Talairach の座標系において x=17, y=15, z=38，推定残差の平均は 7.96％と良好である。指標を表示して検討したところ（図 6-23），ERP は，400 〜 600 ミリ秒で標的刺激に強い反応が現れており，P300 に関連した反応であると考えられる。ここでは 400 ミリ秒付近と，500 ミリ秒付近に有意差が見られた。ERSP は，特に 200 〜 600 ミリ秒あたりにおいて，シータとアルファ帯域の活動が標的刺激＞標準刺激であった。この時間域に標的刺激に強く出る反応というと，特に後半は P300 に対応していることが推察される。ITC は，プロットを概観する限り，400 〜 600 ミリ秒あたりのシータ帯域において，標的刺激に

II 脳波解析の実際

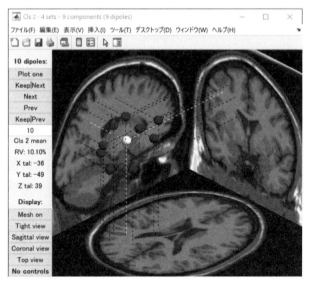

図6-20 クラスタ2における全独立成分の信号源とその平均

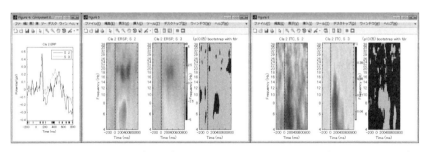

図6-21 クラスタ2における全独立成分の平均ERP，平均ERSPマップ，平均ITCマップ

対する反応の上昇が見られそうだが，クラスタ2同様，統計検定においては全域に有意差が出てしまっており，有意味な結果を考察することは不適切でありそうだ．以上の結果から，クラスタ6はP300，あるいはそのサブコンポーネントを反映するクラスタである可能性が示唆されたが，もう少し実験参加者が集まれば，データの傾向がよりはっきりすると考えられる．

第6章　認知活動との関連を探る3：独立成分分析クラスタリング

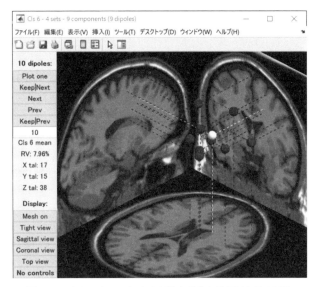

図6-22　クラスタ6における全独立成分の信号源とその平均

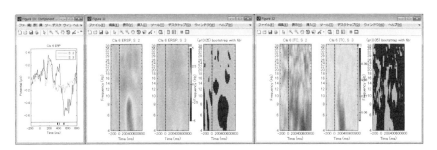

図6-23　クラスタ6における全独立成分の平均ERP，平均ERSPマップ，平均ITCマップ

クラスタ5の結果

Cls 5（5 ICs）を選択する。Plot dipoles を押してダイポールの分布を確認すると，それらはかなり脳の深部に分布していることがわかる（図6-24）。中心はTalairachの座標系において x=1, y=-15, z=-34，推定残差の平均は4.22％であった。この残差の値は良好であり，この信号源推定に無理がないことを示唆しているが，この位置を文字通りに考えると，橋（pons）など脳幹の一部ということになる。頭皮上脳波でそうした深部脳の活動が捉えられるのは，聴性脳幹

183

II 脳波解析の実際

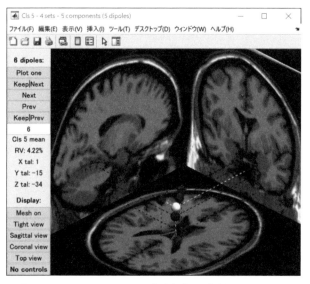

図6-24　クラスタ5における全独立成分の信号源とその平均

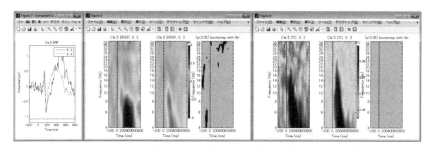

図6-25　クラスタ5における全独立成分の平均ERP，平均ERSPマップ，平均ITCマップ

反応などの特別なパラダイムに限られる。今回のケースは，時系列データは良好で脳に電源があることを示唆するため，独立成分分析と頭部モデルのいずれかあるいは双方のエラーで，部位情報の解釈は行わないほうがよい。このクラスタの各指標の条件差を検討すると（図6-25），ERPでは典型的なP300の波形が見えるが有意差はない。ERSPにおける条件差を検討したところ，主に200ミリ秒以降ベータ帯域（30Hz以上）で条件差が認められるが，刺激呈示前にも条件差が見られるなど，容易に解釈できない。ITCには有意差が見られなかっ

た。やはり，この成分でも十分な有意差を見るには，より多くの人数が必要だと考えられる。

結果のまとめ

まず，この課題においては，従来の知見から標的刺激に対する P300 の誘発が認められることがわかっているが，これはクラスタ 5 や 6 の ERP において観測されたと考えられる。さらに，その生起には少なくとも ERSP の上昇が関与することが示された。ITC がこれに関与するかについては，標的刺激の試行数を増やして検討する必要があるが，少なくともこの P300 の差は振幅の上昇に原因の一端があることは明らかになった。また，別の信号源，クラスタ 10 の ERSP において，同様の標的刺激に対するベータ帯域の活動の減退が見られた。周波数帯域，信号源が異なることから，何か別の処理を行っていると考えられる。得られた脳座標で先行研究を検索してみると，音声を用いた注意の研究が見つかった (Hugdahl *et al.*, 2000)。Positron Emission tomography (PET) を用いて脳機能画像を撮像したこの研究では，ターゲット刺激に対するボタン押しをさせており，この際に右後部島皮質の活動が認められている。これらから，この成分は刺激の感覚モダリティによらない注意資源の配分を行っている可能性があると考えられる。このように，空間分解能は十分ではないながら，脳の信号源によって成分の分離を行うことができる。よって，注意は必要ではあるが，脳機能画像研究の知見と突き合わせることができる点は，考察の幅を広げられる要因となるだろう。ただし，以上見た過程は，あくまでデモンストレーションを目的としたものである。論文として発表するためには，さらに実験参加者数を増やして検討する必要がある。

以上において，クラスタリングを用いた集団レベルにおける検討の手法を確認した。ここで行ったような小規模なデータの解析とは異なり，通常この手法はもっと多くの実験参加者と多くの独立成分を対象に行う。データ数が増えるほど結果の傾向は頑健で安定なものとなり，またクラスタ数の選択においても自由度が増えるため，この手法を用いるメリットは大きくなる。しかし一番のメリットは，扱っているデータがすべて独立成分であるために，信号源の活動

についての議論をすることができる点であることは,最後にもう一度強調しておきたい。

引用文献

Benjamini, Y., & Hochberg, Y. (1995). Controlling the false discovery rate: a practical and powerful approach to multiple testing. *Journal of the Royal Statistical Society B*, **57** (1), 289-300.

Cohen, X. M. (2014). *Analyzing neural time series data: Theory and practice*. Cambridge, Massachusetts: The MIT Press.

Delorme, A., Palmer, J., Onton, J., Oostenveld, R., & Makeig, S. (2012). Independent EEG sources are dipolar. *PLoS One*, **7**, e30135.

Groppe, D. M., Urbach, T. P., & Kutas, M. (2011). Mass univariate analysis of event-related brain potentials / fields I: A critical tutorial review. *Psychophysiology*, **48**, 1711-1725.

Hugdahl, K., Law, I., Kyllingsbæk, S., Brønnick, K., Gade, A., & Paulson, O. B. (2000). Effects of attention on dichotic listening: An 15 O-PET study. *Human Brain Mapping*, **10**, 87-97.

Makeig, S., Delorme, A., Westerfield, M., Jung, T. P., Townsend, J., Courchesne, E., & Sejnowski, T. J. (2004). Electroencephalographic brain dynamics following manually responded visual targets. *PLoS Biology*, **2** (6), e176 (doi:10.1371/journal.pbio.0020176).

Onton, J., Delorme, A., & Makeig, S. (2005). Frontal midline EEG dynamics during working memory. *NeuroImage*, **27** (2), 341-356.

Oostenveld, R., Fries, P., Maris, E., & Schoffelen. J. M. (2011). Field trip: Open source software for advanced analysis of MEG, EEG, and invasive electrophysiological data. *Computational Intelligence and Neuroscience*, **2011**, 156869.

Worsley, K. J., Evans, A. C., Marrett, S., & Neelin, P. (1992). A three-dimensional statistical analysis for CBF activation studies in human brain. *Journal of Cerebral Blood Flow & Metabolism*, **12**, 900-918.

第7章 認知活動との関連を探る4:
SPMを用いた脳波解析

河内山隆紀

　本章では,SPM (Statistical Parametric Mapping) を用いた脳波解析を紹介する。SPMの難解な解析原理を直感的に理解できるように配慮した。そのため,正確さを欠く説明をせざるを得なかったところもあるので,SPMの公式ウェブサイト (www.fil.ion.ucl.ac.uk/spm/) や,本章で引用した論文も合わせて参考にしてほしい。また,理論を理解した後は,解析を実践してみることも必要であろう。本書ウェブサイトのチュートリアルには,SPMの詳しい操作方法を説明したので参考にしてほしい。

1 SPMとは

　SPMは,ロンドン大学のカール・フリストン博士を中心としたグループが開発を続けている脳機能画像解析用のソフトウエアである。脳機能画像は,実験課題によって生じた脳活動を様々な計測装置で計測して画像化したもので,その解析結果を見れば,脳の各領域がどのような機能を有しているか一目瞭然,手に取るように知ることができる。SPMが扱うことのできる脳機能画像データは,長らく陽電子放射断層撮像法 (Positron Emission Tomography: PET) や機能的磁気共鳴画像法 (functional Magnetic Resonance Imaging: fMRI) などの血液動態を反映したもののみであったが,近年,脳波 (Electroencephalography: EEG),脳磁図 (Magnetoencephalography: MEG) などの電気生理学データが新たに解析できるようになった。解析法の多くが論文化されているという信頼性に加えて,簡単なボタン操作で解析できることや,豊富なマニュアル類やメーリング・リストによるユーザー・サポートなど,とても便利なソフトウエアであり,現在の脳機能画像解析法における標準的な解析ツールといっても過言ではない。1990年代初頭の非公開バージョンから始まった開発は,概ね3年ごとのアップデートを繰り返している (最新バージョンは,公式ウェブサイトを参照)。なお,

以下の説明は脳波解析を例とするが，そのすべてが脳磁図データにも適用可能である。

読者の皆さんは，脳波の波形データが，脳機能画像解析用のソフトウエアで解析できる「画像」データであることに違和感を覚えるかもしれない。その疑問を解消し，皆さんに脳波データについての新しい視点を与えるのが本章の役割である。まず，SPMの優れた解析法がどんな原理に基づいているのかできるだけ平易に説明したい。SPMを使うと脳波データをどのように評価できるのか，具体的にチュートリアルデータの解析結果を示しながら紹介しよう。チュートリアルデータは，SPMの詳しい操作方法とともに本書ウェブサイトにアップロードされているので，実際にSPMを操作しながら，これらの解析結果がどのようにすれば得られるのか，確認してほしい。

2 SPMにおける脳波解析法の概要

SPMは，従来の脳波解析法にない様々な特徴を持っている。一言で言えば，脳波データの「脳機能画像化」である。それを支える主な解析原理を，三つ挙げておこう。いずれも詳細は後述することにして，ここではその概要を紹介する。

まず一つ目は，分布信号源推定法である。第3章および第6章で説明したように，頭皮上の電極で計測された電位データから大脳皮質の神経細胞群の活動を推定する方法を，信号源解析という。信号源解析はEEGLABでも可能であるが，それは頭皮上の電位データを最もよく説明する信号源を大脳皮質上に一つだけ見つけるという方法であった。一方，SPMでは，信号源の数を一気に数千個から数万個に増やして大脳皮質上のあらゆる場所に散らばった，すなわち「分布」した信号源の活動を推定できるのである。脳内には，活動の大きな領域もあるし，あまり活動していない領域もあるだろう。ここで，大きな活動をしている信号源は白っぽく，小さな活動をしている信号源は黒っぽく明暗をつけて表示すれば，脳活動状態を示したグレースケールの画像を構成できる。分布信号源推定法を使えば，脳波データから大脳皮質の脳活動を画像化することができるのだ。

二つ目は，解剖学的標準化である。従来の脳波データの解析法でも，10-20

法の電極位置で計測されたデータを全実験参加者で平均して結果を出すことは常に行われている。SPMでは,そのように電極のデータを平均するのではなく,分布信号源推定した信号源のデータを実験参加者間で平均する。当然,脳の形態は実験参加者間で異なっており,したがって,大脳皮質上の信号源の位置も実験参加者間で対応していないので,単純に平均はできない。解剖学的標準化とは,各実験参加者の脳を国際的に定められた形態に変形して揃えることで実験参加者間平均を可能にする手法である。

　三つ目は,統計解析である。データを計測した後は,実験の目的に応じて,複数の実験条件間で脳活動を比較したり,心理量と脳活動との相関を評価したりする必要がある。ここでは統計モデルが活躍する。統計モデルには,t検定,分散分析,回帰分析など様々なモデルがあるが,SPMでは,これらを一般線形モデルという統合的な解析環境の中で自由自在に利用できるようになっている。解析結果は,統計検定法によって評価される。脳機能画像データの統計評価は難しく,実際,「脳活動がないにもかかわらず誤って活動がある」と評価してしまう危険性が非常に高い。SPMでは,脳機能画像データ専用の統計評価法を利用できるので,その危険性は大幅に減少する。

3　SPMにおける脳波データ解析法の原理と実際

　本節では図7-1を参考にしながら,解析の各工程を説明しよう。統計解析には,電極から得られる電位データに対して統計解析を行う場合(電極データ解析)と,電位データを用いて信号源推定を行い,その結果に対して統計解析を行う場合(信号源データ解析)の2種類の流れがある。電極データ解析は,従来の脳波解析のSPM版である。新しさの点では,信号源データ解析に及ばないが,SPMの特徴である脳機能画像化と脳機能画像専用の統計解析が可能であるし,手軽で便利な解析方法なので本節でも紹介する。

データの準備

　最初に,解析に必要なデータを整理しよう。適切な課題設計に基づいて計測された脳波データ(図7-1)を準備する。さらに,信号源データ解析を行う場合には,各実験参加者の頭部MRI構造画像(図7-1)も準備する。MRI画像から

II 脳波解析の実際

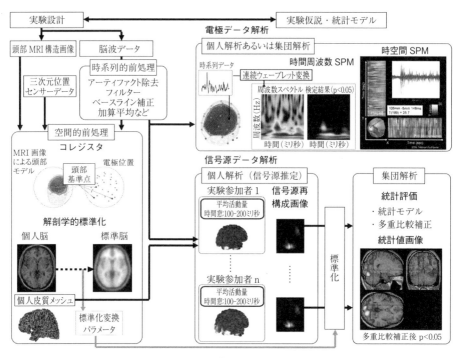

図 7-1 SPM における脳波データ解析法の流れ図

は，信号源を設置するための大脳皮質や信号源推定に必要な脳構造の情報を得る。三次元位置センサーデータ（図7-1）は，頭皮上に設置された電極の位置と，頭部基準点（fiducial 座標と呼ばれ，通常，鼻根点：nasion，両外耳孔前点：left／right preauricular point の 3 点）の位置情報を持っている。後ほど，MRI 画像を画像処理して得られるバーチャルな頭皮上に，電極を設置する際に利用する。なお，MRI 画像や三次元位置センサーデータを得ることができない場合には，SPM が事前に用意してくれている頭部 MRI 画像や，それと組み合わせて使う脳波電極の位置情報を利用することができる。ただし，これらの MRI 画像や電極位置情報は，実験参加者のものではなく，後に説明する標準脳という国際的に定められた定型脳に基づいている。精度の点では，各実験参加者の頭部 MRI 構造画像や三次元位置センサーデータの準備を推奨する。

時系列的前処理

　脳波データに対しては，まず時系列的前処理（図7-1）を行う。時系列的前処理には様々な信号処理が含まれており，たとえば，アーティファクト除去，各種フィルタ，ベースライン補正などを行う。さらに必要に応じて加算平均を行う。これらの信号処理の詳細については，第3章第3節を参考にすること。ここでは詳しくふれないが，チュートリアルでは，SPMを用いた基本的な信号処理の方法を紹介した。時系列的前処理後の脳波データを用いて電極データ解析や信号源データ解析を行う。まず信号源データ解析について説明しよう。

信号源データ解析1：空間的前処理

　信号源データ解析には，複数の工程が必要である。まず空間的前処理（図7-1）を行う。空間的前処理には，コレジスタと解剖学的標準化がある。コレジスタ（図7-1）とは，SPMで使用される用語で，位置合わせを意味している。では，どのデータの位置を合わせるのであろうか。信号源推定のために準備したデータは，MRI画像，三次元位置センサーデータ，そして脳波データである。ここで位置を合わせなければならないデータは二つ，MRI画像と三次元位置センサーデータである。次に，なぜデータの位置を合わさなければならないのだろうか。その理由は信号源推定のために必要だからである。信号源推定では，後述するように大脳皮質上の信号源の活動が，脳の中を伝わって，電極で計測される道筋を正確に再現する必要がある。そのためには，信号源を置く大脳皮質，脳脊髄液など道筋の途中にある様々な脳の組織，頭蓋骨，頭皮，そして電極を，コンピュータ上ですべて重ねて再現できなければならない。ところが，大脳皮質，頭蓋骨，頭皮などの解析画像を得るMRI装置と，電極位置を得る三次元位置センサー装置は，全く別の計測装置である。一般的に実験装置の位置情報は，装置によって基準点が異なるため，単純に比較することはできないのである。それでは，どのようにして位置合わせを行うのだろうか。今，皆さんが左手に頭部MRI画像の模型を持っているとしよう（図7-1：コレジスタ，頭部モデル）。右手には，三次元位置センサーデータで作った電極位置と頭部基準点からなる模型である（図7-1：コレジスタ，電極位置）。位置を合わせよう。電極は，三次元位置センサーデータにしかないので，位置合わせの際に参考にな

らない。頭部基準点の鼻根点や両外耳孔前点は，頭部 MRI 画像にも存在している（それらがわかりにくい場合には，鼻根点や両外耳孔前点に，MRI 画像に写るマーカーをつけて画像を撮像することもある）。三次元位置センサーデータの頭部基準点が頭部 MRI 画像のそれに一致するように，電極の模型を頭部の模型にはめ込めば，位置合わせは完了である。もちろん，実際の作業はコンピュータ上で，しかもボタン一つで行うことができる。いったん位置合わせが完了すれば，以後の作業はすべて MRI 画像の位置情報が基準となる。

解剖学的標準化（図 7-1）は，個人ごとに異なる脳の形態を，国際的に定められた標準脳の形態へ変形する作業である。後述の集団解析の際には，信号源解析結果を実験参加者間で平均する必要があるので，標準化は必須の工程である。さらに，得られた実験結果を研究間で比較可能にするという重要な目的もある。ここで標準脳と標準座標系について説明しよう。標準脳（図 7-1）とは，世界中の脳機能画像の研究者たちが使っている国際的に定められた基準となる脳の形態である。あらゆる人種，老若男女，どのような脳形態にも適合するように多人数の脳を平均することで作成してあり，いわば人類の脳形態の代表である。標準座標系とは，標準脳が持っている位置情報のことであり，脳領域を脳の個人差に依存することなく X 座標，Y 座標，Z 座標の三次元座標で表すことができる。簡単に言えば，脳の番地である。その代表は Talairach 座標系（Talairach & Tournoux, 1988）であるが，SPM を含む多くのソフトウエアでは，それを MRI 画像に適合させた MNI（Montreal Neurological Institute）座標系が使われている。標準座標系を使えば，研究間での脳活動部位の比較が容易になるし，またアトラス（脳地図）を利用した脳領域名の特定も可能となる。アトラスとは，MNI 座標とその領域名を対応させたもので，ちょうど普通の地図を使って，京都府相楽郡精華町光台 2-2-2 の建物が国際電気通信基礎技術研究所だと特定するように，(X=40 Y=-71 Z=-4) が下後頭回だと特定できる。

解剖学的標準化では，各実験参加者の脳形態を歪めて標準脳のそれに適合させる必要がある。その歪め方を言葉で表現すると，「実験参加者の脳の後頭部を少し後方に拡大，左脳を斜め前方に拡大，前頭部を少し下向きに移動させれば標準脳に一致する」という感じになるが，実際は複雑な数値データで表現されており，それを SPM では標準化変換パラメータ（図 7-1）という。標準化変

換パラメータは，segmentation-normalization 法によって決定する（Ashburner & Friston, 2005）。segmentation-normalization 法は，標準化（normalization）だけでなく，組織分割（segmentation）もできるので，信号源解析に都合がよい。ここで組織分割について説明しておこう。MRI 画像を目視すると，画像の明暗の違いで脳の組織を識別できる。組織分割とは，頭部 MRI 画像から自動的に，灰白質，白質，脳脊髄液，頭蓋，頭皮の各画像を得る作業である。これらの画像は，すべて信号源解析に必要となる。たとえば，灰白質画像と白質画像から大脳皮質を構築，皮質表面を網の目状に画像処理する。SPM では，これを皮質メッシュ（図 7-1）といい，網の目の交点に信号源が設置される（Mattout et al., 2007）。

信号源データ解析 2：分布信号源推定

分布信号源推定は，信号源推定の一種で，信号源データ解析の中心をなす解析法である。個人別に実施されるため，後に行う実験参加者全員のデータを集約する集団解析に対して，個人解析という（図 7-1）。概要でも簡単に紹介したが，第 3 章第 3 節および第 6 章で紹介したダイポール推定が一つの信号源を仮定したのに対して，SPM が用いる分布信号源推定は，脳内，正確には大脳皮質表面上に信号源を多数仮定し，それらの活動を推定する方法である。以下では，SPM の分布信号源推定を理解するために，信号源推定の基礎知識から説明しよう。

信号源推定とは，少し専門的に記述すると，脳内の神経活動を電流双極子で表現して，頭皮上で計測された電位分布から，電流双極子の位置や向きや活動強度を推定する解析法である。ここで電流双極子とは，電流が湧き出るプラス極と，その吸い込み口のマイナス極が，ミクロな距離を隔ててペアになっている，いわばミクロな電流の素である。電流双極子を使うと，大脳皮質の神経細胞集団がいっせいに活動している様子をうまく説明できる。実は，これまで信号源と表現していたものの実態が，電流双極子である。電流双極子をわかりにくく感じる読者は，小さな乾電池を想像してもらいたい。神経細胞は電気的な活動をするが，その集団的な活動を小さな乾電池のオン／オフにたとえてみよう。大脳皮質上には，この小さな乾電池が整然と並んでいる。神経活動は，そ

の小さな乾電池にスイッチが入ることであり，信号源推定は，大脳皮質上のどこの乾電池のスイッチが入ったかを特定する作業と言えよう。しかしながら，頭皮上の限られた数の電極データから，その数は無限とも考えられる信号源の位置を推定することはとても難しく，「この場所が活動した」と活動場所を一箇所に絞ることができないのだ。不良設定問題，専門的にはこのように呼ばれており，研究者はこの問題に直面すると頭を抱えるのである。そのため様々なテクニックを駆使して，活動場所を精度よく決める方法が提案されてきた。第3章および第6章で用いたダイポール推定もその一つである。信号源の数が多すぎるのが問題なので，あらかじめ信号源の数を少数個に絞ったわけだ。ダイポール推定は，SPMでもEquivalent Current Dipole (ECD) 法として利用できる。ECD法は，信号源の数や位置がある程度予想できる場合，たとえば，一次感覚野などを対象とした実験の場合には最適であるが，近年，関心が高まっている高次認知神経科学実験のように，複数の脳領域が関与し，しかもその位置を予測することが難しい場合には，適用が難しい。一方，SPMが採用する分布信号源推定は，皮質上に数千から数万個という大量の信号源を仮定するので，様々な脳領域が活動している様子を可視化することができる。別名イメージング法と呼ばれ，解析結果は「脳機能画像」として出力されるため，SPMが得意とするPETやfMRIの画像データを扱うのと同じ感覚で処理を進めることができる。しかし，ここで皆さんは疑問を持つであろう。信号源の数が多いのが問題だからECD法が提案されたのに，また信号源の数を増やしてどうするのだ，と。その謎に答えるために，分布信号源推定の手順を示しつつ，解析原理に迫ってみよう。

　SPMにおける分布信号源推定法には，大きく分けて三つの手順——皮質メッシュの作成，順モデルの構築，信号源再構成およびその画像化——がある。

　皮質メッシュは，MRI画像から抽出した大脳皮質を網の目状に加工したものであった。網目の交点部分に信号源が置かれる。先ほどの乾電池の例で言えば，小さな乾電池を置く場所である。信号源の数は，それゆえに，メッシュの目の細かさに依存しており，通常，数千から数万個が使われる。このように非常に密度の高い皮質メッシュを利用することで，局所的に生じる脳活動を精度よく再現できるようにしてある。

第7章　認知活動との関連を探る4：SPMを用いた脳波解析

　順モデルを説明しよう。順があるなら逆は何だろうと気になるのは人のさが。順モデルに対する「逆」は，何を隠そう信号源推定である。信号源推定とは，頭皮上の電極で記録された電位データから脳内の神経活動を推定することであったが，そのためには，「大脳皮質上のある場所に神経活動が発生したならば，頭皮上電極にこのような電位が発生する」という手がかりが必要となる。この手がかりが順モデルである。なお，このモデルを算出する過程を順問題という。順モデルは，先ほどの乾電池の例で言えば，脳内に置かれた小さな乾電池1個のスイッチが入った時に，頭皮上の様々な電極位置で計測される電圧に相当する。ここまでの説明をまとめると，神経活動から電極データへの関係を表した順モデル，その関係を逆にして電極データから神経活動を推定するのが逆推定，あるいは信号源推定である。次に，順モデルを作ろう。順モデルは，大部分，物理の法則によって理論的に構築できるが，実験参加者の頭部形状モデルは必要である。先ほど，順モデルが神経活動から電極データへの関係を表すと説明したが，その関係の道のりは平坦ではない。道筋の途中には，脳脊髄液など様々な脳の組織がある。頭蓋骨もある。頭皮もある。これらの組織の中には，脳脊髄液のように電気を通しやすいものもあれば，頭蓋骨のように通しにくいものもある。皮質上で発生した信号は，このような障害物に邪魔されて，弱まったり，あちこちに散らばったりして，ようやく頭皮上の電極にたどりつく。正しい順モデルを構築するためには，脳構造の情報も必要になるのである (Henson *et al.*, 2009)。

　信号源再構成では，頭皮上で計測された電位データ分布から，皮質メッシュ上の信号源がどこで，どのように活動しているのかを推定する（図7-1：信号源データ解析，平均活動量）。SPMの解説をする前に，信号源推定の基本原理を説明しよう。コンピュータでは一瞬で終わる作業を，コマ送りで再現してみる。話を簡単にするため，この思考実験では，脳内の1か所が活動したとしよう。われわれの手元にあるのは，各電極で実際に計測された電位データである。電位が高いところもあるし，低いところもあり，電位は分布パターンを持っている。さあ，信号源を探そうといっても，その位置は全くわからないので，とりあえず視覚野が活動したとしよう。今，視覚野に置かれた小さな乾電池のスイッチが入ったとする。その時に予想される頭皮上の電位分布パターンは，順モ

デルが教えてくれる。それを手元の計測データと比較する。残念ながら，それは計測された電位分布パターンとは異なっていた。次は頭頂葉の乾電池のスイッチが入ったとする。やはり異なる。次は側頭葉だ。似ている。それでは側頭葉の聴覚野に信号源を置いてみよう。予想される電位分布パターンと計測されたパターンとがほぼ一致した。ここが信号源だ。

　このように，ある位置の信号源によって予想される電位分布パターンと計測された電位分布パターンができるだけ近くなるように信号源位置やその活動強度を推定するのである。ところがこの推定は，そう簡単ではない。電気的な性質の違う様々な脳内構造に影響されて，ある脳領域群の活動によって生じた電位分布パターンと，別の領域群の活動によるパターンとが酷似することがあるからだ。SPM が採用する分布信号源推定では，脳活動の候補地が多い分，さらに深刻な問題となる。信号源解析の結果が，「ある課題を実験参加者に課した時に活動するのは，これらの脳領域群かもしれないし，別の脳領域群かもしれない」では，科学的に意味のある結論を導くことができない。先に紹介した不良設定問題の深刻さがわかってもらえただろうか。この問題を解決するためには，統計科学の最新のテクノロジーの力を借りなくてはならない。それがベイズ推定法である (Phillips *et al.*, 2005; Mattout *et al.*, 2006; Henson *et al.*, 2007; Friston *et al.*, 2008)。

　ベイズ推定という用語を初めて聞く読者も多いと思うが，今やベイズ推定は，数学者の手を離れて，工学，経済学，心理学といった様々な分野で利用されており，スタンダード・テクノロジーとなりつつある。その詳細は他の入門書に譲るとして，信号源推定におけるベイズ推定の要点は，推定を行う際に，電極で計測されたデータだけでなく，「脳活動のあるべき姿」に関する前提条件あるいは事前情報も使ってしまおうという作戦である。まず，ベイズ推定でない従来の推定法では，図 7-2 中央のように，各電極での計測データのみを用いて信号源の位置や強度を推定する。この方法では，先に述べたように，信号源推定の答えが一つに決まらないという不良設定問題が発生した。ところが，不良設定問題自体も問題をはらんでいる。従来の推定法が導き出した答えの中には，人間の脳活動としては不適当なものが含まれる可能性があるのだ。推定法にとって，信号源推定の作業は単なる計算問題であり，データが人間由来のものな

第7章 認知活動との関連を探る4：SPMを用いた脳波解析

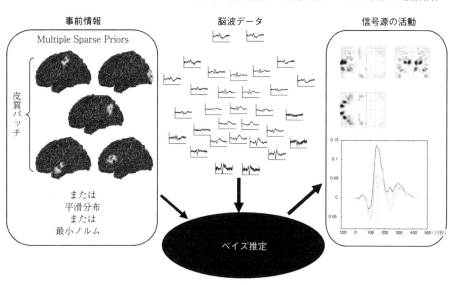

図7-2　SPMにおけるベイズ推計

のか，コンピュータで作った数字の羅列なのかは考慮されないからである。そこでベイズ推定は，従来の推定法に，「データが脳活動である以上，推定結果は脳活動らしく振る舞わねばならない」という前提条件を加えることで，不良設定問題を抑制して正しい推定結果を導くのである。

したがって，前提条件の設定が重要となる。一般的にベイズ推定における前提条件の設定は難しく，妥当性を欠いたり，最悪の場合，恣意的になったりすることが多い。少し専門的になるが，SPMで採用されている前提条件を紹介しよう。ポイントは，脳活動らしい振る舞いを数学的に表現することである。一つ目は最小ノルム（Minimum norm）で，SPMの設定ではIndependent and Identical Distributions（IID）と表現される。その意味は，「脳活動は皮質上のあらゆる場所に発生しており，その活動の振幅は等しく，お互いに無関係である」となる。二つ目は，平滑分布（Coherent prior）で，「脳活動は皮質上のあらゆる場所に発生しており，その活動の振幅は等しく，距離的に近い信号源同士は同じように活動する」ことを意味している。別のソフトウエアでは，LORETA（Low Resolution Electromagnetic Tomography）という名前で登場する

こともある。三つ目は，SPM が採用している，Multiple Sparse Prior（MSP）である（Friston et al., 2008）。MSP では，脳活動として皮質パッチ（図7-2左）という皮質上に散らばった複数の局在的な活動集団を仮定する。実際の脳活動においても，たとえば，両側の視覚野と右の頭頂葉が活動するといった状況はよく見られるので，現実の信号源活動の様子をうまく再現できていると言える。MSP の優れている点として，ほかの実験で得られた脳活動領域を皮質パッチとして加えることで，容易に信号源推定に反映させることができる点が挙げられる（Henson et al., 2011）。たとえば，脳波実験と同じ内容の実験を fMRI で実施し，fMRI の活動領域を皮質パッチに加えたり，関連した先行研究の活動領域を皮質パッチに加えて信号源再構成を行うことが可能である（Henson et al., 2010; Henson et al., 2011）。このように，ベイズ推定を利用して，電極データと脳活動に関する前提条件や事前情報を統合し，皮質上に分布した大量の信号源の活動でさえもうまく推定できるのが，SPM の分布信号源推定法なのである。ベイズ推定を利用した信号源推定には，ほかにも様々な工夫が行われている。しかしながら，それらの多くは本書のレベルを超えるので，説明は別の機会に譲ることにする。関心のある読者は，原著論文を参照してほしい（Friston et al., 2006; Friston et al., 2008）。

信号源データ解析3：信号源再構成画像

分布信号源推定法によって，空間的に脳のどこが活動したのか評価することができた。この推定は刺激呈示前後のあらゆる時間帯で行われるので，時間的にいつ活動したのか評価することもできる（図7-1：信号源データ解析，平均活動量）。最後に，このような時空間的活動を集団解析に使えるデータに要約，解剖学的標準化を行い，脳機能画像化する（図7-1：信号源データ解析，信号源再構成画像）。

まず，データの要約から説明しよう。ここでは最も単純な平均活動量を用いる方法を紹介する。手順を示そう。皆さんが関心のある時間帯を指定する。これを時間窓という。たとえば，刺激呈示後 100 〜 200 ミリ秒の時間帯とする。なお時間窓は，複数あってもよい。たとえば，刺激呈示後 0 〜 400 ミリ秒まで，50 ミリ秒間隔で設定することも可能である。そして時間窓内で，各信号源の活

第 7 章　認知活動との関連を探る 4：SPM を用いた脳波解析

動量を平均する．図 7-1 の信号源データ解析に示したように，脳活動は明るく輝いて表示されるので，活動領域は一目瞭然で特定することができる．

　解剖学的標準化とは，先に説明したように，全実験参加者の脳形態を標準脳に変形して揃えることである．集団解析では，全実験参加者の脳活動を平均する必要があるので，実験参加者間で脳形態が異なっていると都合が悪い．脳形態を標準脳にしたのと同じように，各実験参加者の脳活動についても標準化（図 7-1）する．そうすることで，どの実験参加者についても標準脳の形態を持った脳が活動していることになる．

　最後に，脳機能画像化しよう．皆さんは，デジタルカメラ（デジカメ）で写真を撮ることがあるだろう．デジカメでは，画素あるいはピクセルが単位になっていて，それが数百万集まって画像を作っている．単純にするため，白黒写真で考えてみよう．遠目に見れば風景写真でも，画像を拡大していくと，ちょうど方眼紙の升目が白，黒，灰色で塗られている様子が見えてくる．つまり，画素には，風景の場所ごとの光の強弱に応じた明るさが割り当てられているのである．脳機能画像も同様に作られている．ただし，脳機能画像は立体なので，画素も厚みを持っており，専門的にはボクセルという．各ボクセルには，その場所の脳活動の大きさに応じて，明るさの諧調が割り当てられている．脳活動が大きければ白色，小さければ黒色である．このボクセルが，縦・横・高さ方向に全部で数十万個積み重なって脳機能画像になっている．実は，これまで紹介した頭部 MRI 画像や灰白質画像なども，すべてこのようにして作成されている．ボクセルに割り当てられる脳活動量などの指標が脳機能の評価に使える場合を，特に脳機能画像というのである．信号源再構成画像（図 7-1）の場合には，先に説明したように，時間窓内の平均活動量として要約された信号源活動が，各ボクセルに割り当てられている．

信号源データ解析 4：集団解析

　信号源データ解析の最終ステップは，集団解析（図 7-1）である．集団解析に対する個人解析は，信号源推定であったが，その結果を確認してみると，実験参加者間で一貫して活動している領域もあれば，異なる領域もあり，その活動強度も様々である．集団解析は，このような個人差を考慮した上で，全実験参

加者で一貫した活動領域を統計的に評価する手法である（Friston & Holmes, 1998)。SPM では別名，変量効果型の解析という。

　集団解析の入力データは，信号源再構成画像である。また評価したい実験仮説に応じて適切な統計モデルを選択する。具体例を示そう。異なる2条件間で信号源活動に差がある領域を検討したい場合には，対応のある t 検定（Paired T test) を用いる。ある実験条件の信号源活動が，健常者群と患者群の間で差がある領域を検討する際には，対応のない t 検定（Two-sample T test) を用いる。複数の条件の信号源活動が，0〜400ミリ秒の時間帯で，50ミリ間隔に設定した各時間窓間で大きく変化する領域を検討する際には，実験と時間帯の要因を含む反復測定の分散分析（ANOVA）を用いる。信号源の活動と，実験課題中の反応時間や正答率との間の相関関係を検討する際には，回帰分析を用いる。

　集団解析の結果は，統計値画像として出力される。また新しい「画像」が登場した。このように SPM は，何でも画像にして評価する解析方法なのである。統計値画像を説明しよう。統計値画像とは，統計値からなる画像である。ちょうど信号源再構成画像の各ボクセルに活動量の数値データが割り当てられていたように，統計値画像の各ボクセルには脳活動に関する統計値が割り当てられている。各ボクセルの統計値を計算するために，SPM は信号源再構成画像の各ボクセルから活動量を取り出し，皆さんが設定した統計モデルを使い，全脳の全ボクセルについて数万から数十万回の統計計算を繰り返し実行している。そうして得られた，たとえば，T 統計値が各ボクセルに割り当てられているのである。

　最終ステップは，判定である。果たして皆さんの仮説は，正しいのだろうか。統計解析では，結果を客観的に評価するため仮説検定法を用いる。仮説検定法の詳細に関しては，統計の教科書を参考にしてほしい。ここでは，簡単に説明する。仮説検定法では，タイプⅠエラーの生じる確率をできるだけ抑えるように努力する。ここで，タイプⅠエラーとは，「実際は活動がないのに，誤って活動があると判断してしまう」ことである。仮説検定の結果はＰ値で報告するが，たとえば，5%とは，「仮に100回実験を行えば，5回くらいは活動がないのに，誤って活動があると判断してしまうかもしれない」ということを意味する。当然，その値は小さいほどよい。通常，ある有意水準（5%がよく用いら

れる）を設定して，それより小さければ統計的に有意な活動があると報告する。

　さて，SPMでは，統計値画像に対して仮説検定法を適用することになるが，仮説検定法は1ボクセルのデータに適用することを想定しているため，一度に複数ボクセルに適用されると結果に誤りが発生するので注意されたい。ここで統計値画像を使って評価したいのは，脳のどこが活動するかであった。つまり，全脳の数万から数十万ボクセルの統計値に対して仮説検定法を適用しなければならない。その結果，タイプIエラーは爆発的に増大する。これを多重比較の問題という。この問題に対処するためには，対象とするボクセル数に応じた，厳しい検定を適用する必要があり，その手続きのことを多重比較補正という。SPMでは，確率場理論という数学的なテクニックを用いた脳機能画像データ専用の多重比較補正を実施する（Friston et al., 1994; Friston et al., 1996; Worsley et al., 1996）。多重比較補正後のP値5％以下の領域を，統計値の大小によってオレンジ色から黄色まで色づけして，MRI画像や大脳皮質表面に貼り付けると，よく論文などで見かける脳活動図ができあがるのである（図7-1：信号源データ解析，統計値画像）。

　なお，ここで説明した集団解析の方法は，後述の電極データ解析（時空間SPM解析や時間周波数SPM解析）にも同様に適用することができる。また，それらの結果に対しても多重比較補正法を適用した正しい統計的評価を行うことができる。

信号源データ解析5：解析例

　図7-3は，チュートリアル用データのオドボール課題を信号源推定法で解析した結果である。Standard条件の解析結果を示した。図7-3aは，頭部MRI画像から作成した皮質メッシュである。頭皮上の小球は電極である。図7-3bは，信号源推定結果を示している。最も信号源の活動振幅が大きな座標（X=40 Y=-71 Z=-4）における信号源の活動である。この座標値は，標準化後のMNI座標であり，アトラスや様々な先行研究と比較検討することができる。ちなみに，この座標値をアトラスで検索すると，下後頭回（BA19）であった。図7-3cは，255ミリ秒における活動の大きな上位512個の信号源の分布図である。両側の視覚野が，広範囲に活動している。図7-3dは，300〜400ミリ秒の時間窓内の

II 脳波解析の実際

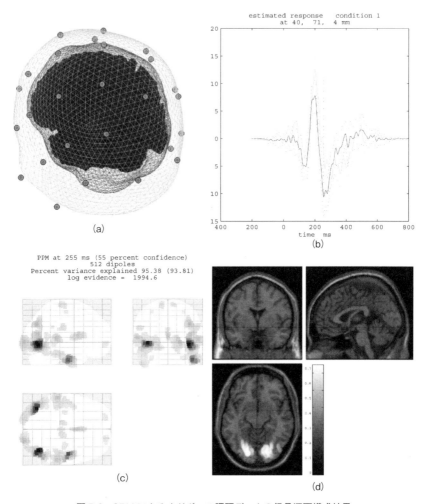

図 7-3　SPM によるオドボール課題データの信号源再構成結果

信号源活動を平均して作成した信号源再構成画像の断面図である．同様に，後頭葉視覚野の活動が顕著である．各個人の信号源再構成画像の脳形態は標準化されており，MNI座標系に位置している．ここでは1名の解析結果のみ示したが，実際は信号源推定を全実験参加者で繰り返し，全員分の信号源再構成画像を集約して，集団解析を実施することになる．

第7章　認知活動との関連を探る4：SPMを用いた脳波解析

筆者らも，SPMの信号源データ解析を脳磁図データへ適用した研究を発表している。論文内に詳しい解析手順を記載したので参考にしてほしい（Sato et al., 2015; Uono et al., 2014）。

電極データ解析

電極データ解析（図7-1）では，時空間SPM解析と時間周波数SPM解析を紹介する。それぞれ加算平均や時間周波数解析など，従来型の脳波解析のSPM版である。SPMの特徴である脳機能画像化と脳機能画像専用の統計解析を利用できる。いずれの解析法も，時系列的前処理後の脳波データを入力データとして実施する。

電極データ解析1：時空間SPM解析

脳波データの解析方法として加算平均解析があるが，それに相当するSPM流の解析方法が時空間SPM解析（図7-1）である。時空間SPM解析のポイントは，脳波データの脳機能画像化である。脳波データは，図7-4aのように，時系列データが電極の数ほど集まったデータと見なすことができるが，見方を変えれば，図7-4bのように，頭皮上電位分布データが時点の数ほど集まったデータとも見なせる。信号源再構成画像は，前後・左右・上下にそれぞれ一次元の空間軸を割り当てて，脳という立体を三次元の脳機能画像で表現しているが，時空間SPM解析では，それと同じ発想で，頭皮上電位分布に前後・左右の二次元の空間軸を割り当て，さらに残りの一次元に時間軸を割り当て，脳波データを三次元の脳機能画像で表現する（図7-4b）。これを脳波画像と呼ぶ。脳波画像は，どこで切っても同じ顔が出てくる金太郎飴に似ていて，切り口が各時間帯での頭皮上電位分布となっている。脳波画像の各ボクセルに割り当てられた値は，電圧である。もちろん電圧は電極上でしか計測できないので，電極間の電圧については補間を行っている。

いったんデータが画像になると，SPMが得意とする脳機能画像解析法が使えるようになる。すなわち，脳波画像を入力データとして，信号源データ解析で紹介した流れで，まず評価したい実験仮説に応じて適切な統計モデルを作成，得られた統計値画像に対して仮説検定法を適用，結果を統計的に評価すること

II 脳波解析の実際

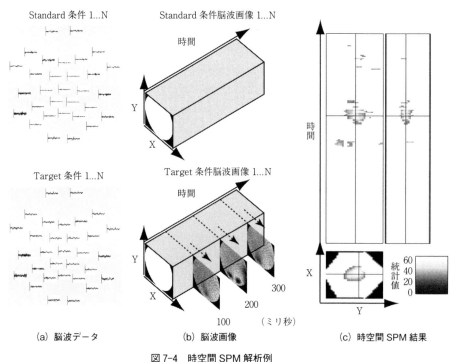

図7-4 時空間SPM解析例

ができる。仮説検定の際には，多重比較補正を忘れてはいけない。時空間SPM解析の場合も，時間と空間に広がった多数のボクセルの中から脳活動が生じた時間帯や電極位置を見つける際に，多重比較の問題が生じる。従来の電極データの解析法では，多重比較の問題は考慮されないことが多かった。たとえば，N170成分における注意の効果に興味がある場合には，刺激呈示後170ミリ秒あたりに電圧のピークを持つ電極を探して，その電極に対して注意の効果を分析する，という手続きがとられる。たしかに，活動の場所や時間が事前にわかれば多重比較の問題は生じないのであるが，その場合には，別の統計的な規則があって，解析しているデータとは別のデータや先行研究を用いて，場所や時間を決めなければならない。それができない場合には，どの電極がどの時間帯に活動するかわからないという前提で統計評価を行う必要があり，多重比較の問題が生じてしまう。時空間SPM解析を使えば，「いつ，どこで活動が

生じたか」という問いに対して，多重比較補正を考慮した上で統計的に正しく答えることができるのである (Kilner & Friston, 2010)。なお，解析は各個人で別々に実施することもできるし（個人解析），個人間での電極位置が同じと見なせる場合には，集団解析も実施することができる。筆者らの研究例として，脳波データへの適用がある (Sawada et al., 2014)。

図7-4は，時空間SPMをオドボール課題に適用した結果である。脳波データ（図7-4a）を脳波画像に変換して（図7-4b），統計モデルに入力，Target条件とStandard条件の間で差が見られた領域を描出した。図7-4cは，セクション表示と呼ばれ，十字線位置での脳波画像の断面図になっている。図7-4cの左下図はXY平面で頭皮上電位分布に相当する。左上の細長い図はYT平面で上に向かって時間がプラスとなっている。右上の細長い図はXT平面である。濃淡は統計値の強弱を意味する。図7-4cより，Target条件とStandard条件で比較的大きな差が見られた時空間領域は，350～420ミリ秒の時間帯で，Cz電極を中心とした領域であることがわかる。いずれも5%水準の多重比較補正後に，統計的に有意と判定された。

電極データ解析2：時間周波数SPM解析

脳波データの解析方法に時間周波数解析があるが，それに相当するSPM流の解析方法が時間周波数SPM解析（図7-1）である。時間周波数解析は，連続ウェーブレット変換などを用いて，電極で計測された時系列データから周波数スペクトラを求め，さらにその時間変化も含めて解析する方法である。詳細については，第4章を参考にされたい。時間周波数SPM解析のポイントは，時間周波数スペクトラの脳機能画像化である。時間周波数スペクトラは，図7-5のように横軸に時間，縦軸に周波数を持つ二次元のデータである。時空間SPM解析の場合と同様に，時間周波数SPM解析では，時間周波数スペクトラを二次元の脳機能画像で表現する。これを時間周波数画像と呼ぶ。統計モデルの作成から仮説検定法への流れは，入力データが時間周波数画像となる点を除いて，時空間SPMと同様である。時間周波数SPM解析を使えば，「いつ，どの周波数帯に活動が生じたか」という問いに対して，統計的に正しく答えることができる (Kilner et al., 2005)。筆者らの研究例として，深部脳波データへの適

II 脳波解析の実際

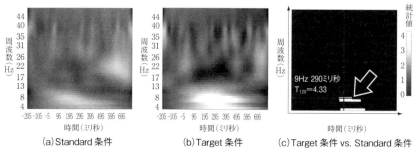

図7-5 時間周波数SPM解析例

用がある（Sato et al., 2011a, 2011b, 2012, 2014）。

図7-5は，時間周波数SPMをオドボール課題に適用した結果である。Cz電極のデータに対して時間周波数解析を適用，Standard条件（図7-5a）に比べてTarget条件（図7-5b）でより周波数スペクトラの増大した時間帯と周波数帯を描出した（図7-5c）。その結果，290ミリ秒，9Hz（アルファ波）と，375ミリ秒，4Hz（シータ波）に活動を得た。いずれも5％水準の多重比較補正後に，統計的に有意と判定された。

本章では，SPMを用いた脳波解析を紹介したが，SPMの方法論に関するより詳しい数学的な説明は，SPMの公式のテキストである"Statistical Parametric Mapping: The Analysis of Functional Brain Images"（Friston et al., 2007）を参照されたい。fMRIやPETデータの解析については，"Human Brain Function"（Frackowiak et al., 2003）も詳しい。特に脳波データの解析については，解説論文（Litvak et al., 2011）も参考になる。本章で学んだ知識を自分のものにするためには，解析の実践が重要である。本書ウェブサイトのチュートリアルには，本章で解説したSPM解析の詳しい操作方法を説明している。これらの学習素材を活用してSPMによる脳波解析を自由自在に使いこなすためのスキルを身につけてほしい。

引用文献

Ashburner, J., & Friston, K. J. (2005). Unified segmentation. *NeuroImage*, **26**, 839-851.
Frackowiak, R. S. J., Friston, K. J., Frith, C. D., Dolan, R., Price, C. J., et al. (2003). *Human brain*

第7章 認知活動との関連を探る4：SPMを用いた脳波解析

function. Cambridge: Academic Press.
Friston, K. J., Ashburner, J., Kiebel, S. J., Nichols, T. E., Penny, W. D. (2007). *Statistical parametric mapping: The analysis of functional brain images*. Cambridge: Academic Press.
Friston, K., Harrison, L., Daunizeau, J., Kiebel, S., Phillips, C., et al. (2008). Multiple sparse priors for the EEG・MEG inverse problem. *NeuroImage*, **39**, 1104-1120.
Friston, K., Henson, R., Phillips, C., & Mattout, J. (2006). Bayesian estimation of evoked and induced responses. *Human Brain Mapping*, **27**, 722-735.
Friston, K. J., & Holmes, A. P. (1998). Generalisability. *Random Effects and Population Inference*, **7**, S 754.
Friston, K. J., Holmes, A., Poline, J. B., Price, C. J., & Frith, C. D. (1996). Detecting activations in PET and fMRI: Levels of inference and power. *NeuroImage*, **4**, 223-235.
Friston, K. J., Worsley, K. J., Frackowiak, R. S. J., Mazziotta, J. C., Evans, A. C. (1994). Assessing the significance of focal activations using their spatial extent. *Human Brain Mapping*, **1**, 214-220.
Henson, R. N., Flandin, G., Friston, K. J., & Mattout, J. (2010). A parametric empirical Bayesian framework for fMRI-constrained EEG・MEG source reconstruction. *Human Brain Mapping*, **31**, 1512-1531.
Henson, R. N., Mattout, J., Phillips, C., & Friston, K. J. (2009). Selecting forward models for MEG source-reconstruction using model-evidence. *NeuroImage*, **46**, 168-176.
Henson, R. N., Mattout, J., Singh, K. D., Barnes, G. R., Hillebrand, A., et al. (2007). Population-level inferences for distributed MEG source localization under multiple constraints: Application to face-evoked fields. *NeuroImage*, **38**, 422-438.
Henson, R. N., Wakeman, D. G., Litvak, V., & Friston, K. J. (2011). A parametric empirical Bayesian framework for the EEG/MEG inverse problem: Generative models for multi-subject and multi-modal integration. *Frontiers in Human Neuroscience*, **5**, 76.
Kilner, J., & Friston, K. J. (2010). Topological inference for EEG and MEG. *The Annals of Applied Statistics*, **4**, 1272-1290.
Kilner, J. M., Kiebel, S. J., & Friston, K. J. (2005). Applications of random field theory to electrophysiology. *Neuroscience Letters*, **374**, 174-178.
Litvak, V., Mattout, J., Kiebel, S., Phillips, C., Henson, R., et al. (2011). EEG and MEG data analysis in SPM8. *Computational Intelligence and Neuroscience*, **2011**, 852961.
Mattout, J., Henson, R. N., & Friston, K. J. (2007). Canonical source reconstruction for MEG. *Computational Intelligence and Neuroscience*, **2007**, 67613.
Mattout, J., Phillips, C., Penny, W. D., Rugg, M. D., Friston, K. J. (2006). MEG source localization under multiple constraints: An extended Bayesian framework. *NeuroImage*, **30**, 753-767.
Phillips, C., Mattout, J., Rugg, M. D., Maquet, P., & Friston, K. J. (2005). An empirical Bayesian solution to the source reconstruction problem in EEG. *NeuroImage*, **24**, 997-1011.
Sato, W., Kochiyama, T., Uono, S., Matsuda, K., Usui, K., et al. (2011a). Rapid amygdala gamma oscillations in response to eye gaze. *PLoS One*, **6**, e 28188.
Sato, W., Kochiyama, T., Uono, S., Matsuda, K., Usui, K., et al. (2011b). Rapid amygdala gamma

oscillations in response to fearful facial expressions. *Neuropsychologia*, **49**, 612-617.
Sato, W., Kochiyama, T., Uono, S., Matsuda, K., Usui, K., et al. (2012). Temporal profile of amygdala gamma oscillations in response to faces. *Journal of Cognitive Neuroscience*, **24** (6), 1420-1433.
Sato, W., Kochiyama, T., Uono, S., Matsuda, K., Usui, K., et al. (2014). Rapid, high-frequency, and theta-coupled gamma oscillations in the inferior occipital gyrus during face processing. *Cortex*, **60**, 52-68.
Sato, W., Kochiyama, T., & Uono, S. (2015). Spatiotemporal neural network dynamics for the processing of dynamic facial expressions. *Scientific Reports*, **5**, 12432.
Sawada, R., Sato, W., Uono, S., Kochiyama, T., & Toichi, M. (2014). Electrophysiological correlates of detecting emotional facial expressions. *Brain Research*, **1560**, 60-72.
Talairach, J., & Tournoux, P. (1988). *Co-planar stereotaxic atlas of the human brain*. Stuttgart; New York: Thieme.
Uono, S., Sato, W., & Kochiyama, T. (2014). Commonalities and differences in the spatiotemporal neural dynamics associated with automatic attentional shifts induced by gaze and arrows: An MEG study. *Neuroscience Research*, **87**, 56-65.
Worsley, K. J., Marrett, S., Neelin, P., Vandal, A. C., Friston, K. J., et al. (1996). A unified statistical approach for determining significant signals in images of cerebral activation. *Human Brain Mapping*, **4**, 58-73.

終章　新しい解析をどう使うか

松本　敦・宮腰　誠・金山範明・河内山隆紀

　ここまで様々な解析方法を説明してきたが，では実際にどのように適用できるのかを考えてみたい。まず本書第II部で紹介した解析方法を概観してみよう。
　第3章ではプリプロセスの紹介を行った。この中にも独立成分分析や信号源解析など重要な内容も含まれるが，この章での目的は，あくまで前処理であったので，ここに関連しては深く言及しない。第4章以降では，実際に論文などに報告する最終出力を求める解析方法を紹介した。第4章に関しては，伝統的な事象関連電位法の説明を行ったが，これはすでに他書にも詳細に紹介されており，Brain Machine Interface (BMI) などでの応用がなされてきていることから，これをひとまずの基準点として説明したい。その後，比較的新しい解析法として，「時間周波数解析」（第5章），「独立成分分析クラスタリング」（第6章），「脳機能画像化」（第7章），の三つの観点から，今後の脳波研究，脳波の工学利用にどんな示唆があるのかを示す。

事象関連電位

　事象関連電位は，広く研究，工学応用に使われている。何がよいか，何が不十分かをはじめに概観してみよう。
　第一に，事象関連電位のすばらしい点は，解析が非常に単純であるということである。ある波形をイベントの生起タイミング（オンセット）で区切り，同様の区間の加算平均をすることで，時間的にイベントに関連したと考えられる成分をそうでない成分から抽出しようというアイデアは大変スマートであるし，その計算も単に平均しただけと直感的にわかりやすい。元の波形がどのような処理を経て，目の前の事象関連電位になったかが容易に思い浮かべることができる。また，この方法では事実上，対象周波数を低周波帯域に絞るので，条件差の現れやすい反応のみを扱うことになる。その結果，知見のロバストネスを

上げていると考えられる。

　第二によい点は，知見の蓄積が膨大であるということである。P300, N400と言った成分名がつくほど，その出現潜時帯，極性（値の正負）に関して，同様の成分を報告した研究がたくさんあり，それらの知見と対比することで，通常解釈の難しい波形の変化に，心理学・認知科学的な意味合いを与えることができる。

　上記をまとめると，事象関連電位で出てきた結果は単純でわかりやすく頑健性が高いということである。こういう特徴があるので，たとえば独立成分分析クラスタリングを説明した第6章でも，そのクラスタ，独立成分がどのような特徴があるかを推定するのに事象関連電位波形の確認をもって行うなど，非常に活躍した。

　こんなに頑健であれば，応用もしやすそうである。たとえば，ある事象関連電位成分が出現したらこんな心理的な状態を表している，ということがわかっているなら，BMIとして応用できるのではないかと感じるだろう。事象関連電位で何でも操作でき，どんな心の状態もわかる世界が作れるのではないかと思ってしまう。しかしながら，一定の結果はすでにあるものの，現状では十分な産業応用がなされているとは言いがたい。なぜなのだろうか。

　基本的に事象関連電位成分は，たくさんの試行の加算平均波形として現れるので，試行間の分散がどれほどであったかは考慮されない。事象関連電位の場合，100試行ですさまじく陽性に振れて，もう100試行で同じように陰性に振れた場合，それは0と認識されることになる。それだけの振幅の変動があれば，各試行の波形には何かしら意味のある脳活動が潜んでいそうだが，それは，位相が揃っていないので相殺するという事象関連電位の原理的に，無視されてしまうのである。つまり，一度きりの反応に対して，ある脳波成分から心理状態を推定しなくてはならない場合，事象関連電位は非常に不利になる。もちろん，最終的に多くの試行の平均で議論されている知見には，どんなものにも同じ問題があるが，事象関連電位は平均加算を前提としているので，原理的にこの問題から逃れることはできない。

時間周波数解析

時間周波数解析を事象関連電位と比べた場合，やはり最も大きなアドバンテージは，検討できる指標が豊富だということだろう。事象関連電位との対比で言えば，①周波数方向にデータが分解される（周波数解析との対比で言えば，時間方向にデータが分解される）こと，②振幅情報が位相とは独立に検証できること，③位相情報が取り出せること，というまとめ方ができるだろう。

①は，第6章でも解説した通り，周波数，つまり脳波のリズムには様々な認知活動が対応付けられているので，それを分離して別個に検討できることは，脳の反応を総合的に明らかにする上で重要である。たとえば，人が何かをよい／悪いで評価するというような場面を想定しよう。そのような抽象的で高次な認知機能は，単一の電位変動で表せない可能性が高いことは直感的にも理解できる。たとえば，記憶をたどるかもしれない，そのものに大いに注意を向けるかもしれない，その先の有用性を予測するかもしれない。まさに様々な認知機能の複雑な総合体だと考えてよいだろう。これをたとえば，シータ波を記憶の保持，アルファ波を予期の指標として用いるなどすれば，周波数という基準でそれらの認知機能を独立に検討できるのである。

②，③は，前述の事象関連電位の問題解決に資する。事象関連電位はどんなに振幅が大きくても，試行間で逆位相になっているものは相殺されて0にされてしまうという問題があった。しかし，時間周波数解析では，振幅がそのタイミングで正方向であろうが負方向であろうが，強く振れたという事実を数値化してスペクトラムパワーとして表す。これによって，とにかく電位変動が起こったということが，位相とは独立に検討できる。また，位相情報も独立に取り出すので，事象関連電位で現れるような成分と同様のものを，試行間位相同期を使うことで検討できる。このように単純に，指標を分解してより細やかな検討ができるようになるのである。

一方で，これは不利な点にもなる。なぜなら，指標が増えればその解釈や整理が難しくなり，直感的なデータ理解が阻害されるからである。こういう点で，前述した通り，独立成分分析クラスタリングでそのクラスタを評価するには，まず単純な事象関連電位を見て直感的にデータを理解するほうが効率的である。あるいは機械学習などで，大量データから有意味な情報を抽出する場合も，ノ

イズを丁寧に除去するなどしないと過剰適合（オーバーフィッティング）を起こしかねないという問題がある。ただ指標を増やせばよい，という単純な考えだけでは難しいが，その有効利用法は，応用場面においても非常に重要なトピックだろう。

独立成分分析（ICA）クラスタリングと電源推定の実際的問題点

　本書で紹介する重要な一つの解析方法として独立成分分析（ICA）とそのクラスタリングという方法（以下，ICA クラスタリング）がある。これは，独立成分分析によって成分の重畳を最大限回避するという方法で，通常脳内で並列に起こると考えられる複数の脳活動を別の成分として抽出することができる。また，それぞれに信号源推定を行うことによって，複数の脳部位からなる活動のダイナミクスとして検討することができる。これらの機能は，心理学や認知科学においても有効である。たとえば，錯視や錯覚の起こるメカニズムを検討する際に，視覚野等の低次な処理を行うと考えられる部位の調節によって起こっているのか，前頭前野や頭頂領域など高次な処理によって成り立っているのか，またその時間的前後を検討することで，どのような情報処理の流れがそこに起こっているのか，可視化・モデル化できる。

　一方で，この方法で問題となるのが，EEGLAB の信号源推定が，実際どの程度「使える」精度を持っているのかである。筆者らの経験では，EEG の空間分解能は，fMRI のそれに遠く及ばない。その理由を以下に三つ挙げてみたい。一つ目は，EEG の電源として観測可能な脳部位が大脳新皮質の灰白質の一部に限られる一方，MRI は皮質に限らず辺縁系や小脳の活動も観測することができるから，である。これは頭皮上電極での収録に限らず，脳波計測全般の限界点である。二つ目は，独立成分分析を使うと，電極数が 32 極であろうと 256 極であろうと，せいぜい 10〜20 程度の「使える」独立成分を返すばかりで，残りの数十から百数十の成分はノイズとなってしまい，データの絶対量が圧倒的に少ないという理由がある。これは独立成分分析が脳波データの真の自由度を計算した結果として，情報が高効率に縮約された結果と言える。つまり，電極レベルにおける信号というのは，体積伝導や頭蓋による拡散・平滑化の作用により，高度に相関しており，独立成分分析はその「事実」を明らかに

終章 新しい解析をどう使うか

したにすぎない，という見方である。一方で，独立性の前提が強すぎて，データの自由度が著しく限られた結果なのではないかと疑うこともできる。つまり，独立成分分析の結果を解釈する際に，脳波信号の時間的独立性と脳の部位の機能的独立性は前提とされているが，これがどこまで厳密に適用されるかを定量的に（脳の各部位が脳波信号の冗長性を保ちつつ）示した研究はまだない。三つ目は，「深すぎるダイポール（too deep dipole）問題」と筆者らが便宜的に呼んできた問題である。特に脳梁や視床に推定されたダイポールは，構造上，これらの領域では頭皮上で計測可能なダイポールが形成不可能なことから，妥当な結果とは考えられず，本来は中部帯状回あたりに発生源を持つものであろう。

ではなぜこのような深すぎるダイポールが推定されたのであろうか。以下はまだ発表されていない見解であるが，解釈の参考までに述べておきたい。ダイポールというのは，面積0の点としてモデル化されている。一方，頭皮上で計測可能な脳波を発生させる灰白質上の電源領域の面積は，一般的には極小であると考えられる。なぜなら，一般に皮質—皮質間の神経接続というのは，距離に比例して急激に数を減らすためであり，そのほとんどはごく近い距離にとどまるためである。重要なことに，頭皮上で計測可能な信号を出すためには，神経活動のタイミングが同期していなければならない。広範な皮質電源領域において，そのような同期のとれた神経活動を可能にする神経メカニズムが存在するとは考えにくい。以上の理由から，ある皮質領域が活動する時，一般的にその電源領域は極小だという考えは妥当だとされる。このため，脳波の電源をダイポールで近似することは，一般的にはうまくいく。しかし，上記の「一般的」な想定はどのぐらいうまく当てはまるのだろうか。上記の説明は，脳機能マップが多種多様に展開している前頭前野外側などではうまく当てはまるように思える。一方，視覚野や感覚運動野のような，機能あたりの皮質面積の割り当てが大きな領域ではどうであろうか。特に，比較的大きな皮質面積が視床からの投射によって一斉に発振するような，たとえば，後頭優位アルファ成分の電源ではどうだろうか。イヌのアルファ波の同期した電源領域（パッチ）一つあたりの長さは，5〜6 mmと報告されている（Lopes da Silva *et al.*, 1973）。円面積に換算すると20〜28 mm^{2}である。これを点と見なしてよいものだろうか。また，核心的な事実として，独立成分分析が電源領域（に対応する結果）を返す時，そ

れが点でなければならないような制約は一切設けていない。つまり，独立成分分析が（ヒトにおいて特異的に発達した可能性のある）広い電源領域からの投射の結果を返している可能性はある。そのような電源「分布」を点モデルであるダイポールで近似すると，どのような問題が生じるのか。この点はまだ検証されていない。この問題と「深すぎるダイポール問題」との関係はまだ明らかではないものの，関連する可能性のある既知の未検証問題として，参考までに指摘しておく。

実際に本書のチュートリアルでも，かなり深部の活動と推定された活動もあったが，この問題に陥っていると考えられるため，やはり結果を鵜呑みにすべきではない。では，このようなデータをどう解釈すべきか。現状では，懐疑的に見るべきものと認めつつ，頭表方向へ位置を「適当に」引き戻す推測をするか，これら深部電源に関しては生理学的妥当性を主張することは諦めて，データを分類（クラスタリング）するために電源部位情報を使うと割り切るくらいしか方法がない。

以上のような問題があるものの，こうした系統的なバイアスというのは必ず明確なメカニズムに由来するものなので（Akalin Acar & Makeig, 2013），見た目ほどには信頼性を損なう性質のものではないし，今後検討が深まって，再解釈がなされる可能性も期待できる。よって，今後の様々な研究が進むにつれて，より妥当な形で「複数の脳部位からなる活動のダイナミクス」を，脳波で検討することが可能になると考えられる。

もう一つ，ICA クラスタリングの適用可能性は，脳情報抽出の個別化に関する問題である。以下の二つのことが，ICA クラスタリングによって可能になる。

① その反応がどの程度の一般的な反応として出現するか，定量化できる。
② 抽出の空間フィルタを個人ごとに作成できる。

電極ベースの解析と比較して，ICA クラスタリングを行うと，「その反応がどの程度の一般的な反応として出現するか」を評価できる。たとえば，電極ベースで検討を行う場合，どの電極で有意差が出たかということを検討するが，頭の形は人によって違うため，国際標準で同じ電極位置だったとしても，そこに条件差を反映する活動が最も色濃く現れるかどうかはわからない。それでも

終章 新しい解析をどう使うか

そこに活動があると仮定して，分散分析などの推測統計を行うことで，全体としては差があると言ってよいかどうかを最終結論として提出する。個人ごとに見ていくと，その差が非常に小さい人もいるなど個人差は存在するが，それは多くは研究論文でも報告されないのが普通である。

一方，ICAクラスタリングでは，クラスタリング解析という一定の基準を持った方法で，独立成分を集団でまとめ上げるという処理をする。クラスタを形成する際に，適当な成分を持たない個人は，そのクラスタからは外されることになる。最終的に，あるクラスタに参加した個人の数が得られるため，非常に強い条件差を示したものの，20人中12名しかそのクラスタに分類される成分を持たなかったというクラスタや，すべての人がそうした成分を持っていたが，条件の有意差は得られなかった，などということが定量的に評価できる。

さらに，この観点で脳波データの社会実装を考えた場合，電極ベースの検討に比べて一つの有利な点がある。実際，脳科学の知見に基づいて，心理状態をリアルタイムに抽出する試みは様々なされているが，その難しさに個人差がかかわっていると言えるだろう。そこには，対象とする脳活動がどのようにその人の頭皮上に分布して現れるか，という個人差も多分に含まれている。これは，頭の形や脳の形，計測環境によっても異なり，ある実験で得られた知見が，この問題のために応用場面に適用できないということは十分に考えうる。ICAクラスタリングを使うと，クラスタとして平均的に有意差が出る脳波成分を抽出するとともに，そのクラスタに含まれている個人の独立成分も同定できる。たとえば，平均的に有意な注意の効果を反映するP300反応を抽出するために有用な頭皮上電位マップが，Aさんは右頭頂よりに出るが，Bさんはもう少し前のほうに分布する，といったことが明らかになるのである。このマップを空間フィルタというが，ある心理を表す電位変動を捉えるために，最適な電極配置がわかると考えればよい。たとえば，これをビッグデータ化することによって，その人の注意機能を脳波で測るのに最適な電位分布を，事前に推定することも可能かもしれない。

このように，ICAクラスタリングは，反応の個別化ということに期待のできる技術だと考えられるが，一方で未成熟の若い技術でもあり，様々な未検討の問題をはらんでいる。それを説明することは本書の域を超えるので割愛するが，

II 脳波解析の実際

今後研究者たちが立ち向かっていくべき壁なのではないかと思われる。

脳機能画像化

本書ではさらに SPM での脳波解析に関しても紹介した。SPM では，脳波や脳磁図データを画像化して解析を行うことにその特色がある。この手法は fMRI で長く行われてきた方法論を踏襲するものである。もともと画像データとして処理される MRI データならともかく，脳波のデータをなぜわざわざ画像化する必要があるのかという疑問を持つ読者もいるかもしれない。SPM で行う画像化解析では，統計的な多重比較問題の解決に威力を発揮する。つまり，数多くの電極（センサー）から計測されたデータの，どの時間帯に有意な実験効果が存在するのかを，事前知識や仮説なしに特定することが可能である。初期の脳波研究のように，中心線上の3極からのみデータを記録したのであれば，データを目で見て統計処理を行うことはそれほど難しいことではない。しかし，近年では，脳波研究であっても100を超える電極から計測を行うこともめずらしくなくなってきた。そのようなデータをいちいち目で見て条件差を検討するのは，非常に大変な作業であることは言うまでもない。まして，信号源解析を行い，データが数千から数万データ点の信号源情報になった場合には，一つの大きな基準がなければ，解析するのが不可能である。実際，データの条件差をどのように検討するかは，表立ってそれほど問題にされないが（科学雑誌の査読ではよく問題になる）恣意性が混入する可能性がある悩ましい問題である。画像解析は，この問題点に対して大きな助けになってくれるであろう。

たとえば，事象関連電位研究を例にとると，主に二つの研究の方向性が存在している。一つは，まず事象関連電位成分があり，その成分の振る舞いから認知活動を推定するものである。この場合，実験に多電極は必要なく，ターゲットとする成分が計測される部位から記録すればよい。このような実験に対して画像解析が果たす役割はそれほど多くはないだろう。しかし，どの時間帯のどの成分に条件差が検出されるのかわからない新奇な課題を行い，その時の脳活動を探索的に検討したい場合には，画像解析手法は大きな威力を発揮するであろう。何かこれまでに存在しなかった新しいパラダイムの実験を行いたい，あるいは課題が存在していてその時の脳波データをとりあえず計測してみたいと

いう場合には，まずこの画像解析手法を試してみてデータを概観してみるのも一つの手段だろう。

もう一つ，応用として大きなアドバンテージがあるのは，解析処理の自動化・高速化であると考えられる。前述したように，「いつ」「どこで」有意な活動が得られたかを，事前知識や仮説なしに特定することが可能ということは，解析途中で，詳しい知識を持った人が仮説を持った目でデータを操作しなくてよい，ということである。これは大量のデータを高速で処理するためには必須の要因である。もちろん研究場面では，そうはいかない場面も多いが，脳波データをビッグデータ化していくにあたっては，一つの大きなアドバンテージになるのではないだろうか。

脳波研究の行く末

以上，本書で紹介してきた解析法にどのような意味があり，どのように有用なのかを概観してきた。では，こうした脳波解析法の精度が向上し，豊富な情報が取り出せるようになると，どうなるのだろうか。

筆者らは，研究領域でも，応用領域でも，脳波研究が今後ますます注目を集めていくだろうことは疑いない，と考えている。その理由の一つは，MRIや脳磁図の計測機械を「装着」して歩き回れるようになる可能性は今後も非常に低い一方，脳波の場合はすでにそれが可能となっているということがある。これは応用領域では説明するまでもなく重要な点であるし，研究上も運動計測などとの対応付けなどがしやすい点で，大きなアドバンテージがある。実際そうした解析法も開発されてきており，EEGLABの開発者グループはmobile brain and body imaging（MoBI）という言葉を用いてこれを推進している。

もう一つの理由は，コンピュータの処理能力の向上，信号処理や機械学習のアルゴリズムの性能向上，および頭部の電気生理学的モデル（特に，頭蓋骨の電気伝導度の個人差計測／推定）の精度向上など，あればあるほどそれだけ恩恵を受けられる仕組みになっており，かつそれらの性能が今後向上することが期待できるからだ。それは，1990年代半ば，パーソナルコンピュータのメモリ空間が16ビットから32ビットに拡張され，4GBまでのデータをRAM上に扱えるようになった時，脳波研究において独立成分分析や時間周波数解析が応用さ

れ，脳波の知見にブレイクスルーが起きたのを見れば明らかである。

　一方，電源部位推定のための頭部の電気生理学的モデルについては，現在は細々と続けられているに過ぎない。これは従来，脳波を心理量との相関のみで議論することが多く，極論すれば脳波を見ても脳のメカニズムを考えることがほとんどなかった時代の影響である。しかし近い将来，工学的にはBMIの精度向上，医学的には認知機能評価の精度向上など，認知計測の社会的なニーズが高まるにつれて必然的にこの方面の研究にも人が集まり，進展が見られるだろう。もう少し遠い未来には，5桁以上の数の頭蓋内電極あるいはそれに代わるものを永久的に頭皮下や脳表に固定し，ワイヤレスでずっと信号が取り出せるような技術が確立されるかもしれない。こうした技術進歩と相まって，脳波研究の領域から人間社会の様相を根本的に変革するような知見と応用技術が出てくることも期待できる。われわれは，その時代から半世紀は早く生まれてしまったようだが，そのような未来の可能性を見据えながら，今日，未熟な脳波研究の課題の一つひとつに取り組むことができることは，研究者としての一つの喜びであると考えている。

　以上，概観してきたように，本書で紹介された技術は様々な発展の可能性を秘めていると考えられるが，多くはその手法が複雑なため，その適用には障害も多い。ただ，本書を手にした読者がこれを適切に学び，研究者として検討対象に加えてくれるならば，この領域の研究の進歩が早まり，より有用な知見が現れてくるのではないだろうか。

引用文献

Akalin Acar, Z., & Makeig, S. (2013). Effects of forward model errors on EEG source localization. *Brain Topography*, **26**, 378-396.

Lopes da Silva, F. H., van Lierop, T. H. M. T., Schrijer, C. F., & van Leeuwen, W. S. (1973). Organization of thalamic and cortical alpha rhythms: Spectra and coherences. *Electroencephalography & Clinical Neurophysiology*, **35**, 627-639.

あとがき

　本書の作成にあたっては，著者団が 2006 年から断続的に行っている日本心理学会におけるワークショップの話題提供を原型としています．この場を借りて，ワークショップにご協力いただいた先生方にお礼を申し上げます．飯高哲也先生，今井むつみ先生，梅田聡先生，沖田庸嵩先生，小野田慶一先生，片山順一先生，寺園泰先生，入戸野宏先生，橋詰顕先生，スコット・マケイグ先生，南哲人先生，渡邊克巳先生（50 音順）．

　また，執筆中ご意見をいただいた八木昭宏先生にも，厚くお礼申し上げます．
　第 2 章で取り上げた脳波計紹介では，現在日本で販売している脳波計の調査にあたり，複数の企業の方にご協力いただきました．日本光電様，フィジオテック様，フクダニューロテック様（旧三栄バイタルズ様），ミユキ技研様にも，この場を借りてお礼申し上げます．

　東京大学開研究室の皆様には，本書の草稿段階で，表現や内容を初学者向けに改稿するのにご協力いただきました．お忙しい中，貴重なご意見をくださった皆様，音頭をとってくださった漆原正貴さんに感謝いたします．

　そして，広島大学では，宮谷真人先生，中尾敬先生のご協力で，教育学部認知心理学研究室をはじめとする学生の皆様に，チュートリアルを体験してバグ報告をしていただきました．ご協力いただいた学生の皆様，特に複数章にわたり厳密なチェックをしてくださった柏原志保さん，水落亮平さん，宮城円さんに厚くお礼申し上げます．また，広島大学医歯薬保健学研究院精神科研究室の山脇成人先生，同所属で MRI の専門家の立場からご意見をくださった牧田快先生にも感謝の意を表します．

　その他，紙面の関係でご紹介できない多くの方のご厚意に支えられて，本書をここに出版することができました．改めて皆様に心よりお礼申し上げます．本書が，特に脳波解析の初学者にとって，煩雑な信号処理を簡便に，そして正確に行うための手助けになれば幸いです．

索　引

あ行

アース電極　18
アーティファクト　59, 85, 132
アクティブ電極　14
アトラス（脳地図）　192
アナログフィルタ　13
アルファ波　30, 135
アンチエイリアシングフィルタ　48
位相　128
　　──値　126
痛み　8
イベント　54
意味的逸脱　104
医療機器　12
陰性　97
インポート　46
ウェーブレット（wavelet）　130
　　モルレー（Morlet）の──　131
ウェブサイト　38
エポック　54
エポックリジェクション　57
　　目視による──　57
　　統計を用いた──　60
オドボール課題　45, 102
オフラインフィルタ　13
オンセット　55
オンラインフィルタ　13

か行

解剖学的標準化　188, 192, 199
確率場理論　201
加算平均法　97
カレントフォルダ　45
眼球運動ノイズ　20, 23

環境ノイズ　22
汗腺ノイズ　21, 24
ガンマ帯　4
ガンマ波　134, 136
基準（reference）電極　18
機能的磁気共鳴画像法　→ fMRI
逆推定　195
橋（pons）　183
共感　7
教示　20
筋電　170
　　──・体動ノイズ　23
　　──ノイズ　21
銀─塩化銀（Ag/AgCl）電極　19
空間的前処理　191
空間フィルタ　94, 214
クラスタ化　158
クラスタリング　165
　　──解析　215
後期陽性成分　→ LPP
後期陽性複合　103
向社会行動　7
後頭極（inion）　19
後シナプス電位　92
コレジスタ　191

さ行

サイクル　131
最小ノルム　197
　　──推定法　94
差動増幅回路　13
残差分散　→ RV
三次元位置センサーデータ　190
サンプリング周波数　14
シータ波　133

索　引

シールドルーム　15
視覚誘発電位　100, 175
時間周波数 SPM 解析　205
時間周波数解析　126, 205, 211
時空間 SPM 解析　203
時系列的前処理　191
次元縮約　88
試行間位相同期　138
事象　54
事象関連スペクトラムパワー　138
事象関連電位　97, 209
社会的認知機能　7
集団解析　73, 199
周波数解析　125
周波数スペクトラ　50, 62
主成分分析　82, 158
瞬時混合モデル　83
順モデル　194
条件分け　71
商用電源ノイズ　→電源ノイズ
徐波　136
神経ネットワーク解析　105
信号源解析　188
信号源再構成　195
　──画像　198
信号源推定　91, 193, 195, 212
信号源データ解析　191
心拍ノイズ　25
推定残差　68
睡眠脳波　136
ストレージ　36
スペクトラ　205
スペクトラムパワー値　126, 128
生体ノイズ　22
静電誘導　26
潜時　97
尖度　62
組織分割　193

た 行

帯域通過限界　48

体性感覚誘発電位　101
タイプ I エラー　200
ダイポール　213
　──推定　66, 92, 193
　　左右対称な二つの──　69
ダウンサンプリング　48
多重比較補正　201
探査電極　18
チュートリアル用データ　45
聴覚誘発電位　100
聴性脳幹反応　100, 183
定位反応成分　102
抵抗値　21
定常性の仮定　87
データセット　46
デジタルフィルタ　13
電極情報の登録　51
電極接触抵抗　12
電極データ解析　203
電極の再基準化　70
電源ノイズ　25, 50
電磁誘導　26
電場（磁場）導出行列　94
頭蓋異方性　84
等価電流源双極子　→ ECD，ダイポール
統計解析　189
統計値画像　200
同相信号除去比　13
頭部基準点　190
独立成分　158
　──分析　63, 212
独立部分空間分析　89
トポグラフィの誤謬　84

な 行

ナイキスト定理　14
入力抵抗値（input impedance）　12
脳機能画像　187
脳磁図　→ MEG
脳波　187
　──画像　203

索　引

――キャップ　14, 18
――計　4, 12

は行

バイオロジカルモーション知覚　4
ハイパスフィルタ　48
パイプライン（手順表）　39
鼻根（nasion）　19
パワー（power）　90
比較認知科学　5
皮質パッチ　198
皮質メッシュ　193
鼻尖（nose tip）　18
標準座標系　192
標準刺激　45
標準脳　192
標的刺激　45
ファイルエクスプローラ　47
部位間位相同期マップ　142
フィルタ　48
フーリエ変換　126
不確定性の原理　130
物理メモリ　36
部分空間　89
プラグイン　41
プリプロセス　39
不良設定問題　194
分布信号源推定　188, 193
平滑分布　197
ベイズ推定法　196
ベースライン補正　54
ベータ波　135
変量効果型　200
ボクセル　199

ま行

前計算（precompute）　76
まばたき　171
――成分　90
ミスマッチ陰性電位　101
漏れ電流　26

や・ら・わ行

陽性　97
陽電子放射断層撮像法　→PET
ラインノイズ　→電源ノイズ
リードフィールド行列　→電場（磁場）導出行列
律動　98
リフレッシュレート　27
両耳朶連結　18
連続ウェーブレット変換　130, 205
ローパスフィルタ　49

A-Z

ABR（Auditory Brain-stem Response）
　→聴性脳幹反応
AEP（Auditory Evoked Potentials）　→聴覚誘発電位
ASCIIフォーマット　56
BESA　52
Bonferroni法　31
Bootstrap法　177
BEM（Boundary Element Model）　92
BMI（Brain Machine Interface）　105
C1　100
CleanLine　42, 50
CMRR（Common-Mode Rejection Ratio）　13
DCM（Dynamic Causal Modeling）　105
EAC（Early Automatic Component）　→N200
ECD（Equivalent Current Dipole）　66, 194
EEG（Electroencephalography）　→脳波
EEGLAB　40
　――のメインウインドウ　41
　――メニュー　41
EOG（Electro-Oculogram）　23, 59
ERP（Event-Rated Potentials）　→事象関連電位
　――発生のメカニズム　98

223

索　引

ERSP（Event-Rated Spectrum Perturbation (or Power))　→事象関連スペクトラムパワー
evokedな成分　99
FDR（False Discovery Rate）　177
FIR（finite impulse response）　48, 81
fMRI（functional Magnetic Resonance Imaging）　133, 187
FMシータ波　136
HMD（Head Mounted Display）装置　6
ICAクラスタリング　157, 160, 212
IID（Independent and Identical Distributions）　197
IIR（infinite impulse response）　48, 81
inducedな成分　99
ISA（Independent Subspace Analysis）　→独立部分空間分析
IT(P)C（Inter Trial (Phase) Coherence）　→試行間位相同期
k-means法　158
LORETA（Low Resolution Electromagnetic Tomography）　94, 197
LPC（Late Positive Complex）　→後期陽性複合
LPP（Late Positive Potential）　8
MATLAB
　——サーチパス　41
　——のコマンドウインドウ　41
　——フォルダ　45
MEG（Magnetoencephalography）　3, 187
MNI（Montreal Neurological Institute）　52, 66, 192
MoBI（mobile brain and body imaging）　216
MSP（Multiple Sparse Prior）　198
N1　100
N170　100
N200　8, 100
N400　104
OS　37
P1　100
P2　101
P300（P3）　102
P600　103
PCA（Principal Component Analysys）　→主成分分析
PET（Positron Emission Tomography）　187
RV（Residual Variance）　68, 162
SEP（Somatosensory Evoked Potentials）　→体性感覚誘発電位
SPM（Statistical Parametric Mapping）　187
STUDY　162
　——デザイン　75
　——ファイル　73
SVM（Support Vector Machine）　106
Tarairach座標系　192
10-5法　19
10-10法　19
10-20法（ten-twenty electrode-system）　19
Toolbox　40
VEP（Visual Evoked Potentials）　→視覚誘発電位

編者紹介

開　一夫（ひらき　かずお）　東京大学大学院総合文化研究科・情報学環教授

金山範明（かなやまのりあき）　産業技術総合研究所人間情報インタラクション研究部門研究員，広島大学大学院脳・こころ・感性科学センター客員准教授

執筆者紹介（五十音順）

河内山隆紀（こうちやまたかのり）　株式会社 ATR-Promotions 脳活動イメージングセンタ研究員

松本　敦（まつもと　あつし）　関西福祉科学大学心理科学部講師

宮腰　誠（みやこし　まこと）　カリフォルニア大学サンディエゴ校スウォーツ計算神経センタープロジェクトサイエンティスト，GYREE CEO

　　　　脳波解析入門 Windows10 対応版
　　　　EEGLAB と SPM を使いこなす

　　　　　2016 年 9 月 30 日　初版第 1 刷
　　　　　2020 年 12 月 9 日　Windows10 対応版第 1 刷
　　　　　2022 年 10 月 20 日　Windows10 対応版第 2 刷

　　　　　　［検印廃止］

　　　編　者　開　一夫・金山範明

　　　発行所　一般財団法人　東京大学出版会
　　　　　　　代表者　吉見俊哉
　　　　　　　153-0041　東京都目黒区駒場4-5-29
　　　　　　　http://www.utp.or.jp/
　　　　　　　電話 03-6407-1069　Fax 03-6407-1991
　　　　　　　振替 00160-6-59964

　　　組　版　有限会社プログレス
　　　印刷所　株式会社ヒライ
　　　製本所　牧製本印刷株式会社

©2020 Kazuo Hiraki and Noriaki Kanayama, Editors
ISBN 978-4-13-012118-7　Printed in Japan

[JCOPY]〈出版者著作権管理機構　委託出版物〉
本書の無断複写は著作権法上での例外を除き禁じられています．複写される場合は，そのつど事前に，出版者著作権管理機構（電話 03-5244-5088,
FAX 03-5244-5089, e-mail: info@jcopy.or.jp）の許諾を得てください．

ソーシャルブレインズ──自己と他者を認知する脳
開 一夫・長谷川寿一［編］　A5 判・312 頁・3200 円

自己を認識し，他者と出会い，その心を読んでかかわりあう──社会的なコミュニケーションの基盤となる能力は，いつ，どのように形成され，発達していくのか．その進化の道すじとは．社会脳の謎に挑む最先端の研究の魅力をわかりやすく紹介．

シリーズ脳科学（全6巻）
甘利俊一［監修］　A5 判・平均 256 頁・各 3200 〜 3600 円

脳の謎はどこまで解明されたのか．広大な脳科学研究をはじめて体系化！
①脳の計算論　深井朋樹［編］
②認識と行動の脳科学　田中啓治［編］
③言語と思考を生む脳　入來篤史［編］
④脳の発生と発達　岡本　仁［編］
⑤分子・細胞・シナプスからみる脳　古市貞一［編］
⑥精神の脳科学　加藤忠史［編］

MATLAB/Scilab で理解する数値計算
櫻井鉄也　A5 判・248 頁・2900 円

MATLAB と Scilab は習得が容易で，グラフなどの表示機能も優れたプログラム言語である．豊富なプログラム例を実際にコンピュータ上で動かしながら，理論とアルゴリズムを理解していく数値計算のテキストの決定版．

ここに表示された価格は本体価格です．ご購入の際には消費税が加算されますのでご了承ください．